LEE CHILD | El enemigo

byblos

Título original: *The Enemy*

Traducción: Juan Soler

1.ª edición: julio 2006

Bailén, 84 - 08009 Barcelona (España)
www.edicionesb.com

Diseño de cubierta: Estudio Ediciones B
Fotografía de cubierta: Cover
Diseño de colección: Ignacio Ballesteros

Printed in Spain
ISBN: 84-666-2839-8
Depósito legal: B. 26.779-2006

Impreso por NOVOPRINT

Lee Child | El enemigo

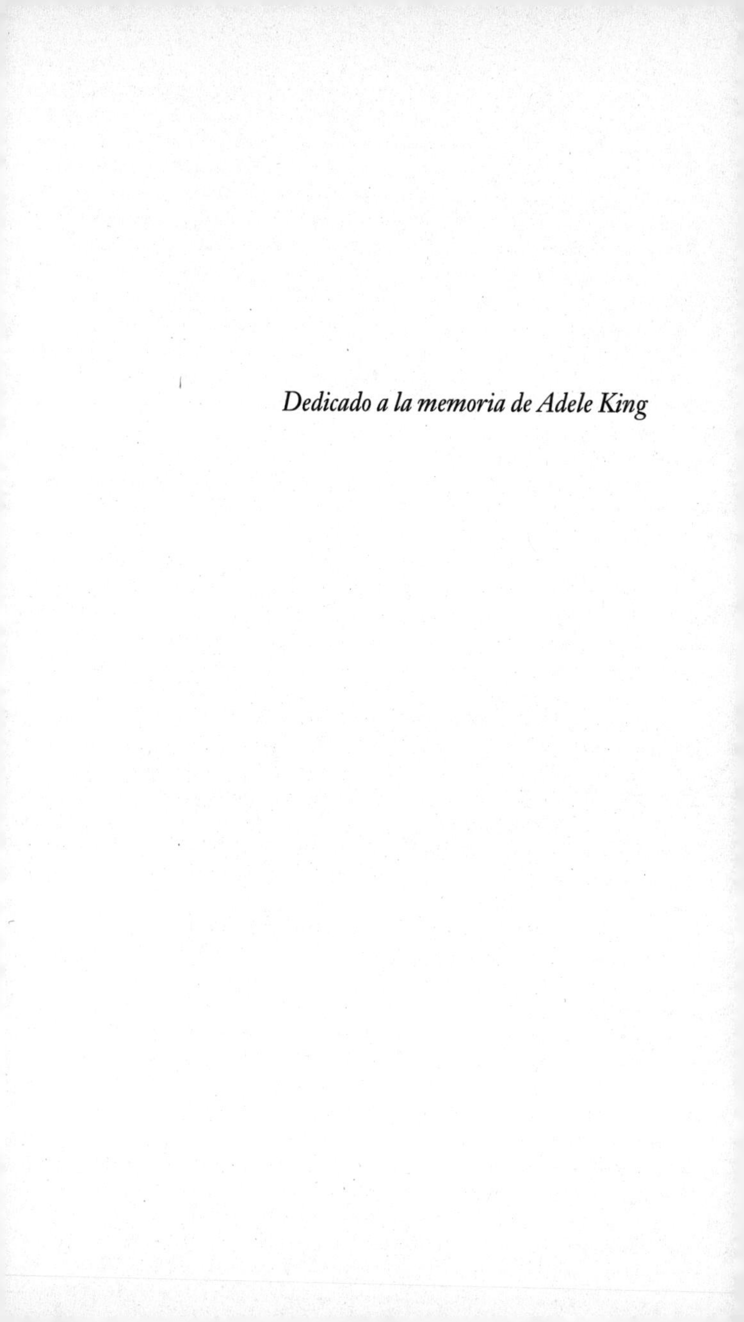

Dedicado a la memoria de Adele King

1

Grave como un ataque cardíaco. Quizás ésas fueron las últimas palabras de Ken Kramer, como una explosión final de pánico en su cabeza mientras dejaba de respirar y se precipitaba en el abismo. No estaba donde debía ni por asomo, y él lo sabía. Estaba donde no debía estar, con alguien de todo punto inadecuado y llevando consigo algo que tenía que haber guardado en un lugar más seguro. Se encontraba en el momento culminante de su juego. Seguramente sonreía, hasta que lo traicionó el repentino golpazo dentro del pecho. Y todo dio un vuelco. El éxito se convirtió en catástrofe. Ya no tenía tiempo de enderezar las cosas.

Nadie sabe cómo es un ataque cardíaco mortal. No hay supervivientes para contárnoslo. Los médicos hablan de necrosis y coágulos, falta de oxígeno y vasos sanguíneos ocluidos. Sugieren rápidas e inútiles palpitaciones, o si no nada de nada. Se valen de palabras como *infarto* y *fibrilación*, aunque esos términos no significan nada para nosotros. Deberían decir que te caes muerto y ya está. Y eso es lo que le pasó a Ken Kramer, sin duda. Tan sólo se cayó muerto y se llevó sus secretos a la tumba; y el lío que dejó atrás casi me mata a mí también.

Me hallaba solo en un despacho que no era mío. En la pared había un reloj que no tenía segundero. Sólo las manecillas de las horas y los minutos. Era eléctrico. No hacía tictac. Era totalmente silencioso, como la habitación. Yo observaba con atención el minutero. No se movía.

Esperé.

La manecilla se movió. Recorrió seis grados de golpe. Su movimiento era mecánico, amortiguado y preciso. Saltó, tembló un poco y se paró.

Un minuto.

«Uno fuera, uno me queda.»

«Sesenta segundos más.»

Seguí mirando. El reloj se quedó quieto un largo, larguísimo rato. De pronto la manecilla volvió a saltar. Otros seis grados, otro minuto, justo medianoche, y 1989 pasaba a ser 1990.

Aparté la silla hacia atrás y me puse en pie detrás de la mesa. Sonó el teléfono. Imaginé que alguien iba a desearme feliz año. Pero no. Era un policía civil para comunicar que había un soldado muerto en un motel a cincuenta kilómetros de su puesto.

—He de hablar con el oficial de servicio de la Policía Militar —dijo.

Volví a sentarme a la mesa.

—Yo mismo —repliqué.

—Tenemos a uno de los suyos. Muerto.

—¿Uno de los míos?

—Un soldado —aclaró.

—¿Dónde?

—En un motel, en la ciudad.

—¿Cómo ha muerto? —pregunté.

—Un ataque cardíaco, lo más probable.

Hice una pausa. Volví la hoja del calendario del ejército que había sobre la mesa; el 31 de diciembre dio paso al 1 de enero.

—¿Algo sospechoso? —inquirí.

—No hemos visto nada.

—¿Ha visto antes ataques cardíacos?

—Montones.

—Muy bien —dije—. Llame al cuartel.

Le di el número.

—Feliz Año Nuevo —dije.

—¿No tiene que venir usted? —preguntó.

—No.

Colgué. No tenía por qué ir. El ejército es una institución grande, algo más grande que Detroit y algo menos que Dallas, y tan poco sentimental como una u otra. Sus efectivos constan de 930.000 hombres y mujeres, tan representativos de la población norteamericana como uno quiera. En Estados Unidos, el índice de mortalidad es aproximadamente de 865 por 100.000 habitantes, y si no hay combates, los soldados no mueren en una proporción mayor ni menor que la gente corriente. En general son más jóvenes y están en mejor forma que las personas normales, si bien fuman y beben más y comen peor y están sometidos a una tensión mayor y en la instrucción hacen toda clase de cosas peligrosas. De modo que su esperanza de vida viene a ser la normal. Mueren al mismo ritmo que el resto de la gente. Si representamos gráficamente el índice de mortalidad de los efectivos actuales, veremos que cada día, un año tras otro, mueren veintidós soldados debido a accidentes, suicidios, enfermedades cardíacas, cáncer, apoplejías, dolencias pulmonares, afecciones hepáticas o del riñón. Igual que los ciudadanos de Detroit o Dallas. Así que no tenía por qué ir. No trabajo en ninguna funeraria. Soy policía militar.

La manecilla del reloj brincó, tembló y se quedó quieta. Pasaban tres minutos de la medianoche. Sonó el teléfono. Alguien para desearme feliz Año Nuevo. Era la sargento de la mesa que había delante de mi despacho.

—Feliz Año Nuevo —me dijo.

—Lo mismo digo. ¿No podía levantarse y asomar la cabeza por la puerta?

—¿No podía asomar usted la suya?

—Estaba al teléfono.

—¿Quién era?

—Nadie —dije—. Un veterano que no ha podido empezar la nueva década.

—¿Quiere café?

—Claro —dije—. ¿Por qué no?

Volví a colgar. Llevaba ya en ese trabajo más de seis años, y el café del ejército era una de las cosas que hacían más feliz mi estancia. Era el mejor del mundo sin discusión. Y también las sargentos. Aquélla era una montañesa del norte de Georgia. Hacía dos días que la conocía. Vivía fuera de la base, en un aparcamiento de caravanas cercano. Tenía un niño pequeño. Me lo había contado todo sobre él. No oí nada de marido alguno. Era todo huesos y tendones y dura como el pico de un pájaro carpintero. Pero yo le gustaba, de eso estaba seguro. Porque me había traído café. Si no les gustas, no te traen café. Al revés, te apuñalan por la espalda. Mi puerta se abrió y ella entró con dos tazones, uno para ella y otro para mí.

—Feliz Año Nuevo —repetí.

Dejó los dos tazones sobre la mesa.

—¿Lo será? —dijo ella.

—No veo por qué no.

—Casi han derribado el Muro de Berlín. Ha salido por la televisión. Se lo estaban pasando en grande.

—Me alegro de que así sea, donde sea.

—Montones de gente. Grandes multitudes, todos cantando y bailando.

—No he visto las noticias —dije.

—Ha sido hace unas seis horas. La diferencia horaria.

—Seguramente aún siguen ahí.

—Llevaban mazos —dijo ella.

—Con todo el derecho. Su mitad es ahora una ciudad libre. Nos pasamos cuarenta y cinco años manteniéndola dividida.

—Pronto ya no tendremos enemigos.

Probé el café. Caliente, negro, el mejor del mundo.

—Hemos ganado —dije—. Cabe suponer que eso es bueno, ¿no?

—No si vives de la paga del Tío Sam.

Iba vestida como yo, con el habitual uniforme de campaña. Las mangas pulcramente subidas. El brazalete de PM exactamente en posición horizontal. Lo llevaría sujeto por detrás con un imperdible. Las botas relucían.

—¿Tiene algún uniforme de camuflaje para el desierto? —le pregunté.

—Nunca he estado en el desierto.

—Cambiaron el diseño. Le han puesto grandes manchas marrones. Cinco años de investigaciones. Los de Infantería lo llaman pastilla de chocolate. No es un diseño bueno. Tendrán que cambiarlo de nuevo, pero tardarán otros cinco años en decidirse.

—¿Y?

—Si tardan cinco años en revisar el diseño de un uniforme de camuflaje, su hijo habrá acabado la universidad antes de que decidan la reducción de efectivos. Así que tranquila.

—Muy bien —dijo, sin creerme—. ¿Cree que el chico vale para estudiar?

—No lo conozco.

Ella no respondió.

—El ejército detesta los cambios —señalé—. Y siempre tendremos enemigos.

Siguió callada. Sonó el teléfono. Ella se inclinó y respondió por mí. Escuchó unos once segundos y me tendió el auricular.

—El coronel Garber, señor —dijo—. Está en el Distrito de Columbia.

Cogió su tazón y salió del despacho. El coronel Garber era en última instancia mi jefe, y aunque era un ser humano agradable, no parecía probable que llamara ocho minutos después de iniciado el nuevo año sólo para mostrarse amistoso. No era ése su estilo. Algunos mandamases sí van de ese rollo. En las fiestas importantes vienen la mar de animados, como si fueran uno más. Pero Leon Garber no lo habría hecho ni de broma, con nadie, y menos conmigo. Aunque hubiera sabido que yo estaba allí.

—Reacher al habla —dije.

Hubo una pausa.

—Pensaba que estabas en Panamá —dijo él.

—Recibí órdenes —expliqué.

—¿Para ir de Panamá a Fort Bird? ¿Por qué?

—No me corresponde a mí preguntar.

—¿Cuándo fue?

—Hace dos días.

—Vaya trastada, ¿no? —soltó.

—¿Por qué lo dice?

—Seguramente Panamá era más emocionante.

—No estaba mal —dije.

—¿Y ya te hacen trabajar en Nochevieja?

—Me ofrecí voluntario. Estoy intentando caer bien.

—Pierdes el tiempo —dijo.

—Una sargento acaba de traerme café.

Guardó silencio.

—¿Te han llamado para informarte sobre un soldado muerto en un motel?

—Hace ocho minutos —precisé—. Me lo he quitado de encima y he dicho que llamaran al cuartel.

—Pues allí también se lo han quitado de encima y acaban de sacarme de una fiesta para contármelo todo.

—¿Qué pasa?

—Que el soldado muerto en cuestión es un general de dos estrellas.

—No se me ocurrió preguntar —dije.

Un silencio.

—Los generales son mortales —añadí—. Como todo el mundo.

No hubo respuesta.

—No había nada sospechoso —aduje—. La ha palmado, eso es todo. Ataque cardíaco. Seguramente padecía de gota. No he visto ningún motivo de alarma.

—Es una cuestión de dignidad —dijo Garber—. No podemos cruzarnos de brazos y dejar a un dos estrellas ahí tirado en público. Hemos de hacer acto de presencia.

—¿Y debo ir yo?

—Preferiría que fuera otro. Pero esta noche seguramente eres el PM de más alto rango que está sobrio. O sea que sí, debes ir tú.

—Tardaré una hora en llegar.

—No va a ir a ninguna parte. Está muerto. Y aún no han encontrado a un forense que esté lo bastante despejado.

—Muy bien —dije.

—Sé respetuoso —aconsejó.

—Muy bien —repetí.

—Y educado —añadió—. Fuera de nuestro terreno estamos en sus manos. Es jurisdicción civil.

—Estoy familiarizado con los civiles. En una ocasión conocí a uno.

—Pero controla la situación —señaló—. Bueno, si hace falta controlarla.

—Seguramente ha muerto en la cama —observé—. Como hace toda la gente.

—Si es preciso, llámame —dijo.

—¿Está bien su fiesta?

—Estupenda. Mi hija está de visita.

Colgó. Acto seguido llamé al poli que me había dado la noticia y le pedí las señas del motel. Luego dejé el café en mi mesa, salí, se lo expliqué a la sargento y me dirigí al cuartel para cambiarme. Supuse que un *acto de presencia* requería un verde de clase A, no un uniforme de campaña.

Cogí un Humvee del parque de la PM y salí por la puerta principal. Llegué al motel en menos de cincuenta minutos. Se hallaba a casi cincuenta kilómetros al norte de Fort Bird, tras atravesar el oscuro y vulgar paisaje de Carolina del Norte, formado a partes iguales por centros comerciales, bosques cubiertos de maleza y lo que me pareció que eran campos de boniatos en barbecho. Todo me resultaba nuevo. Nunca antes había prestado servicio allí. Las carreteras estaban despejadas. Todo el mundo se encontraba aún de fiesta. Ojalá pudiera regresar a Bird antes de que todos cogieran sus vehículos y colapsasen las carreteras. Aunque en realidad confiaba en las posibilidades del Humvee en caso de colisión frontal con un vehículo civil.

El motel formaba parte de un conjunto de estructuras comerciales cercanas a un enorme nudo de autopistas. En el centro había una parada de carretera, con una freiduría barata que abría los días de fiesta, y al lado una gasolinera lo bastante grande para atender camiones de dieciocho ruedas. También había un bar sin nombre con mucho neón y sin ventanas, con un letrero luminoso de BAILARINAS EXÓTICAS en color rosa y un aparcamiento del tamaño de un campo de fútbol. Olía a gasoil y había charcos irisados. Se oía una música fuerte procedente del bar, alrededor del cual había coches aparcados en triple fila. Toda la zona brillaba con el amarillo sulfuroso de las altas farolas. El aire nocturno era frío y la niebla se desplazaba en capas. El motel estaba justo al otro lado de la gasolinera. Era una construcción decrépita y de estructura inclinada, con unas veinte habitaciones en toda su longitud. En el extremo de la izquierda se distinguía una oficina con un simbólico porche para vehículos y una máquina de Coca-Cola que zumbaba.

Primera pregunta: ¿por qué un general de dos estrellas iría a un lugar como ése? Casi seguro que si se hubiera alojado en un Holiday Inn no habría habido una investigación del Departamento de Defensa.

Frente a la penúltima habitación había dos coches

patrulla estacionados de cualquier manera. Entre ambos se apreciaba un pequeño sedán sin distintivos. Era un Ford sencillo, rojo, de cuatro cilindros, con neumáticos estrechos y tapacubos de plástico. De alquiler, sin duda. Dejé el Humvee al lado de un coche patrulla y salí al fresco. La música del bar se oía más fuerte. Las luces de la penúltima habitación estaban apagadas y la puerta abierta. Supuse que los polis procuraban mantener baja la temperatura interior. Para que el fiambre no oliera demasiado. Tenía ganas de echarle un vistazo. Estaba seguro de que nunca había visto un general muerto.

Tres polis se quedaron en los coches y uno salió a recibirme. Llevaba pantalones de uniforme marrón y una cazadora corta de piel con la cremallera subida hasta el mentón. Sin sombrero. Los distintivos de su cazadora me revelaron que se llamaba Stockton y su rango era adjunto al jefe. De unos cincuenta años, tenía aspecto abatido. Era de estatura mediana y algo fláccido y pesado, pero por el modo en que descifró las insignias de mi chaqueta deduje que era un veterano; como montones de polis.

—Comandante —dijo a modo de saludo.

Asentí. Un veterano, desde luego. Un comandante luce unas pequeñas hojas doradas de roble en la charretera, de unos tres centímetros de ancho, una a cada lado. Aquel tipo las estaba mirando desde abajo y de soslayo, lo cual no era el mejor ángulo de visión. Pero sabía qué eran. Así que estaba familiarizado con los distintivos de rango. Y yo le reconocí la voz. Era el que me había llamado, cuando pasaban cinco segundos de la medianoche.

—Soy Rick Stockton —dijo—, adjunto al jefe.

El hombre estaba tranquilo. Ya había visto montones de ataques cardíacos.

—Soy Jack Reacher. Oficial PM de servicio esta noche.

Él también me reconoció la voz. Sonrió.

—Así pues, ha decidido venir —señaló.

—No me ha dicho que el fallecido era un dos estrellas.
—Pues sí, lo es.
—Sentí curiosidad porque nunca he visto un general muerto —dije.
—Mucha gente tampoco —repuso, y el modo en que lo dijo me indicó que había sido soldado.
—¿Ejército? —pregunté.
—Marines —contestó—. Sargento primero.
—Mi viejo era marine —dije. Cuando hablaba con marines siempre lo mencionaba. Le da a uno una especie de legitimidad genética. Hace que ellos no te consideren un simple sabueso militar. Pero lo digo de forma vaga. No les digo que mi viejo había sido capitán. Los soldados y los oficiales no ven las cosas con los mismos ojos.
—Humvee —dijo. Miraba mi vehículo—. ¿Le gusta? —preguntó.
Asentí. «Humvee» era la mejor transcripción fonética de HMMWV, o sea Vehículo de Ruedas Multiuso de Alta Movilidad, que lo dice prácticamente todo. Como generalmente en el ejército, donde uno es lo que le ordenan hacer.
—Funciona como en los anuncios —expliqué.
—Muy ancho —opinó él—. No me gustaría conducirlo en la ciudad.
—Llevaría tanques delante —observé—. Le despejarían el camino.
La música del bar sonaba con fuerza. Stockton no dijo nada.
—Vamos a ver al muerto —le sugerí.
Stockton se encaminó hacia el interior. Encendió un interruptor y el pasillo quedó iluminado. Luego otro, y se hizo la luz en la habitación. Vi una distribución típica de motel. Una entrada de un metro de ancho con un armario a la izquierda y un cuarto de baño a la derecha. Luego un rectángulo de seis por cuatro con una encimera empotrada de la misma profundidad que el armario y una cama

grande como el baño. Techo bajo. Una ancha ventana con cortinas, y un aparato de calefacción-aire acondicionado incrustado debajo. El mobiliario, marrón, estaba viejo y gastado. El lugar tenía un aspecto inhóspito, húmedo y lamentable.

En la cama había un cadáver.

Estaba desnudo, boca abajo. Blanco, quizá llegando a los sesenta, bastante alto. Tenía la figura de un deportista en decadencia. Como un entrenador. Aún exhibía buenos músculos. Pero estaba echando michelines como les pasa a todos los tíos mayores, por muy en forma que estén. Las piernas eran pálidas y sin vello. Se apreciaban viejas cicatrices. Tenía el pelo gris revuelto y pegado al cuero cabelludo, y la piel agrietada y erosionada en la nuca. Respondía al perfil típico. Si lo hubieran visto cien personas, las cien habrían dicho que era oficial del ejército, sin duda.

—¿Lo han encontrado así? —inquirí.

—Sí.

Segunda pregunta: ¿cómo? Si un tío coge una habitación para pasar la noche, espera intimidad al menos hasta que la camarera aparezca por la mañana.

—¿Cómo? —pregunté.

—Cómo ¿qué?

—¿Cómo lo han encontrado? ¿Él mismo llamó al 911?

—No.

—Entonces ¿cómo?

—Ya lo verá.

Hice una pausa. Aún no veía nada.

—¿Le han dado la vuelta? —pregunté.

—Sí. Y luego lo hemos dejado otra vez así.

—¿Le importa si echo un vistazo?

—Como si estuviera en su casa.

Me acerqué a la cama, deslicé la mano izquierda bajo la axila del muerto y le di la vuelta. Estaba frío y un poco rígido. El rigor mortis ya había empezado. Lo puse de espaldas y vi cuatro cosas. Primero, su piel tenía la palidez grisácea característica. Segundo, en su cara habían quedado grabados el dolor y la conmoción. Tercero, se había agarrado el brazo izquierdo con la mano derecha, a la altura del bíceps. Y cuarto, llevaba puesto un condón. La presión sanguínea había caído en picado hacía rato, la erección había desaparecido y el preservativo había quedado colgando, en su mayor parte vacío, como un pingajo traslúcido de piel pálida. Había muerto antes de llegar al orgasmo. Eso estaba claro.

—Ataque al corazón —dijo Stockton, a mi espalda.

Hice un gesto de asentimiento. La piel grisácea era un buen indicador. Y también la evidencia de sobresalto, sorpresa y dolor repentino en su brazo izquierdo.

—Masivo —precisé.

—¿Pero antes o después de la penetración? —preguntó Stockton con una sonrisa.

Miré la zona de las almohadas. La cama estaba aún por deshacer. El tipo se encontraba encima de la colcha, y ésta seguía ajustada sobre las almohadas. Pero había una marca con forma de cabeza, y se apreciaban arrugas donde los codos y los talones habían empujado hacia abajo.

—Cuando ocurrió ella estaba debajo —dije—. Seguro. Tuvo que forcejear para salir.

—Vaya jodida forma de morir para un hombre.

Me volví.

—Conozco otras peores.

Stockton se limitó a sonreír.

—¿Qué? —solté.

No respondió.

—¿Alguna noticia de la mujer? —pregunté.

—No le hemos visto el pelo. Se dio a la fuga.

—¿El tío de recepción la vio?

Stockton volvió a sonreír.

Lo miré. Entonces comprendí. «Un tugurio barato cerca de un cruce de autopistas con una parada de camiones y un bar de *striptease*, a cincuenta kilómetros al norte de una base militar.»

—Era una puta —señalé—. Por eso lo han encontrado. El de recepción la conocía. La vio salir demasiado pronto, sintió curiosidad por saber el motivo y vino a echar una ojeada.

Stockton asintió.

—Nos llamó enseguida, pero la dama en cuestión ya se había esfumado, naturalmente. Por lo demás, él niega haberla visto jamás. El tipo pretende que éste no es un sitio de esa clase.

—¿Su departamento ha tenido otros casos por aquí?

—Alguna vez. Es un sitio de esa clase, créame.

«Controla la situación», había dicho Garber.

—Ataque cardíaco, ¿de acuerdo? —dije—. Nada más.

—Seguramente. Pero para estar seguros hace falta la autopsia.

La habitación estaba tranquila. No se oía nada salvo la radio de los coches patrulla y la música del bar al otro lado de la calle. Volví a fijarme en la cama. Observé la cara del muerto. No le conocía. Miré sus manos. En la derecha llevaba un anillo de West Point y en la izquierda una alianza de matrimonio, ancha, vieja, seguramente de nueve quilates. Le miré el pecho. Tenía las placas de identificación ocultas bajo el brazo derecho, por donde había extendido éste para asirse el izquierdo. Levanté el brazo a duras penas y las saqué. Las alcé hasta que la cadena quedó tirante alrededor del cuello. Se llamaba Kramer, católico, grupo sanguíneo O.

—Podemos ocuparnos de la autopsia —sugerí—. En el Centro Médico del Ejército Walter Reed.

—¿Fuera del estado?

—Es un general.

—Quiere echar tierra sobre el asunto.

—Así es. ¿No haría usted lo mismo?

—Seguramente —dijo.

Solté las placas de identificación, me aparté de la cama y examiné las mesillas de noche y la encimera empotrada. Nada. En la habitación no había teléfono. Supuse que en un lugar como ése habría un teléfono público en la oficina. Miré en el cuarto de baño. Junto al lavabo había un neceser Dopp de cuero negro, cerrado con cremallera. Llevaba grabadas las iniciales *KRK*. Lo abrí y encontré un cepillo de dientes, una navaja de afeitar, tubos de pasta dentífrica para viajes y jabón de afeitar. Nada más. Ni medicamentos, ni recetas para el corazón ni paquete de condones.

Registré el armario. Había un uniforme de clase A, pulcramente dispuesto en tres colgadores, los pantalones plegados en la barra del primero, la chaqueta en el de al lado, y en el tercero la camisa. La corbata estaba aún en el cuello de la camisa. En un estante encima de los colgadores había una gorra de oficial. Llena de galones dorados. A un lado se veía una camiseta blanca doblada, y al otro unos calzoncillos blancos.

En el suelo del armario había un par de zapatos junto a un portatrajes de lona de un verde apagado, cuidadosamente apoyado contra el fondo. Los zapatos eran de charol, y dentro tenían calcetines enrollados. El portatrajes tenía estropeados los refuerzos de cuero en los puntos de presión. No estaba muy lleno.

—Les enviaremos los resultados —dije—. Nuestro forense les hará llegar una copia sin añadidos ni supresiones. Si hay algo que no les gusta, les devolveremos la pelota; sin preguntas.

Stockton no dijo nada, pero no percibí hostilidad alguna. Algunos polis civiles se enrollan bien. Una base grande como Bird provoca muchas reacciones en el mundo civil circundante. Por tanto, los PM pasamos mucho tiempo con nuestros homólogos civiles, y a veces esto es un coñazo y a veces no. Tenía la sensación de que Stockton no iba a dar problemas. Parecía un tipo tranquilo. O sea, un tanto perezoso, y a la gente perezosa siempre le encanta pasar sus responsabilidades a otros.

—¿Cuánto? —dije.

—Cuánto ¿qué?

—¿Cuánto cuesta aquí una puta?

—Veinte pavos bastarían —respondió—. Por estos pagos no abundan las cosas exóticas.

—¿Y la habitación?

—Quince, probablemente.

Volví a poner el cadáver boca abajo. No fue fácil. Al menos pesaría noventa kilos.

—¿Qué opina? —pregunté.

—¿De qué?

—De que hagan la autopsia en el Walter Reed.

Hubo un silencio. Stockton miraba la pared.

—Tal vez sea aceptable —contestó.

Llamaron a la puerta abierta. Un poli de los coches.

—Acaba de llamar el forense —informó—. Tardará al menos otras dos horas en llegar. Es Nochevieja.

Sonreí. *Aceptable* estaba a punto de convertirse en *muy deseable*. Al cabo de dos horas Stockton tendría que estar en otra parte. Terminarían un montón de fiestas y las carreteras se convertirían en un caos. Al cabo de dos horas estaría suplicándome que me llevara al tipo a rastras. El policía regresó a su coche a esperar y Stockton cruzó la habitación y se quedó mirando la ventana con cortinas dando la espalda al cadáver. Cogí la percha con la chaqueta del uniforme, la saqué del armario y la colgué en la puerta del cuarto de baño para que le diera la luz de la entrada.

Mirar una chaqueta de clase A es como leer un libro o estar en la barra de un bar mientras un tío te cuenta su vida. Ésa era de la talla del cadáver que yacía en la cama y llevaba grabado el nombre «Kramer» en la chapa, lo que coincidía con las placas de identificación. Tenía un galón Corazón Púrpura con dos conjuntos de hojas de roble de bronce para indicar una segunda y una tercera concesión de la medalla, lo que se correspondía con las cicatrices. Había dos estrellas de plata en las charreteras, lo que confirmaba que era general de división. Las insignias de división en las solapas significaban Blindados y el parche del hombro era del XII Cuerpo. Aparte de eso había un montón de condecoraciones de unidad y una ensaladera completa de medallas que se remontaban a Vietnam y Corea, de las cuales algunas seguramente eran merecidas y otras no. Algunas eran distinciones extranjeras, cuya exhibición estaba autorizada pero no era obligatoria. La chaqueta, relativamente vieja, era una prenda estándar, no hecha a medida, pero estaba bien cuidada. En conjunto revelaba que Kramer había sido presumido en el ámbito profesional pero no en el personal.

Busqué en los bolsillos. Todos vacíos salvo por la llave del coche. Era de alquiler. Estaba prendida de un llavero de plástico transparente que contenía un trozo de papel con el nombre «Hertz» impreso en amarillo y un número de matrícula escrito a mano con bolígrafo negro.

No había cartera. Ni dinero suelto.

Devolví la chaqueta al armario y registré en los pantalones. En los bolsillos, nada. Inspeccioné los zapatos. No contenían nada excepto los calcetines. Examiné la gorra. No ocultaba nada dentro. Cogí el portatrajes y lo abrí en el suelo. Contenía un uniforme de campaña y una gorra M43. Un par de calcetines y camisetas y unas lustradas botas de combate de piel negra sin adornos. Había un compartimiento vacío que supuse era para el neceser Dopp. Nada más. Lo cerré y lo coloqué donde estaba. Me agaché y miré debajo de la cama. Nada.

—¿Es algo que nos debiera preocupar? —preguntó Stockton.

Me puse en pie y negué con la cabeza.

—No —mentí.

—Pues entonces es todo suyo —dijo—. Pero recibiré una copia del informe.

—Conforme —dije.

—Feliz Año Nuevo —dijo.

Salió en dirección a su coche y yo me dirigí a mi Humvee. Pedí una *ambulancia solicitada* 10-5 y le dije a mi sargento que la acompañaran dos hombres que enumerarían y empaquetarían todos los efectos personales de Kramer y los llevarían a mi despacho. A continuación me quedé sentado en el asiento del conductor y aguardé a que todos los colegas de Stockton se hubieran marchado. Los vi alejarse en la niebla y luego volví a la habitación y cogí la llave del coche de la chaqueta de Kramer. Salí de nuevo y abrí el Ford.

Dentro no había nada salvo el mal olor del limpiador de tapicerías y una copia del contrato de alquiler. Kramer había recogido el coche aquella tarde a las 13.32 en el aeropuerto internacional Dulles, de Washington D.C. Había pagado con una American Express particular y le habían aplicado un tipo de descuento. Inicialmente el cuentakilómetros marcaba 21.144, ahora 21.620, lo que significaba que había conducido 476 kilómetros, es decir, había hecho prácticamente un desplazamiento en línea recta de allí hasta el motel.

Me guardé el contrato en el bolsillo y cerré el coche. Miré en el maletero. Vacío.

Metí la llave en un bolsillo y crucé en dirección al bar. A cada paso que daba la música se oía más fuerte. A diez metros olí tufo de cerveza y tabaco procedentes de los extractores. Sorteé los vehículos aparcados y llegué a la puerta. Era de madera resistente y estaba cerrada. La abrí de golpe y me asaltó una masa de sonido y un aire denso y caliente. El local estaba abarrotado. Vi cientos de personas y paredes pintadas de negro y focos púrpura y esferas de espejos. En un escenario al fondo había una bailarina en torno a un mástil. Iba a gatas y por todo vestuario llevaba un sombrero blanco de *cowboy*. Se arrastraba de un lado a otro, cogiendo billetes de un dólar.

Tras una caja registradora había un grandullón con una camiseta negra, el rostro entre las sombras. Gracias al débil rayo de un foco supe que tenía el pecho del tamaño de un bidón de gasolina. La música era ensordecedora y la multitud se apiñaba de pared a pared, hombro con hombro. Retrocedí y dejé que la puerta se cerrara. Me quedé un instante en el aire frío y acto seguido me alejé, crucé la calle y me encaminé a la oficina del motel.

Un espacio deprimente, iluminado con fluorescentes que daban un tono verdoso y rojizo debido a la máquina de Coca-Cola situada junto a la puerta. Tenía en la pared un teléfono público, el suelo de linóleo gastado y un mostrador que le llegaba a uno a la cintura, encastrado en una especie de revestimiento de madera falsa. El recepcionista estaba sentado detrás, en un taburete alto. Blanco, de unos veinte años, el cabello largo y sucio y mentón poco pronunciado.

—Feliz Año Nuevo —dije.

No respondió.

—¿Has sacado algo de la habitación del muerto? —pregunté.

Negó con la cabeza.

—Dímelo otra vez.

—No he sacado nada.

Asentí. Le creí.

—Muy bien —dije—. ¿Cuándo se registró?

—No lo sé. Yo llegué a las diez. Él ya estaba aquí.

Asentí de nuevo. Kramer se encontraba en el aparcamiento de coches de alquiler en Dulles a la una y media y había conducido casi los kilómetros justos para venir directamente hasta aquí, en cuyo caso se habría inscrito en torno a las siete y media. Quizá las ocho y media si se paró en algún sitio a comer algo. Tal vez las nueve si era un conductor excepcionalmente precavido.

—¿Llegó a utilizar el teléfono público?

—Está estropeado.

—Entonces ¿cómo conseguisteis la puta?

—¿Qué puta?

—La que él se estaba cepillando cuando murió.

—Aquí no vienen putas.

—¿Acaso él la conoció en el bar?

—Su habitación está al final de la hilera. Qué demonios voy a saber.

—¿Tienes permiso de conducir?

El tío me miró con recelo.

—¿Por qué?

—Es sólo una pregunta —dije—. O tienes o no tienes.

—Sí tengo —repuso.

—Enséñamelo —ordené.

Yo era más grande que la máquina de Coca-Cola e iba todo cubierto de insignias y medallas, y él hizo lo que se le mandaba, como hacen la mayoría de los veinteañeros flacuchos cuando utilizo ese tono. Levantó el culo del taburete y sacó una cartera del bolsillo trasero del pantalón. La abrió de golpe. Su carnet de conducir se hallaba tras un plástico. Tenía la foto, y su nombre y dirección.

—Bien —dije—. Ahora sé dónde vives. Volveré más tarde a hacerte algunas preguntas. Si no te encuentro aquí, iré a tu casa.

No respondió. Salí y regresé al Humvee a esperar.

Al cabo de cuarenta minutos aparecieron una ambulancia militar y otro Humvee. Dije a mis muchachos que lo cogieran todo, incluido el coche de alquiler, pero no me quedé a ver cómo lo hacían sino que regresé a la base. Una vez en mi despacho prestado, le dije a la sargento que llamara a Garber. Aguardé la llamada en mi mesa. Tardó menos de dos minutos.

—¿Y bien? —preguntó.

—Se llamaba Kramer.

—Eso ya lo sé —señaló Garber—. Después de hablar contigo hablé con la policía. ¿Qué le ocurrió?

—Un ataque al corazón. Durante un acto sexual con una prostituta. En la clase de motel que una cucaracha exigente procuraría evitar.

Hubo un silencio.

—Mierda —soltó Garber—. Estaba casado.

—Sí, he visto su alianza. Y el anillo de West Point.

—Promoción del cincuenta y dos —precisó Garber—. Lo he comprobado.

Otro silencio.

—Mierda —repitió—. ¿Por qué la gente inteligente gasta estúpidas bromas como ésta?

No respondí porque no lo sabía.

—Hemos de ser discretos —dijo.

—No se preocupe. Ya hemos empezado a taparlo todo. La policía local me permite llevarlo al Walter Reed.

—Bien. Muy bien. —Hizo una pausa—. Empieza desde el principio, ¿vale?

—Llevaba parches del XII Cuerpo —expliqué—. Eso significa que tenía su base en Alemania. Ayer aterrizó en Dulles, seguramente desde Francfort. Un vuelo civil, desde luego, pues vestía clase A a la espera de un ascenso. En un avión militar habría llevado uniforme de campaña. Alquiló un coche barato y condujo 476 kilómetros y se registró en un motel de quince dólares la habitación y pilló una puta de veinte.

—Sé lo del vuelo —dijo Garber—. He llamado al XII Cuerpo y he hablado con su gente. Les he dicho que había muerto.

—¿Cuándo?

—Después de hablar con la policía.

—¿Les ha explicado cómo y dónde ha muerto?

—He dicho que probablemente ha sido un ataque cardíaco, nada más, ni detalles ni el lugar, lo que ahora empieza a parecer una buena decisión.

—¿Y qué hay del vuelo? —inquirí.

—American Airlines, ayer, de Francfort a Dulles, con llegada a la una y un enlace hoy a las nueve, del Washington National a Los Ángeles. Iba a una reunión del Cuerpo de Blindados en Fort Irwin. Era un comandante de Blindados en Europa. Uno de los importantes. Aparte de la posibilidad de ser nombrado subjefe del Estado Mayor en el plazo de dos años. Es el turno de los blindados. El que hay ahora es de Iinfantería, y les gusta ir alternando. Kramer tenía posibilidades. Pero ya no, ¿verdad?

—Seguramente no —dije—. Estando muerto y tal.

Garber no contestó.

—¿Cuánto tiempo iba a quedarse? —pregunté.

—Tenía que estar de vuelta en Alemania antes de una semana.

—¿Su nombre completo?

—Kenneth Robert Kramer.

—Seguro que sabe su fecha de nacimiento —dije—. Y el lugar.

—¿Y?

—Y sus números de vuelo y de asiento. Y lo que pagó el gobierno por los billetes. Y si pidió menú vegetariano o no. Y en qué habitación planeaba alojarle el Cuartel de Oficiales de Visita en Fort Irwin.

—¿Adónde quieres llegar?

—A saber por qué no sabía yo también todo esto.

—¿Por qué ibas a saberlo? —soltó Garber—. Yo he estado haciendo llamadas y tú has estado husmeando en el hotel.

—¿Le digo una cosa? Siempre que voy a algún sitio tengo un fajo de billetes de avión y justificantes de viajes y de reservas, y si voy al extranjero llevo conmigo el pasaporte. Y si he de asistir a una reunión, acarreo un maletín para meter todo el papeleo y demás.

—¿Qué estás diciendo?

—Estoy diciendo que en la habitación del hotel faltan cosas. Billetes, reservas, pasaporte, itinerario. En suma, las cosas que cualquier persona llevaría en un maletín.

Garber no respondió.

—Tenía un portatrajes —proseguí—. De lona verde, con refuerzos de piel marrón. Diez pavos contra uno que había un maletín a juego. Probablemente su esposa había elegido los dos. Seguramente hizo el pedido por correo a L.L. Bean. Quizá por Navidad diez años atrás.

—¿Y el maletín no estaba?

—Dentro también estaría la cartera, cuando iba vestido de clase A. Con tantas medallas como llevaba, no le cabría en el bolsillo interior.

—¿Por tanto...?

—Creo que la puta vio dónde guardó él la cartera después de pagarle. Después se metieron en harina, él la diñó, y ella se sacó un pequeño suplemento. Supongo que le robó el maletín.

Garber se quedó unos momentos callado.

—¿Será un problema? —preguntó.

—Depende de lo que haya en el maletín.

2

Colgué el auricular y leí una nota que la sargento me había dejado: «Ha llamado su hermano. Ningún mensaje.» La tiré a la papelera. Después me dirigí al cuartel y dormí tres horas. Me levanté quince minutos antes de las primeras luces. Estaba otra vez en el motel justo al romper el alba. La mañana no contribuía a que la vecindad tuviera mejor aspecto. Kilómetros y kilómetros de desolación y abandono. Y silencio. La madrugada del día de Año Nuevo está tan cerca del silencio absoluto como cualquier lugar deshabitado. La autopista estaba desierta. No había tráfico. Nada.

En la parada de camioneros, la freiduría estaba abierta pero vacía. En la oficina del motel no había nadie. Recorrí la hilera de habitaciones hasta la de Kramer. La puerta estaba cerrada. Apoyé la espalda contra la hoja y fingí ser una puta cuyo cliente acaba de morir. Me había quitado su peso de encima, me había vestido deprisa, había cogido su maletín y había huido. ¿Qué haría ahora? No tenía ningún interés en el maletín mismo. Quería el dinero de la cartera, y quizá la American Express. Así que lo revolvía, cogía la pasta y la tarjeta y tiraba el maletín. Pero ¿dónde haría todo eso?

Habría sido mejor dentro de la habitación. Pero por algún motivo no lo había hecho allí. Tal vez me entró pánico. Quizás estaba sobresaltada y asustada y sólo quería salir pitando. Entonces ¿dónde? Miré al frente, al bar. Seguramente iría allí. Seguramente allí era donde tenía mi base de operaciones. Sin embargo, no iba a entrar con el maletín. Mis colegas se darían cuenta, pues ya llevaba un bolso grande. Las putas siempre llevan bolsos grandes. Han de acarrear un montón de cosas. Condones, aceites para masajes, acaso una pistola o un cuchillo, quizás una máquina para tarjetas de crédito. Es el mejor modo de identificar a una puta. Vestida como si fuera a un baile, con una bolsa como si fuera de vacaciones.

Miré a la izquierda. Tal vez fui detrás del motel. Aquello estaría tranquilo. Todas las ventanas daban allí, pero era de noche y podía confiar en que las cortinas estarían echadas. Doblé a la izquierda por dos veces y me encontré detrás de las habitaciones, en un rectángulo lleno de hierbajos de unos seis metros de ancho y que abarcaba toda la longitud del edificio. Imaginé que caminaba deprisa y que me paraba en una sombra y rebuscaba al tacto. Me figuré que encontraba lo que quería y que arrojaba el maletín a la oscuridad. Acaso a unos diez metros.

Me quedé donde quizá se había quedado ella y abarqué un cuadrante de círculo. Esto suponía examinar unos cincuenta metros cuadrados. El terreno era pedregoso y estaba casi helado debido a la escarcha matutina. Hallé varias cosas. Basura, jeringuillas usadas, pipas de *crack*, un tapacubos de Buick y una rueda de monopatín. Pero ningún maletín.

En la parte trasera había una valla de madera de casi dos metros de altura. Me encaramé y miré. Vi otro rectángulo de hierbas y piedras. Ningún maletín. Abandoné la valla y me dirigí a la oficina del motel por la parte de atrás. Vi una ventana de vidrio rugoso, seguramente el cuarto de baño del personal. Debajo había una docena de aparatos de aire acondicionado hechos polvo, en un montón de poca altura. Estaban oxidados. Llevaban allí años. Seguí andando, doblé la esquina y torcí a la izquierda, hacia un tramo de grava lleno de hierbajos donde había un contenedor para escombros. Abrí la tapa. Lleno de basura hasta los tres cuartos. Ningún maletín.

Crucé la calle, atravesé el aparcamiento vacío y miré el bar. Estaba en silencio y cerrado a cal y canto. El cartel de neón se encontraba apagado y los pequeños tubos de las letras ofrecían un aspecto frío y ridículo. Tenía su propio contenedor, junto al aparcamiento, como si fuera un vehículo más. Dentro no había maletín alguno.

Me asomé a la freiduría. Aún estaba vacía. Miré detrás de la caja registradora. Había una caja de cartón con un par de tristes paraguas dentro, pero ningún maletín. Eché un vistazo en el baño de señoras. Ni mujeres ni maletín.

Miré el reloj y regresé al bar. Allí tenía que hacer algunas preguntas cara a cara. Pero no abrirían al menos hasta pasadas otras ocho horas. Me volví y miré el motel, al otro lado de la calle. Aún no había nadie en la oficina. Así que me dirigí al Humvee y llegué a tiempo de oír en la radio un 10-17: «Regrese a la base.» Acusé recibo del aviso, encendí el potente motor diesel y conduje de nuevo hasta Fort Bird. No había tráfico y tardé menos de cuarenta minutos. El coche de alquiler de Kramer estaba en el aparcamiento del parque móvil. En la mesa de fuera de mi despacho prestado había una persona nueva. Un cabo. El turno de día. Era un tío bajito y moreno con aspecto de Luisiana. Tenía sangre francesa, sin duda. Reconozco la sangre francesa nada más verla.

—Ha vuelto a llamar su hermano —dijo.

—¿Para qué?

—No ha dejado mensaje.

—¿Para qué era el diez-diecisiete?

—El coronel Garber solicita un diez-diecinueve.

Sonreí. Podría estar la vida entera sin decir más que *10-esto* o *10-aquello*. A veces tenía la sensación de que ya me estaba pasando. Un 10-19 era un contacto por teléfono o radio. Menos importante que un 10-16, un contacto mediante línea terrestre segura. «El coronel Garber solicita un 10-19» significaba «Garber quiere que lo llame», nada más. Algunas unidades de PM se acostumbran a hablar inglés, pero ésta evidentemente aún no lo había logrado.

Entré en mi despacho y vi el portatrajes de Kramer apoyado contra la pared y al lado una caja de cartón con los zapatos, la ropa interior y la gorra. El uniforme seguía colocado en las perchas, colgadas en mi perchero. Pasé frente a ellas en dirección a mi escritorio y marqué el número de Garber. Escuché el tono de llamada y me pregunté qué querría mi hermano. Me pregunté cómo me había localizado. Sesenta horas antes yo estaba en Panamá. Y antes de eso había andado por todas partes. De modo que él había hecho un gran esfuerzo para encontrarme. Así que tal vez era importante. Cogí un lápiz y escribí «Joe» en un trozo de papel. Y luego lo subrayé dos veces.

—¿Sí? —dijo Leon Garber.

—Soy Reacher —dije. Miré el reloj de pared. Eran algo más de las nueve de la mañana. El enlace de Kramer con Los Ángeles ya estaba en el aire.

—Fue un ataque cardíaco —señaló Garber—. No hay duda.

—En el Walter Reed han trabajado deprisa.

—Era un general.

—Sí, pero un general con el corazón delicado.

—Tenía las arterias mal, en efecto. Una arteriosclerosis grave que causó una fibrilación ventricular fatal. Es lo que nos han dicho. Y yo les creo. Seguramente estiró la pata cuando ella se quitó el sostén.

—No llevaba pastillas encima —observé.

—Quizá no se lo habían diagnosticado. Cosas que pasan. Uno se encuentra bien y de pronto está muerto. En todo caso, no habría modo de falsear eso. Supongo que se puede simular la fibrilación mediante una descarga eléctrica, pero no el equivalente de cuarenta años de porquería en las arterias.

—¿Nos preocupaba que pudieran falsearlo?

—Al KGB podría haberle interesado —apuntó Garber—. Kramer y sus tanques constituyen el principal problema táctico al que se enfrenta el Ejército Rojo.

—Ahora mismo el Ejército Rojo está mirando hacia el otro lado.

—Es un poco pronto para saber si esto durará o no.

No contesté.

—No puedo permitir que nadie más hurgue ahí. Lo entiendes, ¿verdad?

—¿Por tanto? —pregunté.

—Por tanto tendrás que ir a hablar con la viuda.

—¿Yo? ¿No está ella en Alemania?

—Se encuentra en Virginia —dijo Garber—. En casa pasando las vacaciones. Tienen una casa allí.

Me dio la dirección, que anoté en el trozo de papel, justo debajo de «Joe».

—¿Hay alguien con ella? —pregunté.

—No tienen hijos. Seguramente está sola.

—Muy bien.

—Todavía no lo sabe —dijo Garber—. He tardado un poco en localizarla.

—¿Quiere que lleve un capellán?

—No es una muerte en combate. Podría acompañarte una colega, supongo. A la señora Kramer quizá le dé por abrazar.

—De acuerdo.

—Ahórrale los detalles, naturalmente. Él se dirigía a Fort Irwin, eso es todo. La palmó en un hotel de carretera. Ésta es la versión oficial. Salvo tú y yo, nadie sabe nada más, y así van a seguir las cosas. Supongo que puedes contárselo a quien vaya a acompañarte. Puede que la señora Kramer haga preguntas, y los dos tenéis que seguir el mismo guión. ¿Qué hay de los polis locales? ¿Se irán de la lengua?

—El tipo con quien hablé es un ex marine. Conoce el percal.

—*Semper Fi* —soltó Garber—. Siempre fiel.

—Aún no he encontrado el maletín —señalé.

Hubo un silencio.

—Primero ocúpate de la viuda —dijo Garber—. Después sigue buscándolo.

Le dije al cabo de guardia que llevara los efectos personales de Kramer a mi cuartel. Quería que estuvieran a buen recaudo. Al final, la viuda preguntaría por ellos. Y en una base grande como Bird las cosas pueden desaparecer, lo que podría resultar embarazoso. A continuación, me encaminé al club de oficiales y busqué policías militares que tomaran desayunos tardíos o almuerzos tempranos. Por lo general se sientan alejados del resto, pues todo el mundo los detesta. Vi un grupo de cuatro, dos hombres y dos mujeres. Llevaban uniforme de campaña para zona boscosa, el habitual en el puesto. Una de las mujeres era capitán y llevaba el brazo derecho en cabestrillo. Comer le resultaba complicado. Seguramente conducir también. La otra mujer lucía un distintivo de teniente en cada solapa y el nombre «Summer» en la placa. Aparentaba unos veinticinco años y era bajita y delgada. Tenía la piel del mismo color que la mesa de caoba en que estaba comiendo.

—Teniente Summer —dije.

—¿Señor?

—Feliz Año Nuevo.

—Lo mismo digo, señor.

—¿Está ocupada hoy?

—Tareas generales, señor.

—Muy bien, dentro de treinta minutos en la entrada, clase A. Necesito que abrace a una viuda.

Volví a ponerme el uniforme de clase A y pedí un sedán al parque móvil. No quería hacer todo el trayecto hasta

Virginia en un Humvee. Demasiado ruidoso e incómodo. Un soldado raso me trajo un Chevrolet nuevo de color verde oliva. Firmé el recibo, lo conduje hasta el cuartel y esperé.

La teniente Summer salió cuando pasaban veintiocho minutos de los treinta que tenía concedidos. Se paró un instante y acto seguido se acercó al coche. Tenía buen aspecto. Era baja, pero se movía con facilidad, como una persona esbelta. Parecía una modelo de pasarela de metro ochenta pero en tamaño miniatura. Salí del coche y dejé abierta la puerta del conductor. La recibí en la acera. Llevaba un distintivo de tiradora experta del que colgaban galones correspondientes a rifle, rifle de pequeño calibre, rifle automático, pistola, pistola de pequeño calibre, ametralladora y pistola ametralladora. Formaban una pequeña escalera de unos cinco centímetros de longitud. Más larga que la mía. Yo sólo tenía rifle y pistola. Se detuvo de golpe frente a mí, se puso firmes y efectuó un saludo perfecto.

—Se presenta la teniente Summer, señor —dijo.

—Descanse. Tratamiento informal, ¿de acuerdo? Llámeme Reacher, o nada. Y no me salude. No me gusta.

La teniente hizo una pausa. Se relajó.

—De acuerdo —dijo.

Abrí la puerta del acompañante para subir.

—¿Conduzco yo? —preguntó.

—He estado levantado casi toda la noche.

—¿Quién ha muerto?

—El general Kramer. Un tipo importante de los tanques en Europa.

Ella pensó un momento.

—Entonces ¿por qué estaba aquí? Somos de Infantería.

—Estaba de paso —dije.

La teniente subió al asiento del conductor y lo movió hacia delante. Ajustó el retrovisor. Yo empujé el asiento del acompañante hacia atrás y me puse lo más cómodo que pude.

—¿Adónde? —preguntó.

—Green Valley, Virginia. Calculo que serán unas cuatro horas.

—¿Allí está la viuda?

—Es la casa de vacaciones.

—¿Y vamos a llevarle la noticia? ¿Como feliz Año Nuevo, mamá, y, por cierto, tu esposo ha muerto?

Asentí.

—Menuda papeleta nos ha tocado —solté, pero en realidad no estaba preocupado. Las esposas de los generales son muy duras. O bien se han pasado treinta años empujando a sus maridos por el palo untado de grasa, o bien han soportado treinta años de lluvia radiactiva mientras sus maridos trepaban solos. En cualquier caso, ya quedan pocas cosas que puedan afectarles. La mayoría son más duras que los generales.

Summer se quitó la gorra y la arrojó al asiento de atrás. Llevaba el pelo muy corto, casi rapada. Tenía un cráneo delicado y unos bonitos pómulos. Piel tersa. Me gustaba su aspecto. Y conducía deprisa, sin duda. Se abrochó el cinturón y puso rumbo al norte como si se estuviera entrenando para las carreras de Nascar.

—¿Fue un accidente? —preguntó.

—Un ataque cardíaco. Tenía mal las arterias.

—¿Dónde? ¿En nuestro Cuartel de Oficiales de Visita?

Negué con la cabeza.

—En un motel de mierda de la ciudad. Murió con una puta de veinte dólares inmovilizada debajo de él.

—Esa parte no se la contamos a la viuda, ¿verdad?

—No. Esa parte no se la contamos a nadie.

—¿Por qué estaba de paso?

—No venía a Fort Bird. Estaba en tránsito, de Francfort a Dulles, y veinte horas después del National a Los Ángeles. Iba a Fort Irwin, a una reunión.

—Muy bien —dijo ella, y a continuación guardó silencio.

Seguimos adelante. Pasamos casi a la altura del motel, pero bastante más al oeste, en dirección a la autopista.

—¿Me da su permiso para hablar con franqueza? —preguntó.

—Adelante —dije.

—¿Es esto un test?

—¿Por qué iba a ser un test?

—Usted es de la 110 Unidad Especial, ¿verdad?

—Así es —repuse.

—Tengo pendiente una solicitud.

—¿A la 110?

—Sí —confirmó—. Así pues, ¿es una evaluación encubierta?

—¿De qué?

—De mí. Como candidata.

—Necesitaba una acompañante. Por si hay que abrazar a la viuda. La escogí al azar. La capitán con el brazo hecho polvo no habría podido conducir. Y sería un indicio de incompetencia por nuestra parte si tuviéramos que esperar a que se muriera un general para llevar a cabo evaluaciones personales.

—Supongo —dijo ella—. Pero me pregunto si está usted aquí sentado aguardando a que yo haga las preguntas obvias.

—Esperaba que cualquier PM con sangre en las venas me formularía las preguntas obvias, tuviera o no pendiente el traslado a una unidad especial.

—Muy bien, sigo preguntando. El general Kramer tenía una escala de veinticuatro horas en el área de D.C., quería echar un polvo y no le importaba pagar por el privilegio. Entonces ¿por qué hizo todo el trayecto hasta aquí? ¿Cuánto es? ¿Quinientos kilómetros?

—Cuatrocientos setenta y seis —precisé.

—Y después tenía que regresar.

—Está claro.
—Entonces ¿por qué?
—Dígamelo usted —repuse—. Sugiérame algo que yo no haya pensado y la recomendaré para el traslado.
—No puede hacerlo. Usted no es mi oficial al mando.
—Tal vez lo sea. Esta semana, en todo caso.
—Además, ¿por qué está usted aquí? ¿Está pasando algo que yo debería saber?
—Ignoro por qué estoy aquí —contesté—. Recibí órdenes. Es todo lo que sé.
—¿Es usted de veras comandante?
—Es lo que verifiqué la última vez.
—Creía que los investigadores de la 110 eran normalmente suboficiales que iban de paisano. O de incógnito.
—Normalmente es así.
—Así pues, ¿por qué lo traen aquí pudiendo mandar a un suboficial y disfrazarlo de comandante?
—Buena pregunta —dije—. Quizás algún día lo averigüe.
—¿Puedo preguntarle cuáles eran sus órdenes?
—Funciones interinas como segundo comandante de la policía militar de Fort Bird.
—El jefe de la policía militar no se halla en la base —observó ella.
—Lo sé. Ya me he enterado. Fue trasladado el mismo día que llegué yo. Es algo temporal.
—Así que está actuando como oficial al mando.
—Ya se lo he dicho.
—No es un puesto propio para alguien de una unidad especial —dijo.
—Puedo fingir —expliqué—. Empecé como PM normal, como usted.
Summer no contestó.
—Kramer —dije—. ¿Por qué decidió dar un rodeo de novecientos kilómetros? De sus veinte horas, dedica-

ría doce a conducir. ¿Sólo para gastarse quince pavos en una habitación y veinte en una puta?

—¿Por qué importa esto? Un ataque cardíaco es un ataque cardíaco, ¿vale? ¿Acaso hay alguna duda sobre ello?

Negué con la cabeza.

—Ya han hecho la autopsia en el Walter Reed.

—Por tanto, no importa demasiado dónde o cuándo pasó.

—Falta su maletín.

—Entiendo —dijo ella.

La vi pensar. Sus párpados se movieron ligeramente hacia arriba.

—¿Cómo sabe que había un maletín? —preguntó.

—No sé si lo había. Pero ¿ha visto alguna vez a un general que vaya a una reunión sin maletín?

—No —contestó—. ¿Cree que la puta huyó con él?

Asentí.

—Ahora mismo es mi hipótesis de trabajo.

—Encontrar a la puta.

—Exacto.

Summer volvió a mover los párpados.

—No tiene ningún sentido —soltó.

Asentí de nuevo.

—No lo tiene.

—Cuatro posibles razones por las que Kramer no se quedó en el área de D.C. Una, quizás había viajado con otros colegas oficiales y no quería ponerse en evidencia delante de ellos si llevaba una prostituta a su habitación. Los demás podrían verla en el pasillo u oírla a través de las paredes. Así que puso una excusa y se alojó en otra parte. Dos, aunque viajara solo quizá tuviera un bono de viaje del Departamento de Defensa y temió que el recepcionista reconociera a la chica y llamara al *Washington Post*. Esas cosas pasan. De modo que prefirió pagar en efectivo en cualquier antro anónimo. Tres, aunque no llevara un bono oficial, en un hotel de una ciudad grande podría haber sido un huésped conocido o un rostro familiar. O sea que buscó el anonimato fuera de la ciudad. O cuatro, sus gustos sexuales iban más allá de lo que se puede encontrar en las páginas amarillas de D.C., por lo que tuvo que ir donde sabía con seguridad que conseguiría lo que buscaba.

—¿Pero? —objeté.

—Los problemas uno, dos y tres pueden resolverse recorriendo veinte o veinticinco kilómetros, quizá menos. Cuatrocientos setenta y seis me parece excesivo. Y mientras estoy dispuesta a creer que hay gustos que no pueden satisfacerse en D.C., no entiendo por qué es más probable satisfacerlos aquí, en el quinto pino de Carolina del Norte, y en todo caso supongo que una cosa así costaría bastante más de veinte pavos allá donde uno finalmente la encontrara.

—Así pues, ¿por qué dio el rodeo de novecientos kilómetros?

Summer no respondió. Se limitó a conducir, y a pensar. Cerré los ojos. Los mantuve cerrados más de cincuenta kilómetros.

—Él conocía a la chica —soltó Summer.

Abrí los ojos.

—¿Y eso?

—Algunos hombres tienen sus preferidas. Tal vez la conocía desde hacía tiempo. En cierto modo estaba chiflado por ella. Puede pasar. Puede llegar a ser casi un asunto amoroso.

—¿Dónde la habría conocido?

—Ahí mismo.

—En Fort Bird sólo hay Infantería. El general era de Blindados.

—Quizás alguna vez efectuaron maniobras conjuntas. Debería comprobarlo.

No dije nada. Los de Blindados y de Infantería hacían maniobras conjuntas continuamente. Pero se hacían donde estaban los tanques, no los infantes. Es más fácil transportar hombres que tanques.

—O a lo mejor la conoció en Fort Irwin —sugirió Summer—. En California. Tal vez ella trabajaba en Irwin y por algún motivo tuvo que abandonar California. Pero le gustaba trabajar cerca de las bases militares y por eso se trasladó a Bird.

—¿A qué clase de puta le gustaría trabajar cerca de bases militares?

—A las que les interesa el dinero. O sea a todas, seguramente. Las bases militares sustentan las economías locales de muy diversas maneras.

No comenté nada.

—O quizá siempre trabajó en Fort Bird pero siguió a la Infantería a Fort Irwin cuando en una ocasión se realizaron allí maniobras conjuntas. Estas cosas pueden durar uno o dos meses. Es absurdo quedarse en casa sin clientes, perdiendo el tiempo.

—¿Qué cree que sucedió? —pregunté.

—Se conocieron en California. Kramer seguramente pasó años en Fort Irwin, entrando y saliendo. Luego ella se trasladó a Carolina del Norte, pero a él aún le gustaba lo suficiente para hacerse una escapada siempre que andaba por D.C.

—Pero ella no hace nada especial por veinte dólares.

—Tal vez él no necesitaba nada especial.

—Podríamos preguntárselo a la viuda.

Summer sonrió.

—Quizás ella simplemente le gustaba. Quizás ella procuró por todos los medios que así fuera. Esto las putas lo hacen muy bien. Lo que más les gusta son los clientes habituales. Para ellas es más seguro si ya conocen al tipo.

Volví a cerrar los ojos.

—¿Qué? —soltó Summer—. ¿He dicho algo que usted no hubiera pensado?

—No —repuse.

Me quedé dormido antes de salir del estado y me desperté casi cuatro horas después, cuando Summer tomó la vía de acceso a Green Valley casi sin aminorar. Mi cabeza se desplazó a la derecha y golpeó la ventanilla.

—Lo siento —dijo ella—. Debería inspeccionar también las grabaciones telefónicas de Kramer. Seguramente llamó antes, para asegurarse de que ella estaba. No habría hecho todo el camino sólo por si acaso.

—¿Desde dónde habría llamado?

—Desde Alemania —contestó—. Antes de salir.

—Es más probable que utilizara un teléfono público en Dulles. Pero ya lo comprobaremos.

—¿Lo comprobaremos?

—Puede usted acompañarme.

Summer no dijo nada.

—Como un test —señalé.

—¿Es importante esto?

—Probablemente no —dije—. Pero quién sabe. Depende del objeto de la reunión. De los papeles que él llevara allí. Quizás en el maletín llevaba la orden de combate para el Teatro de Operaciones Europeo. O nuevas tácticas, evaluación de puntos flacos, todo ese rollo confidencial.

—El Ejército Rojo va a disgregarse.

Asentí.

—Me preocupan más las caras rojas. Los periódicos o la televisión. Si un periodista encuentra documentos secretos en un cubo de basura cerca de un local de *striptease*, nos sacarán los colores a todos.

—Quizá la viuda lo sepa. Pudo haberlo hablado con ella.

—No podemos preguntar eso —objeté—. Para ella, él murió mientras dormía con la manta subida hasta la barbilla y no hay más que hablar. Cualquier cosa que nos preocupe al respecto queda estrictamente entre usted, yo y Garber.

—¿Garber? —dijo.

—Usted, yo y él —precisé.

Vi que sonreía. Se trataba de un caso poco importante, pero para alguien con un traslado pendiente a la 110 Unidad Especial, participar en él con Garber era un claro golpe de suerte.

Green Valley era una ciudad colonial de ensueño, y la casa de los Kramer una construcción antigua y elegante en la zona cara. Victoriana, con tejas de escamas en el tejado y un conjunto de torreones y porches todos pintados de blanco, situada en una hectárea de césped esmeralda. Aquí y allá se veían majestuosos árboles de hoja perenne. Parecía como si alguien los hubiera colocado con cuidado, cosa harto probable, cien años atrás. Nos paramos junto al bordillo y esperamos, mirando tan sólo. No sé en qué pensaba Summer, pero yo estaba recorriendo la escena con la mirada y clasificándola en la «A» de América. Tengo un número de la Seguridad Social y el mismo pasaporte azul y plata que cualquier persona, pero entre los viajes de mi padre fuera del país y los míos sólo alcanzo a reunir unos cinco años de residencia efectiva en Estados Unidos continental. Así que tengo unos cuantos conocimientos de enseñanza primaria, como capitales de países o cuántos gran Slam consiguió Lou Gehrig, y algún rollo de secundaria, como las enmiendas constitucionales o la importancia de la batalla de Antietam, pero ignoro el precio de la leche o cómo son o huelen diferentes lugares. Así que cuando puedo me empapo. Y valía la pena empaparse de la casa de los Kramer. Sin duda. Sobre ella relucía un sol desvaído. Soplaba una ligera brisa y se percibía olor a madera quemada y una suerte de intensa tranquilidad de tarde fría. Era un sitio de esos donde desearías que vivieran tus padres. Podías visitarlo en otoño y recoger hojas con el rastrillo y beber sidra, y luego regresar en verano y cargar una canoa en una camioneta de diez años y poner rumbo a algún lago. Me recordaba a los lugares de los libros ilustrados que había visto en Manila, Guam o Seúl.

—¿Listo? —dijo Summer.

—Desde luego —respondí—. Acabemos con el asunto de la viuda.

Estaba tranquila. Estaba seguro de que ella lo había hecho antes. Yo también lo había hecho, más de una vez. Nunca era divertido. Summer abandonó el bordillo y enfiló el camino de entrada. Condujo despacio hacia la puerta principal y fue ralentizando la marcha hasta pararse a unos tres metros. Abrimos las puertas al mismo tiempo, salimos al aire frío y nos arreglamos la chaqueta. Dejamos las gorras en el coche. Sería la primera pista para la señora Kramer, por si estaba mirando. Un par de PM frente a tu puerta siempre es mala señal, y si van con la cabeza descubierta, aún peor.

La puerta, pintada de un rojo apagado y pasado de moda, tenía delante una pantalla de vidrio protectora. Llamé al timbre y esperamos. Y seguimos esperando. Empecé a pensar que no había nadie en casa. Volví a llamar. La brisa era fría, más fuerte de lo que parecía en un principio.

—Teníamos que haber avisado que veníamos —dijo Summer.

—No podíamos. No podíamos decir: por favor, quédese en casa cuatro horas a partir de ahora porque tenemos que darle una noticia importante en persona. Se nos hubiese visto el plumero, ¿no le parece?

—He hecho todo el viaje para no tener a nadie a quien abrazar.

—Parece una canción country. Después se te avería la camioneta y se te muere el perro.

Llamé otra vez al timbre. Nada.

—Busquemos algún vehículo —sugirió Summer.

Encontramos uno en un garaje para dos coches construido aparte de la casa. Lo vimos a través de la ventana. Era un Mercury Grand Marquis, verde metálico, largo como un transatlántico. El coche ideal para la esposa de un general. Ni viejo ni nuevo, de gama alta pero no excesivamente caro, color adecuado, americano como él solo.

—¿Cree que es de ella? —preguntó Summer.

—Es probable. A lo mejor tuvieron un Ford hasta que a él lo ascendieron a teniente coronel. Después lo cambiaron por el Mercury. Seguramente esperaban la tercera estrella antes de pensar en el Lincoln.

—Triste.

—¿Usted cree? —repuse—. No olvide dónde estaba él anoche.

—¿Y dónde está ella ahora? ¿Piensa que ha salido a caminar?

Nos volvimos y notamos la brisa en la espalda y oímos un portazo en la parte trasera de la casa.

—Está en el patio —dijo Summer—. Trabajando en el jardín, tal vez.

—El día de Año Nuevo nadie trabaja en el jardín —observé—. Al menos no en este hemisferio. No está creciendo nada.

Regresamos a la parte delantera de la casa y llamamos otra vez. Mejor permitirle que nos recibiera como es debido, según sus propias normas. Pero no apareció nadie. Acto seguido volvimos a oír la puerta, en la parte posterior, golpeando sin ton ni son. Como a merced del viento.

—Deberíamos echar un vistazo —propuso Summer.

Asentí. Una puerta que da golpes tiene un sonido propio. Sugiere toda clase de cosas.

—Sí —dije—. Quizá deberíamos.

Rodeamos la casa hasta la parte de atrás, cortando el viento. Un sendero de losas nos condujo hasta la puerta de una cocina. Se abría hacia dentro, y debía de tener un muelle para mantenerla cerrada. El muelle estaría flojo, pues el viento racheado lo vencía de vez en cuando y hacía golpetear la puerta. Mientras mirábamos golpeó tres veces. Sucedía porque la cerradura estaba rota.

Había sido una buena cerradura, de acero, y había resistido más que la madera circundante. Alguien había utilizado una barra. Había sacudido con fuerza, quizá dos veces, y la cerradura había aguantado pero la madera se había astillado. La puerta se había abierto y la cerradura había caído. Estaba allí mismo, en el sendero de losas. La puerta presentaba una dentellada en forma de medialuna. Los trozos de madera habían volado en todas direcciones y el viento los había ido amontonando.

—Y ahora qué —dijo Summer.

No se apreciaba sistema de seguridad. Ninguna alarma contra intrusos. Ni cajas de empalmes ni cables. Tampoco conexión automática con la policía. Imposible saber si los chicos malos se habían marchado hacía rato o aún se encontraban dentro.

—Y ahora qué —repitió Summer.

Íbamos desarmados, para una visita formal con el uniforme de clase A.

—Cubra la parte delantera —dije—. Por si sale alguien.

Summer se alejó sin decir nada y yo le concedí un minuto para que tomara posición. A continuación empujé la puerta con el codo y entré en la cocina. Cerré a mi espalda y me apoyé contra la hoja para que no golpease. Entonces me quedé inmóvil y escuché.

Nada. Ningún sonido.

La cocina olía ligeramente a verduras guisadas y café pasado. Era grande. Exhibía un punto medio entre el orden y el desorden. Un espacio bien aprovechado. En el otro lado de la estancia había una puerta, a mi derecha. Estaba abierta. Alcancé a ver un pequeño triángulo de parquet encerado de roble. Un pasillo. Me moví muy despacio. Avancé hacia delante y a la derecha para ajustar mi campo visual. La puerta golpeó de nuevo a mi espalda. Vi más trozo de pasillo. Supuse que llegaba hasta la entrada principal. En el lado izquierdo había una puerta cerrada, seguramente un comedor. En el derecho, un estudio o despacho, con la puerta abierta. Distinguí un escritorio, una silla y estanterías de madera oscura. Di un paso cauteloso. Avancé un poco más.

En el suelo del pasillo había una mujer muerta.

3

La mujer muerta tenía cabello largo y gris. Llevaba puesto un primoroso camisón de franela blanca. Estaba de lado. Con los pies cerca de la puerta del despacho, y las piernas y los brazos extendidos de forma que parecía estar corriendo. Por debajo del cuerpo asomaba una escopeta. Tenía hundido un lado de la cabeza. Distinguí sangre y sesos enredados en su pelo. Sobre el parquet se había encharcado más sangre. Oscura y pegajosa.

Salí al pasillo y me detuve junto a la mujer. Me agaché y le cogí la muñeca. La piel estaba muy fría. No tenía pulso.

Permanecí en cuclillas. Escuché. Nada. Estiré el cuello y le miré la cabeza. La habían golpeado con algo duro y pesado. Un solo golpe, pero definitivo. La herida tenía forma de zanja, casi tres centímetros de ancho por unos seis de largo. Lo había recibido por el lado izquierdo y desde arriba, mientras ella miraba hacia la parte de atrás de la casa. Hacia la cocina. Miré alrededor y dejé caer la muñeca, me puse en pie y entré en el despacho. La mayor parte del suelo estaba cubierta por una alfombra persa. Me quedé allí de pie e imaginé que oía pasos silenciosos procedentes del pasillo, que se acercaban. Imaginé que sostenía aún la barra que había utilizado para forzar la cerradura. Imaginé que la blandía al aparecer mi objetivo, que pasaba por delante de la puerta abierta.

Bajé la vista. Había una raya de sangre y cabello en la alfombra. Había servido para limpiar la barra.

En el estudio no había ninguna otra alteración. Era un espacio impersonal. Parecía estar allí porque habían oído que una casa ha de tener un estudio, no porque realmente necesitaran uno. La mesa no estaba dispuesta para trabajar en ella, sino llena de fotografías en marcos de plata. Menos de las que yo hubiera esperado, siendo como era un matrimonio de muchos años. Había una en que aparecía el hombre muerto del motel y la mujer muerta del pasillo, junto a las caras presidenciales del monte Rushmore medio borrosas en un segundo plano. El general y la señora Kramer de vacaciones. Él era bastante más alto que ella. Parecía fuerte y vigoroso. A su lado, ella parecía muy menuda.

En otra foto enmarcada se veía a Kramer de uniforme. La imagen tenía varios años. Él se hallaba en lo alto de una escalerilla, a punto de subir a bordo de un avión de transporte C-130. Era una fotografía en color. El uniforme era verde; el avión, marrón. Él sonreía y agitaba la mano. Supuse que iba a asumir su mando de una estrella. Había una segunda imagen, casi idéntica, algo más reciente. Kramer, en lo alto de otra escalerilla de avión, volviéndose, sonriendo y moviendo la mano. Seguramente camino de tomar el mando correspondiente a las dos estrellas. En ambas fotos saludaba con la mano derecha y sostenía con la izquierda el mismo portatrajes de lona que yo había encontrado en el motel. Y además, en ambas llevaba un maletín de lona a juego bajo el brazo.

Salí al pasillo. Agucé el oído. Nada. Podía haber registrado la casa, pero no hacía falta. Estaba casi seguro de que no había nadie y sabía que no había nada que buscar. Así que eché un último vistazo a la viuda de Kramer. Le veía la planta de los pies. No había sido viuda durante mucho tiempo. Acaso una hora, quizá tres. Calculé que la sangre del suelo llevaba ahí unas doce horas. Pero era imposible saberlo con precisión. Habría que esperar a que llegaran los forenses.

Desanduve el camino, salí al exterior y rodeé la casa para reunirme con Summer. Le dije que entrara y echara un vistazo. Eso sería más rápido que una explicación verbal. Salió al cabo de cuatro minutos, con aspecto tranquilo y sereno. «Uno a cero para Summer», pensé.

—¿Le gustan las coincidencias? —preguntó.

No contesté.

—Hemos de ir a D.C. —añadió—. Al Walter Reed. A decirles que verifiquen la autopsia de Kramer.

No contesté.

—Esto hace que su muerte sea automáticamente sospechosa. A ver, ¿qué posibilidades hay de que un soldado muera un día concreto? Una entre cuarenta o cincuenta mil. Pero ¿que su mujer muera el mismo día? ¿Que el mismo día ella sea víctima de homicidio?

—No fue el mismo día —corregí—. Ni siquiera el mismo año.

Summer asintió.

—Vale, Nochevieja, día de Año Nuevo. Precisamente a eso voy. Es inconcebible que en Walter Reed hubiera un forense trabajando anoche. Así que tuvieron que sacar alguno de algún sitio, expresamente. ¿Y de dónde? Pues seguramente de una fiesta.

Esbocé una sonrisa y dije:

—O sea, quiere que nos presentemos allí y digamos: eh, ¿estáis seguros de que la noche pasada vuestro médico veía tres en un burro? ¿Seguro que no iba demasiado borracho para distinguir entre un ataque cardíaco y un homicidio?

—Hemos de comprobarlo —dijo ella—. No me gustan las coincidencias.

—¿Qué cree que pasó ahí dentro?

—Un intruso —respondió—. La señora Kramer se despertó al oír ruidos en la puerta, se levantó de la cama, cogió una escopeta que tenía a mano, bajó y se dirigió a la cocina. Era una mujer valiente.

Asentí. Las esposas de los generales, duras como ellas mismas.

—Pero lenta —prosiguió Summer—. El intruso ya había llegado al despacho y consiguió golpearla con la barra que había utilizado en la puerta, cuando ella pasaba por delante. Él era más alto, unos treinta centímetros, y seguramente diestro.

Guardé silencio.

—Entonces ¿vamos al Walter Reed?

—Sí —dije—. Saldremos en cuanto hayamos terminado aquí.

Usamos el teléfono de pared de la cocina para llamar a la policía de Green Valley. Después le dimos la noticia a Garber. Dijo que se reuniría con nosotros en el hospital. Luego esperamos. Summer vigilaba la parte delantera de la casa y yo la de atrás. No pasó nada. Al cabo de siete minutos llegaron los polis. Formaban un pequeño convoy, dos coches patrulla, uno de detectives sin distintivo y una ambulancia. Con las luces y las sirenas funcionando. Los oímos cuando aún estaban casi a un kilómetro. Aullaron por el camino de entrada y luego se apagaron. Summer y yo retrocedimos mientras todos pasaban por delante en tropel. Ya no teníamos nada que hacer allí. La esposa de un general es un civil, y la casa caía dentro de una jurisdicción civil. No suelo dejar que estas menudencias entorpezcan mi labor, pero el lugar ya me había dicho lo que yo necesitaba saber. Así que estaba dispuesto a quedarme quietecito y apuntarme unos tantos a favor ateniéndome a las normas. Esos tantos podrían ser útiles en el futuro.

Un policía nos acompañó durante veinte largos minutos mientras los otros husmeaban dentro. Luego salió un detective de traje para hacernos preguntas. Le explicamos lo del ataque cardíaco de Kramer, el viaje a la casa de la viuda, la puerta forzada. Se llamaba Clark y no tuvo ningún problema con nada de lo que le dijimos. Su problema era el mismo que el de Summer. Los dos Kramer habían muerto la misma noche estando separados por un montón de kilómetros, lo que era una coincidencia, y a Clark las coincidencias le gustaban tan poco como a Summer. Empecé a lamentarlo por Rick Stockton, el adjunto al jefe de Carolina del Norte. Bajo esta nueva luz, su decisión de dejar que me llevara el cadáver de Kramer acabaría pareciendo equivocada, ya que la mitad del rompecabezas quedaba en manos militares. Esto iba a generar algún conflicto.

Dimos a Clark un número de teléfono para localizarnos en Bird y a continuación volvimos al coche. Calculé que hasta D.C. había unos ciento diez kilómetros. Otra hora y diez. Tal como conducía Summer, quizá menos. La teniente arrancó, tomó otra vez la autopista y pisó el acelerador hasta que el Chevy empezó a vibrar como a punto de desmontarse.

—Vi el maletín en las fotografías —dijo ella—. ¿Usted también?

—Sí.

—¿Le afecta ver gente muerta?

—No —contesté.

—¿Cómo es eso?

—No lo sé. ¿Y a usted?

—Sí me afecta un poco.

No dije nada.

—¿Cree que fue una coincidencia? —inquirió Summer.

—No. No creo en las coincidencias.

—Entonces cree que en la autopsia pasaron algo por alto.

—No —dije—. Creo que seguramente la autopsia fue correcta.

—Entonces ¿por qué vamos a D.C.?

—Porque tengo que pedir perdón al forense. Lo metí en esto al mandarle el cadáver de Kramer. Ahora va a tener a los civiles fastidiándole un mes entero. Eso le cabreará un montón.

Pero no era el forense sino la forense, y tenía un carácter tan alegre que dudé de que le duraran mucho los cabreos. Nos encontramos con ella en la sala de espera del Centro Médico del Ejército Walter Reed a las cuatro de la tarde del día de Año Nuevo. Aquello era como el vestíbulo de cualquier hospital. Del techo colgaban adornos festivos que ya presentaban un aspecto deslucido. Garber había llegado antes que nosotros. Se hallaba sentado en una silla de plástico. Era un hombre menudo y no parecía sentirse incómodo. Estaba tranquilo. No se presentó a Summer. Ella se quedó a su lado. Yo me quedé apoyado contra la pared. La doctora estaba delante de nosotros con un fajo de notas en la mano, como si estuviera dando clase a un reducido grupo de alumnos aplicados. En su bolsillo ponía «Sarah McGowan». Era joven y morena, llena de vida, extrovertida.

—El general Kramer murió por causas naturales —explicó—. Ataque cardíaco, anoche, entre las once y la medianoche. No caben dudas. Si quieren verificarlo, encantada, pero será una pérdida de tiempo. La toxicología es inequívoca. Las pruebas de fibrilación ventricular son indiscutibles, y la placa arterial era enorme. Así que, desde el punto de vista forense, la única duda de ustedes podría ser si, por casualidad, alguien estimuló eléctricamente la fibrilación en un hombre que, en cualquier caso, iba a padecerla casi con toda seguridad en el plazo de minutos u horas, o quizá días, o semanas.

—¿Cómo se haría eso? —preguntó Summer.

McGowan se encogió de hombros.

—Una zona amplia de piel tendría que estar húmeda. En dos palabras, el tipo debería estar en una bañera. Entonces, si se aplica corriente eléctrica al agua, puede conseguirse fibrilación sin señales de quemaduras. Pero el tío no estaba en ninguna bañera, y no hay indicios de que hubiera estado.

—¿Y si la piel no estuviera mojada?

—En ese caso quedan quemaduras. Y no las vi, y eso que le examiné la piel centímetro a centímetro con una lupa. No había quemaduras ni marcas hipodérmicas, nada.

—¿Y qué hay del *shock*, la sorpresa o el miedo?

La doctora volvió a encogerse de hombros.

—Es posible, pero sabemos lo que estaba haciendo, ¿no? Esa clase de excitación sexual repentina es un determinante típico.

Nadie hizo comentarios.

—Causas naturales, amigos —prosiguió McGowan—. Tan sólo un fulminante ataque al corazón. Cualquier forense del mundo dictaminaría lo mismo. Lo garantizo plenamente.

—De acuerdo —dijo Garber—. Gracias, doctora.

—He de disculparme —dije yo—. Durante un par de semanas, tendrá usted que repetir cada día todo esto a unas dos docenas de policías civiles.

Ella sonrió.

—Imprimiré un comunicado oficial.

A continuación nos miró a todos, uno tras otro, por si había más preguntas. No las hubo, y ella sonrió nuevamente y se alejó cruzando una puerta con paso despreocupado. Yo la miré embobado, y los adornos del techo se agitaron y se calmaron y toda la sala de espera quedó en silencio.

Permanecimos en silencio unos instantes.

—Muy bien —soltó Garber—. Asunto concluido. Ninguna discusión respecto al propio Kramer, y lo de su esposa es un crimen civil. Está fuera de nuestro alcance.

—¿Conocía usted a Kramer? —le pregunté.

Garber negó con la cabeza.

—Sólo su fama.

—¿De qué tenía fama?

—De arrogante. Era de Blindados. El tanque Abrams es el mejor juguete del ejército. Esos tíos controlan el mundo, y lo saben.

—¿Sabe algo de la mujer?

Garber torció el gesto.

—He oído que pasaba bastante tiempo en su casa de Virginia. Era rica, pertenecía a una familia de abolengo. Vamos a ver, cumplía con su obligación. Pasaba temporadas junto a su esposo en Alemania, pero poco tiempo, sólo cuando estaba justificado. Se ha visto ahora. En el XII Cuerpo me dijeron que estaba en su casa de vacaciones, lo que parece normal, aunque en realidad había venido a pasar la festividad de Acción de Gracias y no la esperaban allí hasta la primavera. O sea que, a decir de todos, los Kramer no estaban demasiado unidos. Ni hijos ni intereses compartidos.

—Lo que explicaría lo de la prostituta —señalé—. Dado que vivían vidas separadas.

—Supongo —dijo Garber—. Tengo la impresión de que era un matrimonio, sí, pero más aparente que real, ya me entiendes.

—¿Cómo se llamaba? —inquirió Summer.

Garber se volvió para mirarla.

—Señora Kramer —contestó—. Ése es todo el nombre que necesitamos saber.

Summer apartó la mirada.

—¿Con quién viajaba Kramer hasta Irwin? —pregunté.

—Con dos de sus colegas —respondió Garber—. Un general de una estrella y un coronel, Vassell y Coomer. Constituían un verdadero triunvirato: Kramer, Vassell y Coomer. El rostro colectivo del Cuerpo de Blindados.

Me puse en pie y me enderecé.

—Empiece desde medianoche —le dije a Garber—. Dígame todo lo que hizo.

—¿Por qué?

—Porque no me gustan las coincidencias. Y a usted tampoco.

—No hice nada.

—Todo el mundo hizo algo —objeté—. Menos Kramer.

Me miró a los ojos.

—Oí las campanadas —contestó—. Tomé otra copa. Di un beso a mi hija. Si mal no recuerdo, besé a un montón de gente. Luego canté *Auld Lang Syne*.

—¿Y después?

—Me llamaron de la oficina. Me explicaron que, por vía indirecta, teníamos a un general de dos estrellas muerto en Carolina del Norte. Y que el oficial PM de servicio de Fort Bird se lo había quitado de encima. Así que llamé allí y te encontré.

—¿Qué más?

—Tú te pusiste en marcha y yo llamé a la policía local y me enteré de que era Kramer. Consulté y averigüé que pertenecía al XII Cuerpo. De modo que llamé a Alemania e informé de la muerte, pero no revelé ningún detalle. Eso ya te lo dije.

—¿Y después?

—Después nada. Esperé tu informe.

—Muy bien —dije.

—Muy bien, ¿qué?

—¿Muy bien, *señor*?

—No me vengas con chorradas —soltó—. ¿En qué estás pensando?

—En el maletín —repuse—. Aún quiero encontrarlo.

—Pues sigue buscándolo —dijo—. Hasta que yo localice a Vassell y Coomer. Ellos nos dirán si contenía algo por lo que valga la pena preocuparse.

—¿No consigue encontrarlos?

—No —contestó—. Se marcharon de su hotel, pero no tomaron ningún avión a California. Nadie parece saber dónde demonios están.

Garber se fue para regresar a la ciudad y Summer y yo subimos al coche y pusimos rumbo al sur. Hacía frío y empezaba a oscurecer. Me ofrecí para coger el volante, pero Summer no me dejó. Por lo visto, su gran afición era conducir.

—El coronel Garber parecía tenso —dijo. Sonaba decepcionada, como una actriz que lo ha hecho mal en una audición.

—Se sentía culpable —indiqué.

—¿Por qué?

—Porque él mató a la señora Kramer.

Summer me miró fijamente. Iba a ciento cuarenta y me seguía mirando de reojo.

—Es una manera de hablar —aclaré.

—¿Qué quiere decir?

—Que no fue ninguna coincidencia.

—Eso no es lo que dijo la doctora.

—Kramer falleció de muerte natural. La doctora lo dijo. Pero algo relacionado con este hecho llevó directamente a que la señora Kramer se convirtiera en la víctima de un homicidio. Y fue Garber quien lo puso todo en movimiento al comunicar la noticia al XII Cuerpo. Lo hizo público, y al cabo de dos horas la viuda también estaba muerta.

—Entonces ¿qué está pasando?

—No tengo ni idea.

—¿Y qué hay de Vassell y Coomer? —dijo—. Formaban un grupo de tres. Kramer está muerto, su esposa está muerta. ¿Y los otros dos desaparecidos?

—Ya lo ha oído. El asunto está fuera de nuestro alcance.

—¿No va a hacer usted nada?

—Voy a buscar una puta.

Decidimos tomar la ruta más directa que pudiéramos encontrar, de nuevo hacia el motel y aquel bar. De hecho no había opción. Primero la Beltway y luego la I-95. Había poco tráfico. Aún era el día de Año Nuevo. Más allá de las ventanillas el mundo parecía sombrío y tranquilo, frío y soñoliento. Se iban encendiendo luces por todas partes. Summer conducía todo lo rápido que se atrevía, o sea muy deprisa. Un trayecto en el que Kramer habría invertido seis horas nosotros íbamos a hacerlo en menos de cinco. Paramos para repostar y compramos bocadillos rancios que habían sido preparados el año anterior. Los engullimos a la fuerza mientras nos apresurábamos hacia el sur. A continuación dediqué veinte minutos a observar a Summer. Tenía manos pequeñas y bien cuidadas. Las apoyaba ligeramente en el volante. No parpadeaba mucho. Tenía los labios algo separados y más o menos cada minuto se pasaba la lengua por los dientes.

—Hábleme —dije.

—¿De qué?

—De cualquier cosa. Cuénteme la historia de su vida.

—¿Por qué?

—Porque estoy fatigado —respondí—. Para mantenerme despierto.

—No es muy interesante.

—Pruébelo —sugerí.

Se encogió de hombros y comenzó por el principio, es decir, en las afueras de Birmingham (Alabama) a mediados de los sesenta. No tenía nada malo que decir al respecto, pero me dio la impresión de que ya entonces ella sabía que para una chica negra había mejores formas de criarse que en la pobre y racista Alabama de aquella época. Tenía hermanos y hermanas. Siempre había sido menuda, pero también ágil, y gracias a sus aptitudes para la gimnasia, bailar y saltar la cuerda no pasó inadvertida en la escuela. También era buena con los libros y había conseguido una serie de discretas becas que le permitieron marcharse del estado a una universidad de Georgia. Se había incorporado al Cuerpo de Formación de Oficiales en la Reserva y en su tercer año se agotaron las becas, pero los militares corrieron con los gastos a cambio de cinco años de servicio en el futuro. Aún no había cumplido ni la mitad del período. En la escuela de PM había destacado. Parecía sentirse cómoda. En ese momento los militares llevaban cuarenta años integrados racialmente, y según ella era el lugar más daltónico de América. No obstante, también se sentía algo frustrada por su progreso personal. Tuve la sensación de que para ella su solicitud a la 110 era todo o nada. Si lo conseguía, se quedaría toda la vida, como yo. Si no, pasados los cinco años se marcharía.

—Ahora hábleme usted de la suya —pidió.

—¿La mía? —solté. La mía era diferente bajo cualquier enfoque imaginable. El color, el género, la geografía, las circunstancias familiares—. Nací en Berlín. Entonces uno se quedaba en el hospital siete días, así que cuando me incorporé al ejército tenía una semana de vida. Crecí en las diversas bases en que estuvimos. Fui a West Point. Aún estoy en el ejército. Y estaré siempre. De hecho, eso es todo.

—¿Tiene familia?

Recordé la nota de mi sargento: «Ha llamado su hermano. Ningún mensaje.»

—Una madre y un hermano —respondí.

—¿Ha estado casado?

—No. ¿Y usted?

—No —contestó—. ¿Sale con alguien?

—Ahora mismo no.

—Yo tampoco.

Seguimos adelante, un kilómetro tras otro.

—¿Puede imaginar una vida fuera del ejército? —preguntó.

—¿Existe eso?

—Yo crecí ahí fuera. Quizá regrese.

—Ustedes los civiles son un misterio para mí —dije.

Summer aparcó frente a la habitación de Kramer al cabo de algo menos de cinco horas de haber salido del Walter Reed. Parecía satisfecha con su velocidad promedio. Apagó el motor y sonrió.

—Yo iré al bar —dije—. Usted hable con el chico del motel. Haga de poli bueno. Dígale que el poli malo ya viene.

Salimos al aire frío y oscuro. Otra vez había niebla, atravesada por la luz de las farolas. Me sentía agarrotado. Me desperecé y bostecé y luego me estiré la chaqueta y vi la cabeza de Summer delante de la máquina de Coca-Cola, cuyo resplandor daba a su piel un fulgor rojizo. Crucé la calle y me dirigí al bar.

El aparcamiento estaba igual de lleno que la noche anterior. Los coches y camiones se encontraban estacionados alrededor de todo el edificio. Los extractores volvían a funcionar a pleno rendimiento. Alcanzaba a ver humo y oler cerveza. Oía el estrépito de la música. El neón brillaba.

Empujé la puerta y me zambullí en el ruido. La multitud volvía a atestar el local. Estaban encendidos los mismos focos. En el escenario era otra la chica desnuda. Tras la caja registradora, medio en sombras, el mismo tío fornido. No le veía la cara, pero supe que me estaba mirando las solapas. Donde Kramer había llevado sables de caballería cruzados de Blindados y encima un tanque embistiendo yo lucía las pistolas cruzadas de llave de chispa de la Policía Militar, doradas y brillantes. En un lugar como aquél no sería la imagen más aplaudida.

—Consumición mínima —soltó el tipo de la caja.

Era difícil oírle. La música atronaba.

—¿Cuánto? —pregunté.

—Cien pavos.

No me digas.

—Muy bien, doscientos.

—Estoy impresionado.

—No me gustan los polis.

—Dime por qué.
—Mírame.
Lo miré. No había mucho que ver. Un foco del techo iluminaba un estómago prominente y un pecho enorme, así como unos antebrazos cortos y tatuados. Y manos del tamaño y la forma de pollos congelados con gruesos anillos de plata en casi todos los dedos. Pero los hombros y el rostro del tío permanecían sumidos en las sombras. Era como si estuviera oculto tras una cortina. Yo estaba hablando con alguien a quien no veía.
—No eres bienvenido aquí —me espetó.
—Lo superaré. No soy una persona excesivamente sensible.
—No me estás escuchando —dijo él—. Ésta es mi casa y no te quiero aquí.
—No tardaré mucho.
—Vete ahora.
—No.
—Mírame.
Se inclinó hacia delante, hacia el haz del foco. Despacio. La luz le recorrió el pecho hasta el cuello. Y la cara. Una cara inaudita. Había empezado siendo inquietante y acabado mucho peor. La tenía llena de cicatrices de cuchilla de afeitar. La cruzaban formando una especie de enrejado. Eran profundas, pálidas y viejas. Le habían roto la nariz y se la habían recompuesto de cualquier manera, y se la habían vuelto a romper y recomponer, muchas veces. Tenía una cejas espesas con tejido de cicatriz, bajo las cuales había unos ojos pequeños que me miraban fijamente. Tendría unos cuarenta años, mediría uno setenta y cinco y pesaría ciento veinte kilos. Parecía un gladiador que hubiera sobrevivido veinte años en lo más recóndito de las catacumbas.
Sonreí.
—Se supone que el numerito de la cara es para impresionarme, ¿no? Con toda la luminotecnia y demás.

—Esto debería decirte algo.

—Me dice que has perdido un montón de combates. Si quieres perder otro, pues muy bien.

No dijo nada.

—También podría declarar prohibido el acceso a este bar a todos los soldados de Bird —añadí—. Está muy claro de dónde sacas tus ganancias.

El tipo no abrió la boca.

—Pero no quiero hacerlo —proseguí—. No hay motivo para castigar a mis chicos sólo porque tú seas un gilipollas.

Siguió callado.

—Así que no te haré caso, supongo —concluí.

Se reclinó. La sombra volvió a ocultarle la cara, a modo de cortina.

—Te veré en otro momento —dijo desde la oscuridad—. En algún lugar, en algún momento. Tenlo por seguro. Cuenta con ello.

—*Ahora* sí que estoy impresionado —dije.

Me alejé y me mezclé con la multitud, que formaba un apretado embotellamiento, y terminé en la parte central del local. Dentro era mucho mayor de lo que parecía por fuera, un cuadrado grande y de techo bajo, lleno de ruido y gente. Había montones de zonas independientes. Altavoces por todas partes. Música estridente. Luces intermitentes. Un montón de civiles. También muchos militares. Los identificaba por el corte de pelo y la ropa. Los soldados que no están de servicio siempre se visten de una manera inconfundible. Quieren parecerse a cualquier otra persona y fracasan de plano. Siempre parecen ir demasiado limpios y anticuados. Al pasar por su lado todos me miraron. No les alegraba verme. Yo buscaba algún sargento. Buscaba unas cuantas arrugas alrededor de los ojos. A un par de metros del borde del escenario principal vi cuatro posibles candidatos. Tres de ellos me vieron y volvieron la cara. El cuarto hizo una pausa de unos segundos y luego se volvió hacia mí, como si supiera que había sido elegido. Era un tío compacto, unos cinco años mayor que yo. Seguramente de las Fuerzas Especiales. En Bird había muchos, y ése tenía toda la pinta. Se lo estaba pasando bien. No había duda. Llevaba una sonrisa en el rostro y una botella en la mano. Cerveza fría, cubierta de humedad. La alzó a modo de saludo, de invitación a acercarme. Así que fui hacia él y le hablé al oído.

—Haga correr la voz por mí —dije—. No estoy aquí por nada oficial. No tiene nada que ver con nuestros chicos. Es otra cosa.

—¿Como qué?

—Un objeto perdido —expliqué—. Nada importante. Por lo demás, todo bien.

No dijo nada.

—¿Fuerzas Especiales? —pregunté.

Él asintió.

—¿Un objeto perdido?

—No gran cosa —aclaré—. Algo que desapareció al otro lado de la calle.

El tipo pensó en ello. Luego levantó la botella y la hizo entrechocar con la mía si yo hubiera pedido una. Una muestra inequívoca de aceptación. A base de mímica, con todo aquel ruido. Pero aun así, una discreta corriente de hombres empezó a desfilar hacia la salida. Durante mis primeros minutos en el local se marcharon unos veinte soldados. La PM provocaba este efecto. No era de extrañar que el de la cara de mapa no me quisiera allí.

Se me acercó una camarera. Llevaba una camiseta negra cortada unos diez centímetros por debajo del cuello, *shorts* negros cortados a unos diez centímetros de la cintura y zapatos negros de tacones altos. Nada más. Se quedó allí de pie mirándome hasta que pedí algo, una Bud por la que me cobraron unas ocho veces más de lo normal. Bebí un par de sorbos y acto seguido me puse a buscar putas.

Ellas me encontraron primero. Les interesaba que yo desapareciera antes de vaciarles el local y reducir a cero su fuente de clientes. Se me acercaron dos directamente. Una era rubia platino. La otra, morena. Ambas llevaban escuetos y ceñidos vestidos de tubo que brillaban con toda clase de fibras sintéticas. La rubia se adelantó a la morena y avanzó hacia mí torpemente sobre unos ridículos tacones de plástico transparente. La morena giró y se dirigió hacia el sargento de las Fuerzas Especiales con el que yo había estado hablando. Él se la quitó de encima con lo que me pareció una expresión de genuino asco. La rubia se plantó a mi lado y se apoyó en mi brazo. Luego se estiró hasta que noté su aliento en el oído.

—Feliz Año Nuevo —dijo.

—Lo mismo digo.

—No te había visto antes por aquí —comentó, como si yo fuera lo único que faltaba en su vida. Tenía acento. No era de las Carolinas. Tampoco de California. Seguramente de Georgia o Alabama.

»¿Eres nuevo en la ciudad? —preguntó en voz alta debido a la música.

Sonreí. Yo había perdido la cuenta de los burdeles en que había estado, igual que cualquier PM. Todos son iguales y cada uno es diferente. Todos tienen protocolos distintos. Pero la pregunta «eres nuevo en la ciudad» era una táctica estándar para entablar conversación. Me invitaba a iniciar las negociaciones y al tiempo se protegía de la acusación de incitación, de ejercicio de la prostitución.

—¿Cuál es el trato? —le pregunté.

Ella sonrió tímidamente, como si nunca le hubieran hecho una pregunta así. Luego me dijo que podía verla actuar a cambio de propinas de dólar, o podía gastarme diez para un pase privado en un cuarto trasero. Explicó que en el pase privado podía estar incluido tocar, y para asegurarse de que la entendía me pasó la mano por el interior del muslo.

Entendí cómo un hombre podía caer en la tentación. La chica era mona. Tendría unos veinte años, salvo por los ojos, que parecían de una mujer de cincuenta.

—¿Y por qué no algo más? —sugerí—. ¿Hay algún sitio donde podamos ir?

—Podemos hablarlo durante el pase privado.

Me cogió de la mano y me condujo por delante de la puerta del camerino y a través de una cortina de terciopelo hasta una habitación oscura que había tras el escenario. No era pequeña, de unos nueve por seis. Un banco tapizado recorría todo el perímetro. Tampoco era tan privada. Había allí unos seis tíos, cada uno con una mujer desnuda en el regazo. La rubia me guió hasta el banco y me hizo sentar. Esperó a que yo sacara la cartera y le diera los diez pavos. Acto seguido se me puso encima arrimándose con fuerza. Por el modo en que se sentaba me resultó imposible no ponerle la mano en el muslo. Su piel era cálida y suave.

—Así pues, ¿dónde podríamos ir? —inquirí.

—Tienes prisa, ¿eh? —soltó. Cambió de posición y se levantó la falda por encima de las caderas. No llevaba nada debajo.

—¿De dónde eres? —le pregunté.

—Atlanta.

—¿Cómo te llamas?

—Sin —dijo.

«Pecado.» Debía de ser su nombre de guerra.

—¿Y tú? —preguntó ella.

—Reacher. —No tenía sentido que me cambiase el nombre. Acababa de llegar de mi visita a la viuda, luciendo aún el clase A, con mi apellido grande y claro en el bolsillo derecho de la chaqueta.

—Un bonito nombre —dijo mecánicamente. Casi seguro que se lo decía a todo el mundo. «Quasimodo, Hitler, Stalin, Pol Pot, un bonito nombre.» Movió la mano. Comenzó por el botón de arriba de mi chaqueta, que desabrochó toda. Me pasó los dedos por el pecho, bajo la corbata, hasta el cuello de la camisa.

—Al otro lado de la calle hay un motel —dije.

Ella asintió contra mi hombro.

—Ya lo sé —dijo.

—Estoy buscando a la que fue anoche allí con un soldado.

—¿Estás de broma?

—No.

Se apartó dándome un empujón.

—¿Estás aquí para pasarlo bien o para hacer preguntas?

—Preguntas —dije.

Se quedó callada.

—Estoy buscando a la que fue anoche al motel con un soldado.

—No seas ingenuo —replicó—. Todas vamos al motel con soldados. En la calzada prácticamente hay un surco marcado. Fíjate y lo verás.

—Estoy buscando a alguien que regresó quizás un poco antes de lo habitual.

No respondió.

—Tal vez estaba algo asustada —añadí.

Siguió callada.

—A lo mejor conoció al tipo aquí —dije—. Quizá recibió una llamada a primera hora.

Levantó el culo de mis rodillas y se bajó la falda todo lo que pudo, que no era mucho. Después pasó los dedos por el distintivo de mi solapa.

—Nosotras no respondemos preguntas —dijo.

—¿Por qué no?

Echó un vistazo a la cortina de terciopelo, como si mirara a través de ella y de la sala hasta la caja registradora de la barra.

—¿Él? —solté—. Te aseguro que no es ningún problema.

—No le gusta que hablemos con polis.

—Esto es importante. El tipo era un soldado importante.

—Todos os creéis importantes.

—¿Hay aquí alguna chica de California?

—Unas cinco o seis.

—¿Alguna había trabajado en Fort Irwin?

—No lo sé.

—Bien, pues el trato es el siguiente —dije—. Voy a ir a la barra. Pediré otra cerveza. Estaré diez minutos tomándola. Tú me traes la chica que tuvo el problema anoche. O me dices dónde puedo encontrarla. Dile que en realidad no hay ningún problema. Dile que nadie la va a meter en ningún lío. Ya verás como lo entiende.

—¿Si no, qué?

—Si no, sacaré a todo el mundo de aquí a patadas y pegaré fuego al local. Tendrás que buscarte clientes en otro sitio.

La chica volvió a mirar la cortina.

—No te preocupes por el gordo —dije—. Si se cabrea o se queja de algo, le rompo otra vez la nariz.

Permaneció inmóvil, sin decidirse.

—Es un asunto importante —insistí—. Si lo arreglamos ahora, nadie se verá en apuros. Si no, alguien acabará fastidiado de veras.

—No sé —dijo, aún indecisa.

—Corre la voz —dije—. Diez minutos.

La alcé de mi regazo, le di una palmada en el trasero y la vi desaparecer por la cortina. Un minuto después salí yo y me abrí paso hasta la barra. Llevaba la chaqueta desabrochada. Se notaría que no estaba de servicio. No quería dar la noche a nadie.

Pasé doce minutos bebiendo otra cerveza nacional carísima. Observé trabajar a las camareras y las putas. Vi al grandullón de la cara de mapa moverse a través de la gente apiñada, mirando aquí y allá, comprobando cosas. Esperé. Mi nueva amiga rubia no aparecía. Y no la veía por ninguna parte. El local estaba abarrotado y oscuro. La música sonaba atronadora. Había luces estroboscópicas y ultravioletas, y toda la escena revelaba una gran confusión. Los ventiladores zumbaban, pero el aire se notaba caliente y viciado. Estaba cansado y empezaba a dolerme la cabeza. Abandoné el taburete y traté de recorrer el lugar. La rubia se había esfumado. Di otra vuelta. Nada. El sargento de las Fuerzas Especiales me detuvo en mitad de mi tercer recorrido.

—¿Está buscando a su novia? —dijo.

Asentí. Él señaló la puerta del camerino.

—Creo que la ha metido en un lío.

—¿Qué clase de lío?

Sólo levantó la palma izquierda y le propinó un golpe con el puño derecho.

—¿Y usted no ha hecho nada? —solté.

Se encogió de hombros.

—El poli es usted, no yo —replicó.

La puerta del camerino era un simple rectángulo de contrachapado pintado de negro. No llamé. Supuse que las mujeres que lo utilizaban no eran recatadas. Sólo empujé y entré. Bombillas encendidas y montones de prendas de vestir y la peste del perfume. Había tocadores con espejos de luces. Sin estaba sentada en un viejo sofá de terciopelo rojo. Llorando. En su mejilla izquierda se distinguía el contorno de una mano. El ojo derecho, cerrado por la hinchazón. Imaginé que había sido un bofetón doble, primero un derechazo y luego de revés. Dos golpes contundentes. La habían sacudido bien. Había perdido el zapato izquierdo. Advertí señales de agujas entre los dedos del pie. Los adictos que se dedican al negocio del porno a menudo se inyectan ahí para que las marcas no se vean. Modelos, putas, actrices.

No le pregunté si se encontraba bien. Habría sido una pregunta estúpida. Sobreviviría, pero no iba a trabajar durante una semana. No hasta que el ojo pasara del negro al amarillo y el maquillaje pudiese disimularlo. Me quedé allí de plantón hasta que me vio con el ojo bueno.

—Largo de aquí —espetó. Apartó la vista—. Cabrón —soltó.

—¿Aún no has encontrado a la chica?

Me fulminó con la mirada.

—No había ninguna chica —dijo—. He preguntado por ahí a todo el mundo. Y anoche nadie tuvo ningún problema. Nadie.

Hice una breve pausa.

—¿Hoy falta alguien que debería estar?

—Estamos todas —contestó—. Todas tenemos deudas de la Navidad.

Guardé silencio.

—Has hecho que me pegaran por nada —soltó.

—Lo lamento —dije—. De verdad.

—Largo de aquí —repitió sin mirarme.

—De acuerdo —dije.

—Cabrón.

La dejé allí sentada y me abrí paso a duras penas entre la multitud apiñada en torno al escenario, entre la multitud que había en la barra, a través del atasco de la entrada hasta llegar a la puerta. Cara de mapa se hallaba ahí, de nuevo en las sombras, tras la caja registradora. Calculé dónde estaba su cabeza en la negrura y con la mano derecha le abofeteé en la oreja, lo bastante fuerte para desequilibrarlo.

—Tú —dije—. Sal fuera.

No le esperé. Seguí mi camino hacia la noche. En el aparcamiento había un montón de gente. Todos militares. Los que habían ido saliendo en grupitos después de entrar yo. Estaban ahí, pasando frío, apoyados en los coches, bebiendo cerveza de botellas de cuello largo. No iban a crear problemas. Tendrían que estar efectivamente muy borrachos para meterse con un PM. Pero tampoco iban a ayudar en nada. Yo no era uno de ellos. Iba por libre.

La puerta se abrió de golpe a mi espalda. Salió cara de mapa. Lo acompañaban un par de clientes que parecían granjeros. Nos dirigimos todos a un charco de luz amarilla procedente de una farola. Nos colocamos en un círculo irregular. Todos cara a cara. Nuestro aliento se condensaba en el aire. Nadie hablaba. No hacían falta preámbulos. Imaginé que aquel aparcamiento había sido testigo de muchas peleas, que ésa no sería diferente y que acabaría igual, con un ganador y un perdedor.

Me quité la chaqueta y la colgué en el retrovisor del coche más próximo. Era un Plymouth de diez años, bien de pintura, buen cromado. El coche de un entusiasta. El sargento de las Fuerzas Especiales con quien había hablado dentro se acercó al grupo. Me miró un instante y acto seguido retrocedió hacia las sombras, donde se quedó con sus hombres, junto a los vehículos. Me quité el reloj, me volví y lo guardé en el bolsillo de la chaqueta. Luego estudié a mi contrincante. Quería machacarlo de veras. Quería que Sin supiera que yo la había defendido. Pero no ganaría nada con partirle la cara. Ya estaba muy hecha polvo, no podía empeorar. Y yo pretendía dejarlo fuera de circulación por una temporada. No quería que después fuera y descargara su frustración en las chicas sólo porque no pudiera desquitarse conmigo.

El tipo era fornido y pesado, así que quizá no tendría que usar las manos. Salvo con los granjeros si se metían, pero esperaba que no lo hicieran. No había necesidad de desencadenar un conflicto serio. Por otro lado, les tocaba a ellos dar el primer paso. Todo el mundo tiene una opción en la vida. Podían quedarse atrás o meterse en el fregado.

Yo era unos quince centímetros más alto que cara de mapa, pero también pesaría unos treinta kilos menos. Y era unos diez años más joven. Lo observé echar cuentas y llegar a la conclusión de que él tenía ventaja. Supuse que se consideraba un auténtico perro de presa. Y me veía a mí como un honrado representante del Tío Sam. Tal vez el uniforme de clase A le llevaba a pensar que yo iba a actuar como un oficial y caballero. Con buenos modales, comedido.

Craso error.

Se acercó moviendo los puños. Pecho grande, brazos cortos, de poco alcance. Esquivé su puñetazo echándome a un lado. Se aprestó a intentarlo de nuevo, pero le aparté el brazo de un manotazo y le golpeé la cara con el codo. No muy fuerte. Solamente quería detener su impulso y dejarlo allí de pie frente a mí.

Él apoyó todo el peso en el pie de atrás y preparó un golpe directo a mi rostro. Iba a ser un trompazo fuerte que me haría daño. Pero antes de que lo soltara, me adelanté y estrellé mi talón derecho contra su rótula derecha. La rodilla es una articulación frágil, cualquier deportista lo sabe. La de aquel tipo soportaba ciento veinte kilos y además recibió el impacto de otros noventa. El hueso se hizo añicos y la pierna se le dobló hacia atrás, exactamente como una rodilla normal pero al revés. Él cayó hacia delante y su pie acabó encontrándose con su muslo. Soltó un aullido realmente estremecedor. Retrocedí y sonreí. «Para ganar hay que chutar.»

Di otro paso atrás y observé la rodilla del tío. Un estropicio. El hueso partido, los ligamentos distendidos, el cartílago roto. Pensé en darle otro patadón, pero la verdad es que no hacía falta. En cuanto lo dejaran marchar del pabellón de ortopedia, debería visitar una tienda de bastones. Iba a escoger un artículo de por vida. De madera, de aluminio, corto, largo, el que más le gustara.

—Si pasa algo que yo no quiero que pase —le advertí—, volveré y te haré lo mismo en la otra.

No creo que me oyera. Estaba retorciéndose en el suelo, jadeando y gimoteando, tratando de poner la rodilla en una posición que dejara de atormentarle. No le había acompañado la puñetera suerte. Tendrían que operarle.

Los granjeros aún no se decidían. Los dos parecían bastante tontos, pero uno más que el otro. Más lento. Estaba apretando sus grandes puños. Di un paso adelante y para contribuir a su proceso de toma de decisiones le di un cabezazo en toda la cara. Cayó como un saco, quedando tendido junto al otro. Su colega corrió a esconderse tras la camioneta más cercana. Cogí la chaqueta del retrovisor del Plymouth y me la eché a los hombros. Saqué el reloj del bolsillo y volví a ponérmelo en la muñeca. Los soldados bebían cerveza y me miraban, inexpresivos. No estaban contentos ni decepcionados. No habían apostado nada al resultado. A ellos les daba igual que fuera yo o los tíos del suelo.

Distinguí a la teniente Summer en el extremo del grupo. Me dirigí hacia ella, pasando entre los coches y la gente. Parecía tensa y respiraba con dificultad. Supuse que había estado mirando, a punto de meterse para echarme una mano.

—¿Qué ha pasado? —preguntó.

—El gordo atizó a una mujer que estaba haciendo preguntas para mí. Y su colega no ha huido lo bastante deprisa.

Los miró y luego otra vez a mí.

—¿Qué ha dicho la mujer?

—Que anoche nadie tuvo ningún problema.

—El chico del motel sigue negando que hubiera una puta con Kramer.

Oí las palabras de Sin: «Has hecho que me pegaran por nada. Cabrón.»

—Entonces ¿por qué fue a echar un vistazo a la habitación?

Summer torció el gesto.

—Ésa fue mi gran pregunta, evidentemente.

—¿Y él tenía alguna respuesta?

—Al principio no. Luego dijo que porque oyó un vehículo alejarse a toda prisa.

—¿Qué vehículo?

—Dijo que de motor potente, acelerando con fuerza, como si el conductor fuese presa del pánico.

—¿Él no lo vio?

Summer meneó la cabeza.

—No tiene sentido —dije—. Un vehículo supone una *call-girl*, y dudo que por aquí haya muchas. ¿Y por qué necesitaría Kramer una *call-girl* habiendo todas esas putas aquí mismo en el bar?

Summer seguía negando con la cabeza.

—El muchacho dice que el vehículo hacía un ruido muy característico. Muy fuerte. Diesel, no gasolina. Y dice que oyó exactamente el mismo sonido un poco más tarde.

—¿Cuándo?

—Cuando usted se fue en su Humvee.

—¿Qué?

Summer me miró a los ojos.

—Dice que fue a la habitación de Kramer porque oyó un vehículo militar largarse del aparcamiento a toda pastilla.

4

Volvimos a cruzar la calle en dirección al motel para que el chico repitiese la historia. Era hosco y poco hablador, pero ofreció un buen testimonio. Es frecuente en la gente poco servicial. No se esfuerzan por complacer. No pretenden impresionar a nadie. No se enrollan como una persiana intentando decir lo que se espera que digan.

Explicó que estaba sentado en la oficina, solo, sin hacer nada, y que a eso de las once y veinticinco de la noche oyó la puerta de un vehículo y luego un motor turbo-diesel que se encendía. Describió sonidos que podían corresponder a una caja de cambios poniendo marcha atrás de golpe y al cierre de la transmisión de la tracción delantera. A continuación, ruido de neumáticos, del motor, de la grava y de algo muy grande y pesado que se alejaba rapidísimo. Dijo que se levantó del taburete y salió a mirar. No vio el vehículo.

—¿Por qué fuiste a la habitación?

Se encogió de hombros.

—Creí que a lo mejor había fuego.

—¿Fuego?

—En un lugar como éste la gente hace cosas así. Incendian la habitación y luego salen pitando, sólo por divertirse. Fui por algo. No sé. No me parecía normal.

—¿Cómo sabías qué habitación era?

Se quedó muy callado. Summer lo apremió a que respondiera. Entonces intervine yo. Hicimos de poli bueno y poli malo. Al final el chico reconoció que era la única habitación que iba a estar ocupada toda la noche. Las demás se alquilaban por horas, y los clientes venían a pie desde el bar. Dijo que por eso estaba seguro de que no había ninguna puta en la habitación de Kramer. Él se ocupaba de registrarlos, les cobraba y les daba la llave. Controlaba las llegadas y salidas. Por tanto, siempre sabía quién estaba y dónde. Era parte de su trabajo. Una parte sobre la que en principio debía mantener la boca cerrada.

—Me despedirán —dijo.

Parecía a punto de llorar y Summer tuvo que tranquilizarlo. Después nos explicó que había encontrado el cadáver de Kramer, llamado a la policía y hecho salir a todos los clientes por razones de seguridad. Stockton, el adjunto al jefe, había aparecido al cabo de unos quince minutos. Después llegué yo, y cuando me fui al rato, el muchacho reconoció los mismos sonidos del vehículo que había oído antes. El mismo ruido del motor, el mismo chirrido de los neumáticos. Resultaba convincente. Ya había admitido que las putas utilizaban el lugar continuamente, así que no tenía más motivos para mentir. Y los Humvee eran aún relativamente nuevos y raros. Y hacían un ruido característico. De modo que le creí. Le dejamos en su taburete y salimos al frío y al rojizo resplandor de la máquina de Coca-Cola.

—No era una puta —soltó Summer—, sino una mujer de la base.

—Una oficial —precisé—. Quizá de alto rango. Alguien con acceso permanente a su propio Humvee. Ella tiene el maletín. Seguro.

—Será fácil de localizar. Constará en el libro de control de la puerta; hora de salida, hora de entrada.

—Hasta puede que me cruzara con ella en la carretera. Si se marchó a las once y media no estaría de regreso en Bird antes de las doce y cuarto. Yo salía más o menos a esa hora.

—En caso de que volviera directamente a la base.

—Ya.
—¿Vio usted otro Humvee? —preguntó.
—No.
—¿Quién cree que es ella?
Me encogí de hombros.
—Ni idea. Alguien a quien él conoció en algún sitio. A lo mejor en Irwin, pero pudo ser en cualquier otra parte. —Fijé la mirada en la gasolinera, viendo pasar los coches por la carretera.
—Tal vez Vassell y Coomer la conocían —apuntó Summer—. Bueno, en caso de que lo suyo con Kramer ya llevara tiempo en danza.
—Sí, tal vez.
—¿Dónde cree que están?
—No sé —dije—. Pero estoy seguro de que si los necesito los encontraré.

No los encontré yo a ellos sino ellos a mí. Cuando regresé, estaban esperándome en mi despacho prestado. Summer me dejó frente a la puerta y fue a aparcar el coche. Pasé frente a la mesa de fuera. Volvía a estar la sargento del turno de noche, la montañesa del niño pequeño y las preocupaciones con su paga. Hizo un gesto hacia la puerta para indicarme que había alguien dentro. Alguien con mucho más rango que cualquiera de nosotros.
—¿Hay café? —pregunté.
—La cafetera está encendida —contestó.
Llevé una taza al despacho. Todavía llevaba la chaqueta desabrochada. Y el cabello revuelto. Era la viva imagen de un tío que ha estado peleándose en un aparcamiento. Fui directamente a la mesa y dejé encima el café. Había dos tipos sentados en las sillas para las visitas, mirándome. Ambos lucían uniforme de camuflaje para zonas boscosas. Uno llevaba en el cuello una estrella de general de brigada y el otro un águila de coronel. El general llevaba escrito

«Vassell» en su distintivo; y el coronel, «Coomer». Vassell era calvo y Coomer llevaba gafas, y los dos eran lo bastante pomposos y lo bastante viejos y lo bastante bajitos y flácidos y sonrosados para tener un aspecto vagamente ridículo con aquel uniforme. Parecían miembros del Rotary Club camino de un estrafalario baile de disfraces. La primera impresión fue ésa. No me cayeron muy bien.

Me senté y vi dos papelitos en el centro mismo del cartapacio. El primero era una nota que ponía: «Su hermano ha vuelto a llamar. Urgente.» Esta vez había también un número de teléfono, con el prefijo 202. Washington D.C.

—¿No saluda a sus superiores? —dijo Vassell desde su silla.

La segunda nota ponía: «Ha llamado el coronel Garber. La policía de Green Valley calcula que la señora K murió aproximadamente a las 2.00.» Doblé ambas notas por separado y las coloqué una junto a la otra debajo del teléfono, de tal forma que podía ver exactamente la mitad de cada una. Alcé la vista a tiempo de advertir la mirada hostil de Vassell.

—Lo siento —dije—. ¿Cuál era la pregunta?

—¿No saluda usted a sus superiores cuando entra en algún sitio?

—Si están en mi cadena de mando, sí —respondí—. Pero no es el caso.

—No acepto eso como respuesta —replicó.

—Consúltenlo —solté—. Pertenezco a la 110 Unidad Especial. Vamos por nuestra cuenta. Desde un punto de vista estructural, funcionamos en paralelo respecto al resto del ejército. Y si lo piensan bien, así es como ha de ser. Si estuviéramos en su misma cadena de mando no podríamos supervisarles.

—No estoy aquí para que me supervisen, hijo.

—Entonces ¿para qué? Es un poco tarde para una visita de cortesía.

—Estoy aquí para formular preguntas —dijo.

—Pregunte lo que quiera —repuse—. Luego preguntaré yo. ¿Pero sabe cuál será la diferencia?

Vassell no contestó.

—Yo responderé por educación —añadí—, pero usted responderá porque así se lo exige el Código de Justicia Militar.

Siguió callado, mirándome desafiante. Luego miró a Coomer, que le miró a su vez y luego se volvió hacia mí.

—Estamos aquí para hablar del general Kramer —explicó—. Los tres formábamos parte del Estado Mayor.

—Sé quiénes son ustedes.

—Háblenos del general.

—Está muerto —informé.

—Eso ya lo sabemos. Nos gustaría conocer los detalles.

—Sufrió un ataque al corazón.

—¿Dónde?

—En la cavidad torácica.

Vassell me fulminó con la mirada.

—¿Dónde murió? —terció Coomer.

—No puedo revelarlo. Guarda relación con una investigación en curso.

—¿En qué sentido? —inquirió Vassell.

—En un sentido confidencial.

—Fue por aquí cerca —dijo—. Lo sabe todo el mundo.

—Pues eso es lo que hay —solté—. Vamos a ver, ¿sobre qué va la reunión de Fort Irwin?

—¿Cómo?

—La reunión de Fort Irwin —repetí—. Adonde se dirigían ustedes.

—¿A qué viene esto?

—He de saber qué asuntos se iban a tratar.

Vassell miró a Coomer, y éste abrió la boca para decir algo cuando sonó el teléfono. Era la sargento de la mesa de fuera. Summer estaba allí y no sabía si dejarla entrar.

Le dije que adelante. Así que se oyó un golpecito en la puerta y entró Summer. La presenté y ella acercó una silla a mi escritorio y se sentó a mi lado, frente a ellos. Dos contra dos. Saqué la segunda nota de debajo del teléfono y se la pasé. «La policía de Green Valley calcula que la señora K murió aproximadamente a las 2.00.» La leyó, la dobló de nuevo y me la devolvió. Volví a meterla bajo el teléfono. A continuación pregunté nuevamente a Vassell y Coomer por el orden del día de la reunión, y advertí que su actitud cambiaba. Dejaron de mostrarse reticentes. Fue más un movimiento lateral que un avance. Pero dado que ahora había una mujer en la estancia, sustituyeron la hostilidad manifiesta por una cortesía petulante y condescendiente. Pertenecían a ese ambiente y a esa generación. Odiaban a los PM y seguro que también a las mujeres oficiales, si bien de repente consideraron que debían mostrarse educados.

—Pura rutina —explicó Coomer—. Una reunión corriente. Nada importante.

—Lo que explica que al final ustedes no hayan ido —señalé.

—En efecto. Parecía más adecuado quedarse aquí, dadas las circunstancias.

—¿Cómo se enteraron de lo de Kramer?

—Nos llamó el XII Cuerpo.

—¿Desde Alemania?

—Allí es donde está el XII Cuerpo, hijo —Vassell le dijo.

—¿Dónde estuvieron ustedes anoche?

—En un hotel —repuso Coomer.

—¿Cuál?

—El Jefferson. En D.C.

—¿Hospedaje privado o con bono del Departamento de Defensa?

—Ese hotel está autorizado para oficiales de alto rango.

—¿Por qué no se alojó también allí el general Kramer?

—Porque había hecho otros planes.

—¿Cuándo?

—¿Cuándo qué? —soltó Coomer.

—¿Cuándo hizo esos otros planes?

—Unos días antes.

—O sea que no lo decidió de improviso.

—No.

—¿Saben ustedes qué planes eran ésos?

—Si lo supiéramos no estaríamos preguntándole dónde murió —contestó Vassell.

—¿No pensaron que quizá fuera a visitar a su mujer?

—¿Eso hizo?

—No —repuse—. ¿Por qué necesitan saber exactamente dónde murió?

Hubo una larga pausa. Su actitud volvió a cambiar. Desapareció la petulancia, reemplazada por una suerte de afable franqueza.

—En realidad no necesitamos saberlo —dijo Vassell. Se inclinó hacia delante y miró a Summer como si deseara que ella no estuviera presente para que esa franqueza fuera estrictamente de hombre a hombre, conmigo—. No tenemos información concreta ni un conocimiento directo, pero nos preocupa que los planes personales del general Kramer pudieran, en vista de las circunstancias, llegar a provocar cierto escándalo.

—¿Lo conocían ustedes bien? —pregunté.

—En el plano profesional muy bien, ya lo creo. En el personal, todo lo bien que uno llega a conocer a sus colegas. Es decir, tal vez no demasiado.

—Pero, en términos generales, imaginan cuáles eran esos planes.

—Sí —respondió—. Tenemos nuestras sospechas.

—Entonces no les sorprendió que él no durmiera en el hotel.

—No.

—Y tampoco les ha sorprendido enterarse de que no fue a ver a su esposa.

—No, no del todo.

—Así que tenían una sospecha aproximada de lo que él pudiera estar haciendo, pero no sabían dónde —concluí.

Vassell asintió.

—Aproximada.

—¿Sabían con quién podía estar haciéndolo?

Vassell negó con la cabeza.

—No tenemos información concreta —señaló.

—Muy bien —dije—. Da igual. Estoy seguro de que conocen el ejército lo bastante bien para comprender que si descubrimos un potencial escándalo, lo taparemos.

Hubo otra pausa.

—¿Se han eliminado todas las huellas? —preguntó Coomer—. ¿De dondequiera que fuera?

Asentí con la cabeza.

—Recogimos sus cosas.

—Bien.

—Necesito el orden del día de Fort Irwin —insistí.

Otra pausa.

—No había ninguno —precisó Vassell.

—Seguro que lo había —repliqué—. Esto es el ejército, no el Actor's Studio. Nosotros no hacemos sesiones de improvisación libre.

Hubo otro silencio.

—No había nada escrito —dijo Coomer—. Ya se lo he dicho, comandante, no tenía demasiada importancia.

—¿Qué han hecho hoy?

—Oír rumores sobre el general.

—¿Cómo han venido desde D.C.?

—El Pentágono nos proporcionó coche y conductor.

—Se marcharon del Jefferson.

—Sí, así es.

—Entonces su equipaje está en el coche del Pentágono —dije.

—En efecto.
—¿Dónde está el coche?
—Esperando fuera de su cuartel.
—No es mi cuartel —corregí—. Ése es un destino temporal.
Me volví hacia Summer y le dije que fuera a buscar los maletines del coche. Se sintieron indignados, pero sabían que no podían impedírmelo. Ante la puerta de una base militar, las ideas civiles sobre investigaciones poco razonables, incautaciones, mandamientos judiciales y causas probables tienen el paso cortado. Mientras Summer estuvo ausente les miré a los ojos. Se les veía molestos pero no preocupados. Así que o bien estaban diciendo la verdad sobre la reunión de Fort Irwin, o bien ya se habían deshecho de los documentos importantes. En todo caso, yo iba a cumplir con las formalidades. Summer regresó con dos maletines idénticos. Exactamente iguales al que llevaba Kramer en las fotos con marco de plata. Los miembros del Estado Mayor lamen el culo de mil maneras.
Los abrí sobre la mesa y los registré. En ambos encontré pasaportes, billetes de avión, bonos de viaje, itinerarios. Pero ningún orden del día para la reunión de Fort Irwin.
—Disculpen las molestias —dije.
—¿Satisfecho, hijo? —soltó Vassell.
—La esposa de Kramer también ha muerto —informé—. ¿Lo sabían?
Los observé y vi que no lo sabían. Me miraron fijamente y se miraron uno a otro y empezaron a palidecer y mostrar inquietud.
—¿Cómo? —dijo Vassell.
—¿Cuándo? —preguntó Coomer.
—Anoche —repuse—. Víctima de un homicidio.
—¿Dónde?
—En su casa. Un intruso.
—¿Se sabe quién?

—No. No es un caso nuestro. Pertenece a la jurisdicción civil.

—¿Qué fue? ¿Robo con allanamiento de morada?

—Tal vez empezó siendo eso.

No dijeron nada más. Summer y yo los acompañamos hasta la acera delante de los cuarteles y los vimos subir a su coche del Pentágono. Era un Mercury Grand Marquis, un par de modelos —y de años— más nuevo que el barco de la señora Kramer, y negro en vez de verde. El chófer era un tipo alto en uniforme de campaña. Llevaba distintivos de segundo orden. No alcancé a distinguir su nombre ni su rango, pero no parecía un soldado de tropa. Hizo el cambio de sentido tranquilamente en la carretera vacía y se llevó a Vassell y Coomer. Vimos las luces traseras desaparecer hacia el norte, por la puerta principal, y luego en la oscuridad.

—¿Qué opina? —preguntó Summer.

—Que son unos mentirosos de mierda.

—¿Mierda importante o la habitual de los oficiales de alto rango?

—Mienten —solté—. Están tensos, mienten y son unos estúpidos. A ver, ¿por qué me preocupa el maletín de Kramer?

—Contiene documentos confidenciales, en cualquier caso —dijo ella.

Asentí.

—Me lo acaban de definir ellos. El propio orden del día de la reunión.

—¿Está seguro de que había uno?

—Siempre lo hay. Y siempre por escrito. Uno para cada asistente. Si se quiere cambiar la comida de las perreras del K-9 hacen falta cuarenta y siete citas con cuarenta y siete órdenes del día. Así que había uno para Fort Irwin, sin duda. Negarlo es una solemne estupidez. Si tienen algo que ocultar, deberían haber dicho simplemente que está demasiado escondido para que yo lo vea.

—Tal vez en realidad la reunión no era importante.

—Eso también es una estupidez. Era muy importante.

—¿Por qué?

—Porque asistía un general de dos estrellas y uno de una estrella. Y porque era Nochevieja, Summer. ¿Quién viaja en avión en Nochevieja y pasa la noche en un impersonal hotel si no es por un motivo importante? Y este año en Alemania hay movida. Se está desplomando el Muro. Hemos ganado, después de cuarenta y cinco años. Las fiestas han sido impresionantes. ¿Quién se las perdería por algo sin importancia? Para que esos tíos cogieran un avión en Nochevieja, lo de Irwin tenía que ser muy gordo.

—Lo de la señora Kramer les ha afectado. Más que lo del propio Kramer.

Asentí.

—Quizá la apreciaban.

—También apreciarían a Kramer —dijo.

—No, para ellos él es sólo un problema táctico. En su nivel, en este asunto no caben sentimentalismos. Estaban amarrados a Kramer, y ahora que ha muerto les preocupa cómo quedan ellos.

—En mejores condiciones para un ascenso, a lo mejor.

—A lo mejor —asentí—. Pero si lo de Kramer se acaba sabiendo, el escándalo puede llevárselos también por delante.

—Deberían estar tranquilos. Usted les ha prometido encubrir el asunto. —En su voz se apreciaba una fría formalidad, como indicando que yo no debía haber prometido tal cosa.

—Protegemos al ejército, Summer —precisé—. Como a la familia. Éste es nuestro cometido. —Hice una pausa—. Pero ¿se ha dado cuenta de que después de eso no se han callado? Debían haberse dado por satisfechos. Encubrimiento solicitado, encubrimiento prometido. Pregunta y respuesta, misión cumplida.

—Querían saber dónde estaban las cosas de Kramer.

—Así es. ¿Y sabe qué significa? Que también están buscando el maletín. Por el orden del día. La copia de Kramer es la única que ha escapado a su control. Han venido a comprobar si la tenía yo.

Summer miró en la dirección que había tomado el Mercury. Yo aún alcanzaba a oler los gases del tubo de escape. Un tufo ácido del catalizador.

—¿Cómo funcionan los médicos civiles? —le pregunté—. Supongamos que usted es mi esposa y yo sufro un ataque cardíaco. ¿Qué hace?

—Llamar al 911.

—¿Y después?

—Viene la ambulancia y le lleva a urgencias.

—Pongamos que ingreso cadáver. ¿Dónde estará usted?

—Le habré acompañado al hospital.

—¿Y dónde estará mi maletín?

—En casa. Donde lo haya dejado. —Se quedó callada un instante—. ¿Qué? ¿Cree que anoche alguien fue a la casa de la señora Kramer en busca del maletín?

—Es una secuencia de hechos verosímil —señalé—. Alguien se entera de que Kramer ha muerto de un infarto. Supone que ha ocurrido en la ambulancia o la sala de urgencias, y supone que quienquiera que estuviera con él le ha acompañado. Entonces va a la casa esperando encontrarla vacía y recuperar el maletín.

—Pero él no estuvo en su casa.

—Era una primera tentativa razonable.

—¿Cree que fueron Vassell y Coomer?

No contesté.

—Es una locura —soltó Summer—. No tienen la pinta.

—No se deje engañar por las pintas. Son del Cuerpo de Blindados. Se han preparado toda su vida para aplastar cualquier cosa que se interponga en su camino. De todos modos, les salva la cuestión horaria. Pongamos que Garber llamó al XII Cuerpo en Alemania a las doce y cuarto como muy pronto. Supongamos también que los del XII Cuerpo llamaron al hotel de aquí a las doce y media, tan pronto les fue posible. Green Valley se halla a setenta minutos de D.C. y la señora Kramer murió a las dos. Eso les habría dado todo lo más un margen de veinte minutos para reaccionar. Acababan de llegar del aeropuerto, de modo que no tenían coche y para conseguir uno habrían tardado un rato. Y desde luego no llevaban encima ninguna barra de hierro. Nadie viaja con una barra de hierro en la maleta por si acaso. Y dudo mucho que en Nochevieja, después de las doce, estuviera abierto el Home Depot.

—O sea que por ahí anda alguien más buscando.

—Hemos de encontrar ese orden del día —dije—. Y clavarlo en el tablón.

Mandé a Summer a hacer tres cosas: primero, una lista del personal femenino de Fort Bird con acceso a un Humvee; segundo, una lista de todos los que pudieran haber conocido a Kramer en Fort Irwin, California; y tercero, ponerse en contacto con el hotel Jefferson de D.C. y averiguar las horas exactas de registro y salida de Vassell y Coomer, así como datos de todas sus llamadas telefónicas, recibidas y efectuadas. Regresé a mi despacho, archivé la nota de Garber, desdoblé la de mi hermano sobre el cartapacio y marqué el número. Joe cogió el auricular tras el primer tono.

—Eh, Joe —dije.

—¿Jack?

—¿Qué hay?

—He recibido una llamada.

—¿De quién?

—Del médico de mamá.

—¿Sobre qué?

—Se está muriendo.

5

Tras hablar con Joe colgué y llamé al despacho de Garber. No estaba. Así que dejé un mensaje detallando mis planes de viaje y diciendo que estaría setenta y dos horas ausente. No alegué ningún motivo. Volví a colgar y me senté frente al escritorio, petrificado. Al cabo de cinco minutos entró Summer. Traía un fajo de papeles del parque móvil. Supongo que planeaba confeccionar su lista de Humvee inmediatamente, delante de mí.

—He de ir a París —dije.

—¿París, Tejas? —preguntó—. ¿París, Kentucky? ¿París, Tennessee?

—París, Francia —respondí.

—¿Por qué?

—Mi madre está enferma.

—¿Su madre vive en Francia?

—En París —precisé.

—¿Por qué?

—Porque es francesa.

—¿Es grave?

—¿Ser francés?

—No, la enfermedad que tiene.

Me encogí de hombros.

—En realidad no lo sé. Pero creo que sí.

—Lo siento mucho.

—Necesito un coche —dije—. He de ir a Dulles ahora mismo.

—Le llevaré yo —se ofreció—. Me gusta conducir.

Dejó los papeles en la mesa y fue nuevamente en busca del Chevrolet que habíamos utilizado antes. Yo me dirigí al cuartel y en una bolsa de lona del ejército metí una cosa de cada del armario. Luego me puse mi abrigo largo. Hacía frío, y no pensaba que en Europa el tiempo fuera más caluroso. Al menos no a principios de enero. Summer trajo el coche hasta la puerta. Lo mantuvo a cincuenta hasta que estuvimos fuera del perímetro militar. A continuación lo lanzó como si fuera un cohete y puso rumbo norte. Estuvo callada un rato. Pensando. Movía los párpados.

—Si creemos que la señora Kramer fue asesinada por causa del maletín —señaló—, deberíamos decírselo a los polis de Green Valley.

Meneé la cabeza.

—Eso no le devolverá la vida. Y si murió por causa del maletín, nosotros encontraremos a quien lo hizo siguiendo nuestro método.

—¿Qué quiere que haga mientras usted esté fuera?

—Confeccione las listas —dije—. Examine el registro de la entrada. Encuentre a la mujer, encuentre el maletín, guarde el orden del día en un lugar seguro. Después averigüe a quién llamaron Vassell y Coomer desde el hotel. Quizá mandaron a un chico de los recados en plena noche.

—¿Cree que eso es posible?

—Cualquier cosa es posible.

—Pero ellos no sabían dónde estaba Kramer.

—Por eso se equivocaron de sitio.

—¿A quién habrían enviado?

—Seguramente a alguien que compartía plenamente sus intereses.

—Muy bien —dijo.

—Indague también quién era el que los trajo hasta aquí.

—Muy bien.

No volvimos a hablar en todo el trayecto hasta el aeropuerto Dulles.

Me encontré con Joe en la cola del mostrador de Air France. Él había reservado dos plazas para el primer vuelo de la mañana. Ahora estaba en la fila para pagar. Hacía más de tres años que no le veía. La última vez que estuvimos juntos fue en el funeral de nuestro padre. Desde entonces cada uno había ido por su lado.

—Buenos días, hermanito —dije.

Él llevaba abrigo, traje y corbata, y le sentaba todo muy bien. Era dos años mayor que yo. Siempre lo había sido y siempre lo sería. De niño, yo me fijaba en él y pensaba: así seré yo cuando crezca. Ahora me sorprendí pensándolo de nuevo. Desde cierta distancia habrían podido tomarnos a uno por otro. Si nos colocábamos juntos, resultaba evidente que él era dos o tres centímetros más alto y un poco más delgado. Pero sobre todo quedaba claro que era algo mayor. Parecía como si hubiéramos empezado juntos, pero también que él había visto el futuro antes, y que eso le había hecho envejecer y lo había marchitado.

—¿Cómo estás, Joe? —dije.

—No puedo quejarme.

—¿Muy ocupado?

—No te lo imaginas.

Asentí sin comentar nada. A decir verdad, yo no sabía exactamente cómo se ganaba la vida. Seguramente me lo había dicho. No era ningún secreto de estado ni nada de eso. Tenía que ver con el Departamento del Tesoro. Probablemente me había explicado todos los pormenores y yo no le había prestado atención. Ahora parecía tarde para preguntar.

—Estabas en Panamá —dijo—. Operación Causa Justa, ¿no?

—Operación Sólo Porque —dije—. Así la llamábamos nosotros.

—¿Sólo porque qué?

—Sólo porque podíamos. Sólo porque debíamos tener algo que hacer. Sólo porque tenemos un nuevo comandante en jefe que quiere hacerse el duro.

—¿La cosa va bien?

—Es como el ogro contra los pitufos. ¿Cómo podía ir de otro modo?

—¿Ya habéis pillado a Noriega?

—Todavía no.

—Entonces ¿por qué te han destinado otra vez aquí?

—Llevamos veintisiete mil tíos —dije—. Sin mí también saldrán adelante.

Joe sonrió ligeramente y acto seguido puso esos ojos entrecerrados que yo recordaba de nuestra niñez. Ello significaba que estaba elaborando algún razonamiento pedante y enrevesado. Pero llegamos al mostrador antes de que él tuviera tiempo de hablar. Sacó la tarjeta de crédito y pagó los billetes. Quizás esperaba que yo le reembolsara el mío; o quizá no. No dejó clara ni una cosa ni la otra.

—Vamos a tomar un café —dijo.

Seguramente era la única persona del planeta a quien le gustaba el café tanto como a mí. Empezó a tomarlo a los seis años. Yo seguí sus pasos enseguida. Tenía cuatro. Desde entonces ninguno de los dos lo ha dejado. La necesidad que tienen los hermanos Reacher de la cafeína convierte la adicción a la heroína en una entretenida actividad banal de tómalo o déjalo.

Encontramos un sitio con un mostrador en forma de doble uve. Estaba vacío en sus tres cuartas partes. La luz de los fluorescentes era áspera y el vinilo de los taburetes estaba pegajoso. Nos sentamos y apoyamos los antebrazos en la barra, la postura universal que adoptan los viajeros de buena mañana en todas partes. Un tipo con delantal nos puso delante dos tazones sin preguntar. Acto seguido los llenó de café de un termo. Olía a recién hecho. El local estaba cambiando del servicio nocturno ininterrumpido a la carta de desayunos. Oía huevos friéndose.

—¿Qué pasó en Panamá? —preguntó Joe.

—¿A mí? —dije—. Nada.

—¿Qué órdenes tenías allí?

—Supervisión.

—¿De qué?

—Del proceso —contesté—. Se supone que el asunto de Noriega es judicial. Se supone que comparecerá ante un tribunal norteamericano. Por tanto, se suponía que debíamos echarle el guante con cierta formalidad. De una manera que resulte aceptable cuando lo llevemos ante un juez.

—¿Ibais a leerle sus derechos según la ley Miranda?

—No exactamente. Pero eso habría sido mejor que ir en plan *cowboy*.

—¿Metiste la pata?

—No creo.

—¿Quién te sustituyó?

—Otro tío.

—¿Rango?

—El mismo —contesté.

—¿Una joven promesa?

Tomé un sorbo de café. Negué con la cabeza.

—No le conocía. Pero me pareció un poco gilipollas.

Joe asintió y cogió su tazón. No dijo nada.

—¿Qué opinas? —pregunté.

—Bird no es una base pequeña —señaló—. Pero tampoco es del todo grande, ¿verdad? ¿En qué estás trabajando?

—¿Ahora mismo? Murió un dos estrellas y no encuentro su maletín.

—¿Homicidio?

—Ataque al corazón.

—¿Cuándo?

—Anoche.
—¿Después de llegar tú?
No respondí.
—¿Seguro que no la cagaste en Panamá? —insistió Joe.
—No creo —repetí.
—Entonces ¿por qué te echaron? ¿Hoy estás supervisando el proceso de Noriega y mañana estás en Carolina del Norte sin nada que hacer? Y si ese general no hubiera muerto, seguirías sin tener nada que hacer.
—Recibí órdenes —dije—. Ya sabes cómo es eso. Has de dar por supuesto que saben lo que se hacen.
—¿Quién firmó las órdenes?
—No lo sé.
—Deberías averiguarlo. Deberías enterarte de quién deseaba tanto que estuvieras en Bird hasta el punto de echarte de Panamá y reemplazarte por un gilipollas. Y deberías descubrir por qué.
El tipo del delantal volvió a llenarnos los tazones. Y nos colocó delante sendos menús plastificados.
—Huevos —pidió Joe—. Bien hechos; beicon y tostadas.
—Tortitas —pedí yo—. Un huevo en lo alto, beicon al lado y mucho almíbar.
El tío recogió los menús y se alejó. Joe se volvió en el taburete y se reclinó en la barra con las piernas estiradas hacia el pasillo.
—¿Qué dijo el médico exactamente? —pregunté.
Se encogió de hombros.
—No demasiado. No dio datos, ni diagnóstico. Ninguna información real. A los médicos europeos no se les da muy bien comunicar malas noticias. Siempre contestan con evasivas. Además de la cuestión de la confidencialidad, claro.
—Pero nos dirigimos allí por algún motivo.
Joe asintió.

—Sugirió que acaso deberíamos ir. Y luego insinuó que mejor pronto que tarde.
—¿Qué dice ella?
—Que no es más que una tormenta en un vaso de agua. Pero que siempre seremos bienvenidos.

Terminamos el desayuno y pagué. Después Joe me dio el billete, como si se tratara de una transacción. Yo estaba seguro de que él ganaba más que yo, pero no lo suficiente para que un billete de avión fuera equivalente a un plato de huevos con beicon y tostadas. Pero acepté el trato. Abandonamos los taburetes, nos orientamos y nos encaminamos al mostrador de facturación de equipajes.
—Quítate el abrigo —me dijo.
—¿Por qué?
—Quiero que el empleado vea tus medallas —explicó—. Misión militar en el extranjero; quizá consigamos alguna ventaja.
—Es Air France —advertí—. Francia ni siquiera forma parte del comité militar de la OTAN.
—El del mostrador de facturación será americano —dijo—. Probemos.
Me quité el abrigo. Lo doblé sobre el brazo y avancé de lado para que se me viera mejor el lado izquierdo del pecho.
—¿Voy bien? —pregunté.
—Perfecto —dijo él, y sonrió.
Le devolví la sonrisa. En la fila superior, de izquierda a derecha, llevaba la Estrella de Plata, la Medalla del Servicio Superior de la Defensa y la Legión del Mérito. En la segunda fila, la Medalla del Soldado, la Estrella de Bronce y mi Corazón Púrpura. Las condecoraciones de las dos hileras de abajo son pura chatarra. Me las concedieron todas por casualidad y ninguna significa mucho para mí. En todo caso, para lo que sí servirían sería para lograr algún

favor del empleado de la compañía aérea. Pero a Joe le gustaban las hileras de arriba. Había prestado servicio cinco años en el servicio de información militar y la chatarra no le entusiasmaba.

Llegamos a la cabeza de la cola y Joe dejó su pasaporte y su billete sobre el mostrador junto con una credencial del Departamento del Tesoro. Acto seguido se colocó tras mi hombro. Dejé en el mostrador el pasaporte y el billete. Mi hermano me dio un golpecito en la espalda. Me volví un poco de lado y miré al empleado.

—¿Podríamos tener algo más de espacio para las piernas? —le pregunté.

Era un hombre bajito, de mediana edad y aspecto cansado. Alzó la vista hacia nosotros. Entre los dos medíamos casi cuatro metros y pesábamos unos doscientos kilos. El empleado examinó la credencial del Tesoro, miró mi uniforme, tecleó en el ordenador y esbozó una sonrisa forzada.

—Caballeros, les acomodaremos en la parte delantera —dijo.

Joe me dio otro golpecito en la espalda y supe que estaba sonriendo.

Nos tocó en la última fila de la cabina de primera clase. Estábamos hablando, pero evitando el tema familiar. Charlamos sobre música, y luego de política. Volvimos a desayunar. Tomamos café. En primera clase, Air France sirve muy buen café.

—¿Quién era el general? —preguntó Joe.

—Un tipo llamado Kramer. Un comandante de Blindados en Europa.

—¿Blindados? ¿Y qué hacía en Fort Bird?

—No estaba en la base, sino en un motel a unos cincuenta kilómetros de allí. Una cita con una mujer. Creemos que ella huyó con el maletín.

—¿Civil?

Negué con la cabeza.

—Sospechamos que es una oficial de Fort Bird. Se supone que él se detuvo a pasar la noche en D.C. camino de California para asistir a una reunión.

—Hay un rodeo de quinientos kilómetros.

—Cuatrocientos setenta y seis.

—Pero no sabes quién es ella.

—Ha de tener cierto rango. Fue al motel en su propio Humvee.

Joe asintió.

—Ha de ser bastante veterana. Si mereció la pena dar un rodeo de novecientos cincuenta y dos kilómetros, es que Kramer la conocía desde hacía tiempo.

Sonreí. Cualquier otro habría dicho «un rodeo de mil kilómetros». Pero mi hermano no. No tenía segundo nombre, como yo, pero debería haber sido Pedante. Joe *Pedante* Reacher.

—Bird aún es sólo de Infantería, ¿verdad? —dijo—. Algunos Rangers, algunos Delta, pero por lo que recuerdo, sobre todo veteranos. ¿Tenéis también muchas veteranas?

—Ahora hay una escuela de Operaciones Psicológicas —expliqué—. La mitad de los instructores son mujeres.

—¿De qué rango?

—Capitanes, comandantes, un par de tenientes coroneles.

—¿Qué había en el maletín?

—El orden del día de la reunión de California —repuse—. Los colegas de Kramer del Estado Mayor pretenden hacernos creer que tal orden del día no existe.

—Siempre hay uno —señaló Joe.

—Ya lo sé.

—Pregunta a los comandantes y los tenientes coroneles —sugirió—. Ése es mi consejo.

—Gracias —dije.

—Y averigua quién quería que te mandaran a Bird —añadió—. Y por qué. El motivo no era el asunto de Kramer. Eso lo sabemos seguro. Cuando recibiste las órdenes, Kramer estaba vivito y coleando.

Leímos ejemplares del día anterior de *Le Matin* y *Le Monde*. Aproximadamente a mitad de la travesía empezamos a hablar en francés. Se notaba que nos faltaba práctica, pero nos las apañamos. En cuanto se aprende algo, ya no se olvida.

Él me preguntó sobre novias. Se imaginaría que en francés era un tema adecuado. Le expliqué que en Corea había salido con una chica, pero que desde entonces había estado en Filipinas, luego en Panamá y ahora en Carolina del Norte, y no esperaba volver a verla. Le hablé de la teniente Summer. Pareció mostrar interés por ella. Él me dijo que no salía con nadie.

Después volvió al inglés y me preguntó por la última vez que yo había estado en Alemania.

—Hace seis meses —dije.

—Es el final de una era —explicó—. Alemania se reunificará. Francia reanudará sus pruebas nucleares porque una Alemania reunificada traerá malos recuerdos. Después se propondrá una moneda única para la UE con el fin de mantener a la nueva Alemania dentro del redil. En el plazo de diez años Polonia formará parte de la OTAN y la URSS habrá dejado de existir. Allí quedarán los restos de un país de segunda fila. Que quizá también ingrese en la OTAN.

—Quizá —dije.

—Así que Kramer escogió un buen momento para estirar la pata. En el futuro todo será diferente.

—Seguramente.

—¿Qué piensas hacer?

—¿Cuándo?

Se volvió en el asiento y me miró.

—Habrá una reducción de efectivos, Jack. Deberías planteártelo. No van a mantener en pie un ejército de un millón de hombres, sobre todo cuando el otro se ha ido a pique.

—Aún no se ha ido a pique.

—Pero se irá. En el lapso de un año. Gorbachov no durará. Habrá un golpe de Estado. Los viejos comunistas harán un último intento, pero no funcionará. Entonces volverán los reformistas y ya se quedarán para siempre. Yeltsin, casi seguro. El tipo no está mal. Así que en D.C. la tentación de ahorrar dinero será irresistible. Será como cien Navidades llegando todas a la vez. No olvides que tu comandante en jefe es ante todo un político.

Pensé en la sargento con el niño pequeño.

—Pasará poco a poco —señalé.

Joe meneó la cabeza.

—Pasará más rápido de lo que crees.

—Siempre tendremos enemigos —observé.

—Sin duda. Pero serán enemigos de otra clase. No tendrán diez mil tanques apostados en las llanuras alemanas.

No dije nada.

—Has de averiguar por qué estás en Fort Bird —prosiguió Joe—. O bien allí no está pasando nada, y por tanto ya vas cuesta abajo, o bien está pasando algo y quieren que tú lo resuelvas, lo que para ti sería una buena noticia.

Seguí callado.

—En cualquier caso has de enterarte —aconsejó—. Pronto se producirá la reducción de efectivos, y te conviene saber si ahora mismo vas para abajo o para arriba.

—Siempre necesitarán polis —señalé—. Si acaban teniendo un ejército de dos hombres, mejor que uno sea PM.

—Deberías trazarte un plan —dijo.

—Nunca hago planes.

—Te conviene hacerlo.

Pasé la yema de los dedos por los galones del pecho.

—Me han dado un asiento en la parte delantera del avión —comenté—. Quizá me den un empleo.

—Quizá. Pero, en caso de que lo hagan, ¿será un empleo que te guste? Todo va a ser espantosamente mediocre.

Advertí los puños de su camisa. Limpios, recién planchados y cerrados con unos discretos gemelos de plata y ónice negro. La corbata era un sencillo artículo de seda de tono apagado. Se había afeitado con esmero. La base de las patillas, perfectamente recta. Era un hombre al que aterraba cualquier cosa que se alejara de la excelencia.

—Un empleo es un empleo —dije—. No soy muy exigente.

Dormimos el resto del viaje. Nos despertó el piloto al anunciar por megafonía que estábamos a punto de iniciar el descenso hacia el aeropuerto Roissy-Charles de Gaulle. Ya eran las ocho de la noche, hora local. Casi la totalidad del segundo día de la nueva década había desaparecido como un espejismo mientras cruzábamos el Atlántico pasando de un huso horario a otro.

Cambiamos moneda e hicimos una excursión hasta la parada de taxis. Estaba a un kilómetro, llena de gente y maletas. Apenas se movía. Así que tomamos una *navette*, que es como los franceses llaman al autobús lanzadera del aeropuerto. Tuvimos que soportar todo el rato la visión de los deprimentes barrios del norte de París hasta llegar al centro. Bajamos en la Place de l'Opéra a las nueve de la noche. París estaba oscuro y húmedo, frío y tranquilo. Los cafés y restaurantes tenían encendidas acogedoras luces tras las puertas cerradas y las ventanas empañadas. Las calles estaban mojadas y llenas de pequeños coches aparcados. Éstos aparecían cubiertos por el rocío nocturno.

Caminamos hacia el sur y el oeste cruzando el Sena y el Pont de la Concorde. Torcimos de nuevo hacia el oeste y seguimos por el Quai d'Orsay. El río se veía oscuro, sus aguas mansas. Nada en él se movía. En las calles no había un alma. No andaba nadie por ahí.

—¿Compramos flores? —sugerí.

—Demasiado tarde —dijo Joe—. Todo estará cerrado.

En la Place de la Résistance giramos a la izquierda y nos metimos en la Avenue Rapp, uno al lado del otro. Mientras cruzábamos la Rue de l'Université veíamos la torre Eiffel a la derecha, iluminada con una luz dorada. Nuestros tacones sonaban como disparos de rifle en la acera silenciosa. Llegamos al edificio donde vivía mi madre. Era una modesta casa de pisos de seis plantas atrapada entre dos fachadas *belle époque* más llamativas. Joe sacó la mano del bolsillo y abrió el portal.

—¿Tienes llave? —pregunté.

Asintió.

—Siempre he tenido llave.

Dentro, un callejón adoquinado conducía al patio central. El habitáculo de la portera quedaba a la izquierda. Más allá se apreciaba un pequeño hueco con un ascensor diminuto y lento. Subimos hasta la quinta planta. Salimos a un ancho pasillo de techos altos, poco iluminado. El suelo era de oscuras baldosas decorativas. El piso de la derecha exhibía puertas dobles de roble con una discreta placa de latón grabada: M. & MME. GIRARD. Las puertas de la izquierda estaban pintadas de color hueso y en ellas ponía: MME. REACHER.

Llamamos y esperamos.

6

Oímos un lento arrastrar de pies dentro del piso, y tras un largo instante mi madre abrió la puerta.

—*Bonsoir, maman* —dijo Joe.

Yo sólo la miré fijamente.

Estaba muy delgada y tenía el pelo muy gris, iba muy encorvada y parecía cien años mayor que la última vez que la había visto. En la pierna izquierda llevaba una larga y pesada escayola y se apoyaba en un andador de aluminio. Lo aferraba con fuerza y en sus manos aprecié huesos, venas y tendones que sobresalían. Ella estaba temblando. Su piel parecía traslúcida. Sólo los ojos eran como yo los recordaba. Azules, achispados y llenos de júbilo.

—Joe —dijo ella—. Y Reacher.

Siempre me llamaba por el apellido. Nadie recuerda por qué. Quizás había empezado yo, cuando niño. Tal vez ella había seguido con ello; pasa en todas las familias.

—Mis chicos —dijo—. Míralos.

Hablaba despacio y con voz entrecortada, pero con una sonrisa de felicidad dibujada en la cara. Nos acercamos y la abrazamos. Estaba fría, frágil y endeble. Parecía pesar menos que el andador de aluminio.

—¿Qué pasó? —pregunté.

—Entrad —dijo—. Estáis en casa.

Hizo girar el andador con movimientos cortos y torpes y recorrió otra vez el pasillo arrastrando los pies. Jadeaba y resollaba. Yo la seguí. Joe cerró la puerta y me siguió. El pasillo, estrecho y de techo alto, desembocaba en una sala de estar con suelo de madera, sofás blancos, paredes blancas y espejos enmarcados. Mi madre se llegó hasta un sofá, se colocó lentamente de espaldas y se dejó caer. Pareció desaparecer en sus honduras.

—¿Qué pasó? —repetí.

No contestó. Se limitó a rechazar la pregunta con un movimiento de la mano. Joe y yo nos sentamos, uno junto a otro.

—Tendrás que contárnoslo —dije.

—Hemos hecho un largo viaje —le recordó Joe.

—Creía que sólo veníais de visita —repuso ella.

—No es verdad —corregí.

Ella se quedó mirando una mancha de la pared.

—No es nada —dijo.

—Pues no lo parece.

—Bueno, fue sólo mala sincronización.

—¿En qué sentido?

—Tuve mala suerte —explicó.

—¿Por qué?

—Me atropelló un coche y me rompí la pierna.

—¿Dónde? ¿Cuándo?

—Hace dos semanas. Justo delante de la puerta, aquí en la *avenue*. Llovía, yo llevaba un paraguas que me tapaba la visión, salí, y el conductor me vio y frenó. Pero el *pavé* estaba mojado y el coche patinó y se deslizó hacia mí, muy despacio, como a cámara lenta. Y yo me quedé paralizada, sin poder moverme. Noté el golpe en la rodilla, muy leve, como un beso, pero partió el hueso. Dolía como todos los demonios.

Recordé el tipo del aparcamiento del nudo de autopistas cerca de Bird, retorciéndose en un charco grasiento.

—¿Por qué no nos lo dijiste? —inquirió Joe.

Mi madre no respondió.

—Pero se curará, ¿no? —preguntó él.

—Desde luego. Es algo sin importancia.

Joe me miró.

—¿Qué más? —pregunté.

Ella siguió mirando la ventana. Hizo otra vez el ademán desdeñoso con la mano.

—¿Qué más? —preguntó Joe.

Ella me miró y luego miró a mi hermano.

—Me hicieron radiografías —explicó—. Según ellos, soy una vieja. Según ellos, las mujeres viejas que se rompen huesos corren el riesgo de sufrir neumonía. Porque guardamos cama y permanecemos inmóviles y nuestros pulmones pueden infectarse.

—¿Y?

Mi madre guardó silencio.

—¿Tienes neumonía? —inquirí.

—No.

—Entonces ¿qué tienes?

—Ellos lo descubrieron. En la radiografía.

—Descubrieron ¿qué?

—Que tengo cáncer.

Hubo un largo silencio.

—Pero tú ya lo sabías —dije por fin.

Ella me sonrió, como hacía siempre.

—Sí, cariño, ya lo sabía.

—¿Desde cuándo?

—Desde hace un año —contestó.

Otro silencio.

—¿Qué clase de cáncer? —preguntó Joe al cabo.

—Ahora ya de todas las clases.

—¿Se puede curar?

Ella se limitó a negar con la cabeza.

—¿Se podía curar?

—No lo sé —repuso—. No pregunté.

—¿Cuáles eran los síntomas?

—Dolores de estómago. Y no tenía hambre.

—¿Y luego se extendió?

—Ahora duele todo. Está en los huesos. Y esta estúpida pierna no ayuda en nada.

—¿Por qué no nos lo dijiste?

Se encogió de hombros. Típicamente francesa, femenina, obstinada.

—¿Qué iba a decir? —soltó.

—¿Por qué no fuiste al médico?

Esperó un rato antes de responder.

—Estoy cansada —dijo.

—¿De qué? —dijo Joe—. ¿De la vida?

Ella sonrió.

—No, Joe. Quiero decir que estoy cansada. Es tarde y he de acostarme, es sólo eso. Ya hablaremos mañana. Lo prometo. No le demos tantas vueltas.

Dejamos que se fuera a la cama. No había más remedio. Era la mujer más testaruda que uno pueda imaginar. En la cocina encontramos algo de comer. Ella había dejado víveres para nosotros, estaba claro. La nevera estaba llena de cosas que no tendrían ningún interés para una mujer sin apetito. Comimos paté y queso, preparamos café y nos sentamos a la mesa a tomarlo. Cinco plantas más abajo de la ventana, la Avenue Rapp estaba tranquila, silenciosa y desierta.

—¿Qué opinas? —me preguntó Joe.

—Creo que se está muriendo. Al fin y al cabo, por eso hemos venido.

—¿Podemos hacer que siga un tratamiento?

—Es demasiado tarde. Sería una pérdida de tiempo. Y no podemos obligarla a nada. ¿Alguna vez alguien ha conseguido que ella hiciera algo que no quería hacer?

—¿Por qué no quiere?

—No lo sé.

Joe se quedó mirándome.

—Es una fatalista —solté.

—Sólo tiene sesenta años.

Asentí. Cuando nací yo, ella tenía treinta, y cuarenta y ocho cuando yo dejé de vivir en el sitio al que llamábamos hogar, dondequiera que estuviera. Yo no me había dado cuenta de su edad en absoluto. A los cuarenta y ocho años parecía más joven que yo a los veintiocho. Hacía un año y medio que no la veía. Me había detenido en París dos días, en mi recorrido de Alemania a Oriente Medio. Estaba bien. Tenía un aspecto magnífico. Entonces llevaba ya dos años de viuda, y, como le pasa a mucha gente, ese período de dos años había sido como doblar una esquina. Parecía una persona con mucha vida por delante.

—¿Por qué no nos lo dijo? —preguntó Joe.

—No sé.

—Ojalá lo hubiera hecho.

—Cosas que pasan —dije.

Joe simplemente asintió.

Había preparado la habitación de invitados con toallas y sábanas limpias y en las mesillas de noche había puesto flores en jarrones de porcelana fina. Era una habitación pequeña y fragante con dos camas idénticas. Imaginé a mi madre forcejeando de acá para allá con su andador, peleando con los edredones, doblando, alisándolo todo.

Joe y yo no abrimos la boca. Colgué el uniforme en el armario y me lavé en el cuarto de baño. Puse mi despertador mental a las siete, me metí en la cama y durante una hora estuve ahí tumbado mirando el techo. Luego me dormí.

Me desperté a las siete en punto. Joe ya estaba levantado. Quizá no había dormido nada. Tal vez estaba acostumbrado a un estilo de vida más normal que yo. A lo mejor el *jet lag* le había fastidiado más. Me duché y saqué de la bolsa de lona unos pantalones de faena y una camiseta y me los puse. Encontré a Joe en la cocina. Estaba haciendo café.

—Mamá todavía duerme —dijo—. Seguramente es por la medicación.

—Iré por el desayuno —dije.

Me puse el abrigo y anduve una manzana hasta una pastelería que conocía en la Rue Saint Dominique. Compré cruasanes y *pain au chocolat* que me llevé a casa en una bolsa de papel encerado. Mi madre seguía en su dormitorio.

—Se está suicidando —dijo Joe—. No podemos dejar que lo haga.

No repliqué.

—¿Qué? —me instó—. Si ella cogiera un arma y se la llevara a la sien, ¿no se lo impedirías?

Me encogí de hombros y repuse:

—Ya se la ha llevado a la sien. Y hace un año apretó el gatillo. Ahora es demasiado tarde. Ya se ha encargado ella de que así sea.

—¿Por qué?

—Hemos de esperar que nos lo explique ella misma.

Lo hizo durante una conversación que duró casi todo el día. Transcurrió por partes. Comenzamos en el desayuno. Ella abandonó su habitación, duchada, vestida y con el mejor aspecto que puede tener un enfermo terminal de cáncer con una pierna rota y ayudándose de un andador de aluminio. Volvió a preparar café, colocó los cruasanes en una fuente de porcelana y nos sirvió en la mesa con bastante ceremonia. El modo en que se ocupaba de todo nos hizo retroceder en el tiempo. Volvimos a ser unos niños delgaduchos y ella se convirtió en la matriarca que había sido en otro tiempo. Las esposas y madres de militares no lo tienen fácil; unas llegan a dominar la situación y otras no. Ella siempre logró que el lugar donde viviéramos acabara siendo un hogar. Puso todo su empeño en que así fuera.

—Nací a trescientos metros de aquí —dijo—. En la Avenue Bosquet. Desde la ventana veía Les Invalides y la

École Militaire. Cuando los alemanes llegaron a París tenía diez años y pensé que era el fin del mundo. Cuando se marcharon tenía catorce y pensé que era el principio de un mundo nuevo.

Joe y yo no dijimos nada.

—Desde entonces, cada día ha sido un dividendo adicional —prosiguió—. Conocí a vuestro padre, os tuve a vosotros, viajé por el mundo. No creo que haya un solo país en el que no haya estado.

Seguimos callados.

—Yo soy francesa —continuó—. Vosotros sois americanos. Hay una diferencia enorme. Si un americano cae enfermo, se siente agraviado. ¿Cómo puede pasarle esto a él? Hay que arreglar la avería enseguida, inmediatamente. Pero los franceses entendemos que primero uno vive y luego muere. No es ningún agravio, sino algo que viene sucediendo desde el origen de los tiempos. Si la gente no muriera, el mundo sería ahora mismo un lugar espantosamente abarrotado.

—Se trata de *cuándo* muere uno —señaló Joe.

Mi madre asintió.

—Así es —dijo—. Uno muere cuando le llega la hora.

—Eso es demasiado pasivo.

—No; es realista, Joe. Se trata de seleccionar las batallas. Claro, por supuesto que curamos las cosas pequeñas. Al que sufre un accidente le hacen un remiendo. Pero hay batallas que no se pueden ganar. Pensad que he reflexionado en todo esto muy en serio. He leído libros. He hablado con amigos. Una vez que han empezado a manifestarse los síntomas, los índices de curación son muy bajos. Una supervivencia de cinco años, el diez por ciento, el veinte, ¿para qué? Y esto después de tratamientos verdaderamente atroces.

«Se trata de cuándo muere uno.» Pasamos la mañana dando vueltas a esa frase de Joe. La analizamos partiendo de un enfoque y de otro. Pero la conclusión era siempre la misma: «Algunas batallas no se pueden ganar.» De todos modos era una cuestión discutible, pero debía haber tenido lugar un año antes. Ahora ya no venía al caso.

Joe y yo almorzamos. Mi madre no. Esperé que mi hermano formulara la siguiente pregunta obvia, que flotaba sin más en el aire. Al final la hizo. Joe Reacher, treinta y dos años, metro noventa y cinco, cien kilos, graduado en West Point, un pez gordo del Departamento del Tesoro, colocó las palmas en la mesa y miró a mi madre a los ojos.

—¿No nos echarás de menos, mamá? —dijo.

—Pregunta incorrecta —replicó—. Estaré muerta. No echaré en falta nada. Sois vosotros quienes me extrañaréis a mí. Como extrañáis a vuestro padre. Igual que le echo de menos yo, o como echo de menos a mi padre, a mi madre y a mis abuelos. Forma parte de la vida echar en falta a los muertos.

No dijimos nada.

—En realidad me estás haciendo otra pregunta —prosiguió ella—. Me estás preguntando: ¿Cómo puedes abandonarnos? Me estás preguntando: ¿Ya no te preocupan nuestras cosas? ¿No quieres saber cómo nos va la vida? ¿Ya no tienes interés en nosotros?

Seguimos callados.

—Lo entiendo —continuó—. De veras, lo entiendo. Yo me hacía las mismas preguntas. Es como salir del cine. Que te hagan salir del cine donde estás viendo una película que te gusta mucho. Eso es lo que me molestaba. Ya nunca sabría cómo terminaba. Nunca sabría qué os pasaba al final a vosotros, chicos, cómo os iba en la vida. Esto no lo soportaba. Pero luego reparé en que evidentemente tarde o temprano saldría del cine. Quiero decir que nadie vive para siempre. Jamás sabré qué os pasa a vosotros al final. Nunca sabré qué es de vuestra vida. El final, nunca. Ni en las mejores circunstancias. Lo comprendí. Entonces no pareció importar demasiado cuándo llegase el día. Será siempre una fecha arbitraria. Siempre me quedaré deseando más.

Hubo un largo silencio.

—¿Cuánto? —preguntó Joe.

—No mucho —contestó ella.

Otro silencio.

—Ya no me necesitáis —añadió mi madre—. Ya sois mayores. He hecho mi trabajo. Es natural, y está bien así. Es la vida. Así que dejadme ir en paz.

A las seis de la tarde ya habíamos agotado el asunto. Hacía una hora que ya nadie hablaba. De pronto mi madre se irguió en la silla.

—Salgamos a cenar —dijo—. Vamos a Polidor, en la Rue Monsieur le Prince.

Llamamos un taxi que nos llevó al Odéon. Luego caminamos. Así lo quiso mi madre. Iba enfundada en un abrigo, nos agarraba del brazo y se movía despacio y con torpeza, pero creo que el aire fresco le sentó bien. La Rue Monsieur le Prince divide la esquina que forman el Boulevard Saint Germain y el Boulevard Saint Michel, en el Sixième Arrondisement. Acaso sea la calle más parisina de toda la ciudad. Estrecha, llena de contrastes, ligeramente sórdida, flanqueada por altas fachadas revocadas, muy animada. Polidor es un viejo y célebre restaurante. Uno se siente como si allí hubiera comido toda clase de gente: *gourmets*, espías, pintores, fugitivos, policías, ladrones.

Pedimos los mismos platos. *Chèvre chaud*, *porc aux pruneaux*, *dames blanches*. También un excelente vino tinto. Pero mi madre no comió ni bebió nada. Se dedicó a observarnos. Su rostro reflejaba dolor. Joe y yo comimos, cohibidos. Ella hablaba exclusivamente del pasado, pero sin tristeza. Revivía buenos tiempos. Se reía. Pasó el dedo por la cicatriz de la frente de Joe y a mí me regañó por habérsela hecho años atrás, como era su costumbre. Yo me subí la manga como solía hacer y le enseñé dónde me había golpeado él con un cincel para vengarse, y entonces ella regañó también a Joe. Habló de cosas que habíamos hecho en la escuela. De fiestas de cumpleaños que habíamos organizado, de siniestras y remotas bases militares en tierras calurosas o frías. Habló de nuestro padre, de cómo le conoció en Corea, de cuando se casó con él en Holanda, de su estilo poco atento, de los dos ramos de flores que le había comprado en los treinta y tres años que habían pasado juntos, uno cuando nació Joe y otro cuando nací yo.

—¿Por qué no nos lo contaste un año atrás? —preguntó Joe.

—Ya sabes por qué —dijo ella.

—Porque habríamos discutido —opiné yo.

Ella asintió.

—Era una decisión que me correspondía tomar a mí —señaló.

Tomamos café, y Joe y yo fumamos sendos cigarrillos. A continuación, el camarero trajo la cuenta y le pedimos que llamara un taxi. Regresamos a la Avenue Rapp en silencio. Nos acostamos sin decir mucho más.

El cuarto día de la nueva década me desperté temprano. Oí a Joe en la cocina, hablando en francés. Fui allí y vi que estaba con una mujer, joven y llena de vida. Llevaba el pelo corto y arreglado y tenía unos ojos luminosos. Me dijo que era la enfermera personal de mi madre, servicio a la que ésta tenía derecho según una vieja póliza de seguros. Me explicó que normalmente iba siete días a la semana, pero que el día antes no había acudido porque mi madre le había dicho que quería pasar el día sola con sus hijos.

Le pregunté a la chica cuánto tiempo se quedaba cada día. Contestó que se quedaba todo el rato que hiciera falta. Y añadió que, llegado el momento, la póliza cubriría las veinticuatro horas del día, lo que, a su juicio, ocurriría muy pronto.

La muchacha de los ojos luminosos se marchó y yo regresé al dormitorio, me duché y empecé a meter mis cosas en la bolsa. Joe entró y vio lo que estaba haciendo.

—¿Te vas? —preguntó.

—Nos vamos los dos. Ya lo sabes.

—Deberíamos quedarnos.

—Hemos venido. Es lo que ella quería. Ahora quiere que nos marchemos.

—¿Estás seguro?

Asentí.

—Lo de anoche, en el Polidor, fue una despedida. Ahora quiere que la dejemos en paz.

—¿Y tú puedes hacerlo?

—Es lo que ella quiere. Se lo debemos.

Volví a buscar el desayuno a la Rue Saint Dominique y luego lo tomamos con tazones de café, al estilo francés, los tres juntos. Mi madre se había vestido lo mejor que había podido y estaba comportándose como una mujer joven y sana temporalmente fastidiada por una pierna rota. De seguro exigió de ella una buena dosis de voluntad, pero supongo que así era como quería ser recordada. Servimos café y nos pasamos las cosas educadamente unos a otros. Fue una comida civilizada, como las que solíamos hacer tiempo atrás. Como un viejo ritual familiar.

Después ella evocó otro viejo ritual familiar. Hizo algo que había hecho un millón de veces, durante toda nuestra vida, desde que fuimos lo bastante mayores para tener personalidad propia. Se levantó a duras penas de la silla, se acercó y puso las manos en los hombros de Joe, por detrás. Luego se inclinó y le dio un beso en la mejilla.

—¿Qué es lo que no hace falta que hagas? —le preguntó.

Joe no contestó. Nunca lo había hecho. Nuestro silencio formaba parte del ritual.

—No hace falta que resuelvas *todos* los problemas del mundo, Joe. Sólo algunos. Hay suficientes para todos.

Volvió a besarle en la mejilla. Luego mantuvo una mano en el respaldo de la silla y estiró la otra hacia mí. Yo oía a mi espalda su respiración irregular. Me dio un beso en la mejilla y me puso las manos en los hombros. Los palpó de un lado a otro. Era una mujer menuda, fascinada por el gigante en que se había convertido su niño.

—Eres tan fuerte como dos chicos normales —dijo. Y añadió la pregunta que me correspondía—: ¿Qué vas a hacer con toda esta fuerza?

No respondí. Nunca lo había hecho.

—Obrarás como es debido —dijo. Y se inclinó y me besó otra vez en la mejilla.

Pensé: «¿Es la última vez?»

Al cabo de media hora nos marchamos. Nos abrazamos largamente y con fuerza y le dijimos que la queríamos, y ella nos dijo que también nos quería y que siempre nos había querido. La dejamos allí de pie en el umbral, y bajamos en el diminuto ascensor y después iniciamos el largo trayecto hasta la Ópera para tomar el autobús del aeropuerto. Teníamos los ojos llenos de lágrimas y no cruzamos una palabra. Mis medallas no significaron nada para la chica del mostrador de facturación del Roissy-Charles de Gaulle. Nos colocó en la parte trasera del avión. En mitad del viaje cogí *Le Monde* y me enteré de que habían pillado a Noriega en Ciudad de Panamá. Una semana antes yo había vivido y sentido esa misión. Ahora apenas la recordaba. Dejé el periódico y traté de mirar al futuro. Intenté recordar dónde se suponía que debía ir y qué se suponía que debía hacer cuando llegara. No tenía verdaderos recuerdos. Ninguna sensación de lo que iba a pasar. Si los hubiera tenido me habría quedado en París.

7

Al ir hacia el oeste, los cambios horarios alargaban el día en vez de acortarlo. Nos devolvían las horas que habíamos perdido dos días antes. Aterrizamos en Dulles a las dos de la tarde. Me despedí de Joe, que cogió un taxi y enfiló hacia la ciudad. Yo busqué un autobús y fui detenido antes de encontrar ninguno.

¿Quién vigila a los vigilantes? ¿Quién detiene a un PM? En mi caso fue un trío de suboficiales de la oficina del jefe de la Policía Militar. Había dos W3 y un W4. El W4 me enseñó sus credenciales y sus órdenes y acto seguido los W3 me enseñaron sus Beretta y sus esposas y el W4 me dio una opción: o me portaba bien o me iban a calentar el culo. Esbocé una sonrisa y di el visto bueno a su actuación. Se había desenvuelto bien. Yo no lo habría hecho de otro modo, ni mejor.

—¿Va usted armado, comandante? —preguntó.

—No.

Si me hubiera creído, yo me habría preocupado por el ejército. Algunos W4 me habrían creído. Se habrían sentido intimidados por las susceptibilidades involucradas. Detener a un superior de tu propio cuerpo es un cometido peliagudo. Pero ese W4 lo hizo bien. Me oyó decir «no» e hizo un gesto con la cabeza a sus W3, que se acercaron y me cachearon de arriba abajo como si yo hubiera dicho «sí, con una ojiva nuclear». Uno me registró el cuerpo mientras el otro hurgaba en la bolsa de lona. Los dos se emplearon a fondo. Antes de darse por satisfechos pasaron unos buenos minutos.

—¿Necesito ponerle las esposas? —preguntó el W4.

Negué con la cabeza.

—¿Dónde está el coche? —pregunté.

No contestó. Los W3 formaban a uno y otro lado y ligeramente detrás de mí. El W4 caminaba delante. Cruzamos la acera y pasamos junto a la zona donde esperaban los autobuses y nos dirigimos a una hilera sólo de vehículos oficiales. Había un sedán verde oliva aparcado. Ése era su momento de máximo peligro. En ese instante, un hombre resuelto se pondría en tensión, listo para huir. Ellos lo sabían y formaron algo más apretados. Era un buen equipo. Siendo tres contra uno reducían las posibilidades quizás a un cincuenta por ciento. Pero dejé que me metieran en el coche. Después me pregunté qué habría sucedido si hubiera escapado. A veces me sorprendo lamentando no haberlo hecho.

Era un Chevrolet Caprice. Había sido blanco antes de que el ejército lo pintara de verde. Advertí el color original en la parte interior del marco de la puerta. Asientos forrados de vinilo y ventanillas manuales. Especificación de policía civil. Me deslicé en el asiento trasero y me instalé detrás del acompañante. Después subió W3 mientras el otro se ponía al volante. El W4 se sentó a su lado. Nadie abrió la boca.

Nos encaminamos al este, hacia la ciudad, por la autopista principal. Joe me llevaría una ventaja de cinco minutos en su taxi. Doblamos hacia el sur y al este y atravesamos Tysons Corner. En ese momento supe con seguridad adónde íbamos. Al cabo de unos cuatro kilómetros vimos señales de Rock Creek. Rock Creek es una pequeña ciudad situada a unos cuarenta kilómetros al norte de Fort Belvoir y a unos sesenta al noreste de Quantico. Era lo más cerca que yo había estado de un destino estable. Albergaba el cuartel de la 110 Unidad Especial. Así que sabía adónde íbamos, pero no por qué.

El cuartel de la 110 era básicamente una oficina y unas

instalaciones de suministros. No había celdas ni espacios de detención seguros. Me encerraron en una sala de entrevistas. Tiraron mi bolsa sobre la mesa y cerraron la puerta dejándome solo. Era una habitación en la que yo había encerrado a otros antes. Así que sabía cómo funcionaba. Uno de los W3 estaría apostado en el pasillo. Quizá los dos. De modo que incliné hacia atrás la sencilla silla de madera, apoyé los talones en la mesa y esperé.

Esperé una hora. Estaba incómodo, y hambriento y deshidratado por el viaje. Supuse que si ellos lo hubieran sabido me habrían tenido aguardando dos horas. O más. El caso es que volvieron al cabo de sesenta minutos. El W4 me indicó con la barbilla que me levantara y lo siguiera. Los W3 se colocaron detrás. Me hicieron subir dos tramos de escaleras. Me hicieron doblar a la izquierda y a la derecha por sombríos corredores desnudos. Entonces no tuve dudas sobre el lugar al que nos dirigíamos. El despacho de Leon Garber. Pero no sabía el motivo.

Me hicieron parar delante de la puerta. Era de vidrio serigrafiado en el que ponía OM en letras doradas. Había estado allí muchas veces pero nunca detenido. El W4 llamó, esperó, abrió la puerta y dio un paso atrás para que yo entrase. Cerró la puerta a mi espalda y se quedó en el otro lado, en el pasillo con sus hombres.

Tras la mesa de Garber había un hombre que no conocía. Un coronel, en uniforme de campaña. En su identificación se leía «Willard, Ejército de EE.UU.». Tenía el cabello de un gris hierro y con raya estilo colegial. Necesitaba arreglárselo un poco. Llevaba gafas de montura metálica y mostraba una de esas caras tristes y con patas de gallo de los que ya parecen viejos a los veinte. Era de poca estatura y relativamente achaparrado y el modo en que sus hombros no lograban encajar bien en el uniforme revelaba que no se pasaba por el gimnasio. Le costaba estarse quieto. Se balanceaba hacia la izquierda y tiraba de sus pantalones donde lo apretaban, por encima de la rodilla derecha. No llevaba yo diez segundos en la habitación y él ya había cambiado de posición tres veces. Quizá padecía hemorroides, o estaba nervioso. Sus manos eran fláccidas, de uñas descuidadas. No llevaba anillo de boda. Divorciado, seguro. Tenía toda la pinta. Ninguna esposa le dejaría ir por ahí con ese pelo. Y ninguna esposa habría soportado tanto balanceo y tanto tic nervioso. Al menos no por mucho tiempo.

Yo debería haberme puesto firmes, saludar y anunciar: «Se presenta el comandante Reacher, señor.» Pero no pensaba hacerlo ni loco. Me limité a echar una mirada perezosa alrededor y me paré tranquilamente frente a la mesa.

—Quiero explicaciones —soltó el tal Willard, y se removió de nuevo en la silla.

—¿Quién es usted? —pregunté.

—Puede leer quién soy.

—Puedo leer que es un coronel del ejército que se llama Willard. Pero no puedo explicarle nada antes de saber si está en mi cadena de mando.

—Yo *soy* su cadena de mando, hijo. ¿Qué pone en la puerta?

—Oficial al mando —contesté.

—¿Y dónde estamos?

—En Rock Creek, Virginia —dije.

—Muy bien, pues está claro —soltó.

—Usted es nuevo —dije—. No nos conocemos.

—He asumido el mando hace cuarenta y ocho horas. Y nos conocemos ahora. Y ahora quiero explicaciones.

—¿De qué?

—Para empezar, usted ha estado ASA —dijo.

—¿Ausente Sin Autorización? ¿Cuándo?

—Las últimas setenta y dos horas.

—Incorrecto —repliqué.

—¿Cómo?

—Mi ausencia estaba autorizada por el coronel Garber.

—No es cierto.

—Llamé a este despacho —precisé.

—¿Cuándo?

—Antes de marcharme.

—¿Recibió usted la autorización?

Hice una pausa.

—Dejé un mensaje. ¿Me está diciendo que él denegó la autorización?

—No se encontraba aquí. Unas horas antes había recibido órdenes de trasladarse a Corea.

—¿Corea?

—Le han dado el mando de la PM.

—Ése es un puesto para un general de brigada.

—Está actuando como tal. El ascenso se confirmará en otoño.

No repliqué.

—Garber se ha ido —dijo Willard—. Y ahora estoy yo. El tiovivo militar continúa. Acostúmbrese a esto.

Hubo un silencio. Willard me sonrió. No era una sonrisa agradable, más bien burlona. Me habían quitado la alfombra de debajo de los pies y él observaba cómo iba a caerme al suelo.

—Fue buena idea la de explicar sus planes de viaje —señaló—. Así lo de hoy ha sido más fácil.

—¿Cree que una ASA justifica una detención? —pregunté.

—¿Usted no?

—Fue un simple fallo en la comunicación.

—Usted dejó su puesto sin autorización, comandante. Los hechos son éstos. Y no cambia nada el que usted tuviera una vaga expectativa de que la autorización le sería concedida. Esto es el ejército. No actuamos adelantándonos a las órdenes o los permisos. Esperamos a recibirlas y confirmarlas como es debido. Lo contrario conduciría a la anarquía y el caos.

Permanecí callado.

—¿Adónde ha ido?

Me imaginé a mi madre, apoyada en el andador de

aluminio. Y el rostro de mi hermano mientras me miraba hacer el equipaje.

—Me tomé unas cortas vacaciones —expliqué—. Fui a la playa.

—La detención no es por la ASA —puntualizó Willard—. Sino porque la tarde del día de Año Nuevo vestía clase A.

—¿Eso ahora es delito?

—Y llevaba el nombre en la placa.

No respondí.

—Mandó a dos civiles al hospital llevando su nombre en la placa.

Lo miré fijamente. Me devané los sesos. No creía que cara de mapa y aquel granjero se fueran a complicar la vida por mí. Imposible. Eran tontos pero no tanto. Sabían que yo sabría dónde encontrarlos.

—¿Quién lo dice?

—En el aparcamiento tuvo usted mucho público.

—¿Uno de los nuestros?

Willard asintió.

—¿Quién? —inquirí.

—No tiene por qué saberlo.

Guardé silencio.

—¿Tiene algo que declarar? —preguntó Willard.

Pensé: «El chivato no testificará en el consejo de guerra. Seguro, maldita sea. Eso es lo que tengo que declarar.»

—No tengo nada que declarar —repuse.

—¿Qué cree que debería hacer con usted?

No contesté.

—¿Qué cree que debería hacer? —insistió.

«Entender la diferencia entre un subnormal profundo y un simple gilipollas, camarada. Eso deberías hacer.»

—La elección es suya —dije—. Usted decide.

Asintió.

—También tengo informes del general Vassell y del coronel Coomer.

—¿Y qué dicen?

—Dicen que usted se dirigió a ellos de manera irrespetuosa.

—En este caso, los informes son incorrectos.

—¿Como la ASA?

No repliqué.

—Póngase firmes —dijo Willard.

Lo miré. Conté mil. Dos mil. Tres mil. Luego me puse firmes.

—Muy lento —soltó.

—No pretendo ganar una competición de instrucción —repliqué.

—¿Qué interés tenía usted en Vassell y Coomer?

—Se ha extraviado un orden del día de la reunión de la División de Blindados. Necesito saber si contenía información confidencial.

—No había tal orden del día —dijo Willard—. Vassell y Coomer lo han dejado muy claro. A mí y a usted. Preguntar es lícito. Desde un punto de vista técnico usted tiene derecho a hacerlo. Pero no creer la respuesta directa de un superior es una falta de respeto. Es casi hostigamiento.

—Señor, me gano la vida con esto. Creo que había un orden del día.

Ahora Willard no dijo nada.

—¿Puedo preguntarle cuál era su anterior unidad? —dije.

Se removió en la silla.

—Servicio de información —respondió.

—¿Moviéndose sobre el terreno? —pregunté—. ¿O sobre la silla?

No respondió. «Sobre la silla.»

—¿Ha ido usted a alguna reunión sin orden del día? inquirí.

Me clavó la mirada.

—Éstas son órdenes directas, comandante —dijo—. Uno, abandone su interés en Vassell y Coomer. Inmediatamente, en el acto. Dos, deje de interesarse por el general Kramer. No queremos banderas izadas sobre esta cuestión, al menos no en las actuales circunstancias. Tres, acabe con la implicación de la teniente Summer en los asuntos de la unidad especial, ipso facto. Es una PM de rango menor y en lo que a mí respecta siempre lo será. Cuatro, no intente ponerse en contacto con los civiles a los que apalizó. Y cinco, no trate de identificar al testigo.

No dije nada.

—¿Entiende las órdenes? —preguntó.

—Las preferiría por escrito.

—Verbalmente ya valen —señaló—. ¿Entiende las órdenes?

—Sí —respondí.

—Retírese.

Conté mil. Dos mil. Tres mil. Luego saludé y di media vuelta. Hice todo el trayecto hasta la puerta antes de que él soltara su último comentario:

—Dicen que es una gran estrella, Reacher. Pues bien, ahora ha de decidir si quiere seguir siendo una gran estrella o un cabrón arrogante y sabelotodo. Y debe tener presente que los cabrones arrogantes y sabelotodo no le gustan a nadie. Y conviene que recuerde también que estamos llegando a un punto en que va a importar si gustas o no a la gente. Y mucho.

No contesté.

—¿Ha quedado claro, comandante?

—Como el agua —respondí.

Puse la mano en el pomo de la puerta.

—Una última cosa —añadió—. Voy a retener la denuncia por brutalidad todo el tiempo que pueda. En consideración a su currículum. Ha tenido suerte de que llegara por vía interna. Pero recuerde que sigue aquí, que no está archivada.

Abandoné Rock Creek antes de las cinco de la tarde. Cogí un autobús a Washington D.C. y otro hacia el sur por la I-95. Después me quité la insignia de la solapa e hice los últimos cincuenta kilómetros hasta Fort Bird en autostop. Así se va más rápido. La mayor parte del tráfico lo constituyen soldados en activo, soldados licenciados o sus familias, y la mayoría recela de la PM. La experiencia me dictaba que todo iría mejor si guardaba los distintivos en el bolsillo.

Conseguí que me llevaran y me dejaran a menos de cuatrocientos metros de la puerta principal a las once y pico de la noche, el 4 de enero, tras haber pasado algo más de seis horas en la carretera. Carolina del Norte estaba fría y oscura como boca de lobo. Muy fría, de modo que recorrí los casi cuatrocientos metros al trote para entrar en calor. Cuando llegué a la puerta, jadeaba. Entré y corrí a mi oficina. Dentro se estaba caliente. Estaba de servicio la sargento del niño pequeño. Tenía café recién hecho. Me dio una taza y entré en el despacho y vi una nota de Summer sobre la mesa, sujeta con un clip a un delgado expediente verde. El expediente contenía tres listas. La de las mujeres con Humvee, la de las mujeres de Fort Irwin, y el registro de entrada y salida de la puerta principal en Nochevieja. Las dos primeras eran relativamente cortas. La de la puerta era un tumulto. La gente había estado de marcha toda la noche, entrando y saliendo. Pero sólo había un nombre común a las tres recopilaciones: la teniente coronel Andrea Norton. Summer había marcado el nombre con un círculo en las tres. En su nota ponía: «Llámeme sobre Norton. Espero que su mamá esté bien.»

Vi el viejo mensaje con el teléfono de Joe y le llamé primero a él.

—¿Te mantienes en pie? —pregunté.

—Deberíamos habernos quedado —dijo.

—Dio a la enfermera el día libre —repliqué—. Ella sólo quería eso, un día.

—Aun así teníamos que habernos quedado.

—No quiere espectadores —objeté.

No respondió.

—Tengo una pregunta —dije—. Cuando estabas en el Pentágono, ¿conociste a un capullo llamado Willard?

Se quedó callado, cambiando de marcha, buscando en su memoria. Ya llevaba algún tiempo fuera del servicio de información.

—¿Un hombre achaparrado? —dijo—. ¿Que no sabe estarse quieto? ¿Siempre removiéndose en la silla y jugueteando con los pantalones? Uno de oficinas. Comandante, creo.

—Ahora es todo un coronel —dije—. Acaban de adscribirle a la 110. Es mi oficial al mando en Rock Creek.

—¿Información militar en la 110? Bueno, tiene sentido.

—Para mí no.

—Es la nueva teoría —aclaró Joe—. Están imitando la doctrina del sector privado. Creen que los ignorantes son buenos porque no pertenecen al statu quo. Pueden aportar perspectivas nuevas.

—¿Hay algo que yo deba saber de ese tío?

—Lo has llamado capullo, así que al parecer ya lo conoces. Era listo, pero también un gilipollas, sin duda. Malintencionado, mezquino, muy corporativo, hábil en la política de despacho, un trepa y excelente lameculos, siempre sabía en qué dirección soplaba el viento.

No hice comentarios.

—Un desastre con las mujeres —dijo Joe—. Eso lo recuerdo.

Seguí callado.

—Es un ejemplo perfecto de lo que hablamos. Él estaba en la sección de Asuntos Soviéticos. Por lo que recuerdo, controlaba su producción de tanques y su consumo de combustible. Me parece que ideó una especie de algoritmo que revelaba el tipo de entrenamiento de las fuerzas blindadas soviéticas partiendo de la cantidad de combustible que gastaban. Durante un año o así estuvo en primera fila. Pero creo que ha visto el futuro. Logró salir de allí cuando las cosas le iban bien. Tú deberías hacer lo mismo. Al menos pensar en ello. Lo que hablamos.

No repliqué.

—Entretanto ve con cuidado —añadió Joe—. No me gustaría tener a Willard como jefe.

—Todo irá bien —dije.

—Tendríamos que habernos quedado en París —dijo, y colgó.

Localicé a Summer en el bar del club de oficiales. Estaba tomando una cerveza apoyada contra la pared junto a un par de W2. Al verme les dejó.

—Garber se ha ido a Corea —dije—. Tenemos a un tipo nuevo.

—¿Quién?

—Un coronel llamado Willard. Del servicio de información.

—Entonces ¿cómo satisface los requisitos?

—No los satisface. Es un gilipollas.

—¿Eso le cabrea?

Me encogí de hombros.

—Dice que hemos de abandonar el asunto Kramer.

—¿Y lo vamos a hacer?

—Dice también que no hable más con usted. Y que va a rechazar su solicitud.

Apartó la vista.

—Mierda —soltó.

—Lo lamento —dije—. Sé que lo deseaba.

Summer volvió a mirarme.

—¿Habla en serio sobre lo de Kramer? —preguntó.

Asentí.

—Habla en serio acerca de todo. Me hizo detener en el aeropuerto, para dejarlo todo bien claro.

—¿Detenido?

Asentí de nuevo.

—Alguien me denunció por lo de aquellos tipos del aparcamiento.

—¿Quién?

—Uno de los veteranos del público.

—¿Uno de los nuestros? ¿Quién?

—No lo sé.

—Es deprimente.

Lo confirmé con un gesto.

—No me había pasado nunca.

Ella meneó la cabeza.

—¿Cómo está su mamá? —preguntó.

—Se rompió una pierna —contesté—. No es grave.

—Puede pillar una neumonía.

Asentí de nuevo.

—Le hicieron radiografías. No tiene neumonía.

Summer alzó los párpados.

—¿Puedo hacer la pregunta obvia? —dijo.

—¿Hay una?

—Agresión con agravantes a civiles es un asunto serio. Y por lo visto hay un informe y un testigo; suficiente para detener a alguien.

—¿Entonces?

—Entonces ¿cómo es que está usted libre?

—Willard retiene la denuncia.

—¿Por qué? ¿No es un gilipollas?

—En consideración a mi expediente. Es lo que ha dicho.

—¿Y usted le ha creído?

Negué con la cabeza.

—En la denuncia debe de haber algún fallo —dije—. Un capullo como Willard la utilizaría si pudiera, sin duda. Le importa poco mi currículum.

—En la denuncia no puede haber ningún fallo. Un testigo militar es lo mejor con que pueden contar. Declarará donde le digan. Es como si la hubiera redactado el propio Willard.

No dije nada.

—Entonces ¿por qué está usted aquí? —preguntó ella.

Oí a Joe decir: «Deberías enterarte de quién deseaba tanto que estuvieras en Fort Bird hasta el punto de echarte de Panamá y reemplazarte por un gilipollas.»

—No sé por qué estoy aquí —repuse—. No sé nada. Hábleme de la teniente coronel Norton.

—Estamos fuera del caso.

—Pues hágalo sólo para satisfacer mi curiosidad.

—No es ella. Tiene una coartada. Estuvo en una fiesta en un bar fuera del puesto. Toda la noche. La vieron unas cien personas.

—¿Qué hace?

—Es instructora de Operaciones Psicológicas. Una doctora psicosexual especializada en atacar la seguridad emocional del enemigo relacionada con sus sensaciones de masculinidad.

—Parece una dama divertida.

—Si la invitaron a una fiesta en un bar, alguien cree que es una dama divertida.

—¿Ha averiguado quién acompañó a Vassell y Coomer hasta aquí?

Summer asintió.

—Los de la puerta lo anotaron como comandante Marshall. Busqué y me enteré de que es miembro del Estado Mayor del XII Cuerpo, destacado temporalmente en el Pentágono. Una especie de favorito. Ha estado por aquí desde noviembre.

—¿Ha comprobado las llamadas desde el hotel de D.C.?

Asintió nuevamente.

—No hubo ninguna —respondió—. En la habitación de Vassell se recibió una a las doce veintiocho de la mañana. Supongo que era del XII Cuerpo, desde Alemania. Ninguno de los dos efectuó llamadas.

—¿Ni una?

—Ni una.

—¿Está segura?

—Totalmente. Es una centralita. Para una línea exterior se marca el nueve y el ordenador lo registra automáticamente. Para que conste en la factura así ha de ser.

«Callejón sin salida.»

—Muy bien —dije—. Olvídese de todo.

—¿En serio?

—Órdenes son órdenes. Si no, sobreviene la anarquía y el caos.

Regresé a mi despacho y llamé a Rock Creek. Supuse que Willard se habría ido hacía rato. Era de esos tíos cuya vida tiene un horario de atención al público. Hablé con un empleado y le pedí que me buscara una copia de la orden original por la que se me trasladaba de Panamá a Fort Bird. Los cinco minutos que tardó en volver a ponerse al teléfono los pasé leyendo las listas de Summer. Estaban llenas de nombres que no me decían nada.

—Tengo aquí la orden, señor —dijo mi interlocutor.

—¿Quién la firmó?

—El coronel Garber, señor.

—Gracias —dije, y colgué.

A continuación me quedé diez minutos sentado, preguntándome por qué la gente me estaba mintiendo. Luego me olvidé del asunto porque volvió a sonar el teléfono y un joven PM que estaba de patrulla rutinaria me comunicó que había una víctima de homicidio en el bosque. Parecía algo grave de veras. El chico tuvo que interrumpirse dos veces para vomitar antes de poder terminar su informe.

8

Las bases militares situadas fuera de las ciudades suelen ser bastante grandes. Aunque la infraestructura construida esté concentrada, alrededor hay a menudo una gran extensión de terreno reservado. Era mi primera excursión por Fort Bird, pero conjeturé que no sería una excepción. Sería como una pequeña y ordenada ciudad rodeada por un territorio arenoso, del tamaño de un término municipal, en forma de herradura y propiedad del gobierno, con colinas bajas y valles poco profundos y una delgada franja de árboles y matorral. Durante la larga vida de aquel cuartel, los árboles habrían imitado las grises cenizas de las Ardenas, los imponentes abetos de la Europa Central y las oscilantes palmeras de Oriente Medio. Por allí habrían pasado y hecho instrucción generaciones enteras de Infantería. Habría viejas trincheras, hoyos y pozos de tiradores. Y campos de tiro con bermas y obstáculos de alambre de espino y cabañas aisladas donde los psiquiatras pondrían a prueba la seguridad emocional masculina. Habría también búnkeres de hormigón y réplicas exactas de edificios oficiales donde las Fuerzas Especiales se entrenarían para rescatar rehenes. Habría rutas de campo de tierra donde los reclutas del campamento se agotarían, se tambalearían y algunos incluso se desplomarían y morirían. Toda el área estaría rodeada por kilómetros de vieja alambrada oxidada y cada tres postes de la valla habría letreros de advertencia del Departamento de Defensa.

Avisé a un grupo de especialistas, fui al parque móvil

y encontré un Humvee que tenía una linterna sujeta al salpicadero. Encendí el motor y seguí las indicaciones del soldado, hacia el suroeste de las zonas habitadas, hasta llegar a un sendero arenoso y accidentado que conducía directamente tierra adentro. La oscuridad era total. Conduje unos dos kilómetros hasta que de pronto divisé los faros de otro Humvee a lo lejos. El vehículo estaba aparcado formando un ángulo agudo a unos seis metros del camino, y los altos rayos de luz brillaban entre los árboles arrojando largas sombras hacia el bosque. El joven soldado estaba apoyado en el capó, con la cabeza inclinada mirando el suelo.

Primera pregunta: ¿Cómo es que un tío de patrulla en un vehículo puede ver en la oscuridad un cadáver oculto entre los árboles?

Aparqué a su lado, cogí la linterna, bajé y lo comprendí enseguida. Había un rastro de ropas que comenzaba en mitad del sendero. Justo en la parte superior del peralte había una bota. Una bota de combate de piel negra tipo estándar, vieja, gastada, no muy bien lustrada. Más allá había un calcetín, a un metro. Luego otra bota, otro calcetín, una chaqueta de campaña, una camiseta caqui. La ropa estaba toda repartida en una hilera, como una parodia grotesca de la fantasía doméstica en que uno llega a casa y encuentra abandonadas prendas de lencería que le conducen escaleras arriba hasta el dormitorio. Con la diferencia de que la chaqueta y la camiseta tenían manchas de sangre.

Verifiqué el estado del terreno en la vera del camino. Era piedra dura cubierta de escarcha. Yo no iba a estropear el escenario. No iba a borrar ninguna pisada. Así que respiré hondo y seguí el rastro de ropa hasta su final. Al llegar entendí por qué el soldado había vomitado dos veces. A su edad yo lo habría hecho tres veces.

El cadáver estaba boca abajo sobre un lecho de hojas heladas al pie de un árbol. Desnudo. De estatura mediana, recio. Era un tipo blanco, pero casi todo cubierto de sangre. Presentaba numerosas cuchilladas hasta el hueso en brazos y hombros. Vi el perfil de su rostro, magullado e hinchado; mejillas prominentes. No se veían las placas de identificación. Alrededor del cuello tenía un fino cinturón de cuero con hebilla de latón fuertemente apretado. En la espalda se apreciaba una especie de líquido espeso rosa blancuzco. Tenía una rama de árbol metida en el culo. Debajo, la tierra era negra, por la sangre. Supuse que al darle la vuelta veríamos que le habían arrancado los genitales.

Desanduve el reguero de ropa y llegué al camino. Me acerqué al joven PM, que aún miraba al suelo.

—¿Dónde estamos exactamente? —le pregunté.

—¿Señor?

—¿Hay alguna duda de que estamos aún en la base?

Negó con la cabeza.

—Estamos a casi dos kilómetros de la valla. En cualquier dirección.

—Muy bien —dije. La jurisdicción estaba clara. Tipo del ejército, propiedad del ejército—. Esperaremos aquí. No se permitirá el acceso a nadie a menos que yo lo autorice, ¿está claro?

—Señor —dijo él.

—Está haciendo un buen trabajo —lo animé.

—¿Usted cree?

—Aún se mantiene en pie, ¿no?

Regresé al Humvee y mandé un mensaje por radio a mi sargento. Le expliqué lo que pasaba y dónde, y le pedí que buscara a la teniente Summer para que me llamara por la línea de emergencia. Aguardé. Al cabo de dos minutos llegó una ambulancia. Luego aparecieron dos Humvee con los especialistas en escenarios del crimen que yo había avisado antes de salir del despacho. Los hombres saltaron del vehículo. Les dije que esperaran un momento. No había ninguna urgencia imperiosa.

Summer estuvo en la radio en menos de cinco minutos.

—Un tipo muerto en el bosque —le dije—. Busque a la mujer de Operaciones Psicológicas de la que estuvimos hablando.

—¿La teniente coronel Norton?

—Quiero que la traiga aquí.

—Willard dijo que usted no puede trabajar conmigo.

—Dijo que no podía implicarla en asuntos de la unidad especial. Esto es competencia de la policía regular.

—¿Para qué quiere a Norton?

—Quiero conocerla.

Summer desconectó y yo salí del vehículo. Me reuní con los médicos y forenses. Esperamos de pie en la noche fría. Dejamos los motores en marcha para mantener los calefactores funcionando. Nubes de humo diesel se movían en el aire y se concentraban formando estratos horizontales, como si fuera niebla. Dije a los de escenarios del crimen que empezaran a hacer una lista de las prendas de ropa del suelo. Que no tocaran nada y que no se alejaran del camino.

Esperamos. No había luna. Ni estrellas. Ni luces ni sonidos fuera de los faros y los motores diesel al ralentí. Pensé en Leon Garber. Corea era uno de los destinos más importantes que el ejército podía ofrecer. No el más atractivo, pero seguramente sí el más activo y desde luego el más difícil. El mando de la PM de allí era un triunfo personal. Significaba que Garber probablemente se retiraría con dos estrellas, lo que era mucho más de lo que jamás hubiera esperado. Si mi hermano tenía razón y se iban a reducir los efectivos, Leon ya había quedado en el lado bueno del corte. Me alegré por él. Durante unos diez minutos. Luego comencé a considerar su situación con un enfoque distinto. Me preocupé otros diez minutos y no llegué a ninguna conclusión.

Antes de terminar mis reflexiones apareció Summer.

Conducía un Humvee y a su lado, en el asiento del acompañante, venía una mujer rubia con la cabeza descubierta, en uniforme de campaña. Summer detuvo el vehículo en mitad del camino con los faros dándonos de lleno y se quedó dentro. La rubia bajó, recorrió a los presentes con la mirada y se encaminó directamente hacia mí. La saludé por cortesía y comprobé el nombre de su distintivo: «Norton.» Llevaba hojas de roble de teniente coronel cosidas a las solapas. Parecía un poco mayor que yo, pero no mucho. Era alta y delgada y tenía un rostro que le habría permitido ser actriz o modelo.

—¿En qué puedo ayudarle, comandante? —dijo. Sonaba como si viniera de Boston y no estuviera muy contenta de que la hubieran hecho salir en plena noche.

—Necesito que vea algo —dije.

—¿Por qué?

—Quizá tenga usted una opinión profesional.

—¿Por qué yo?

—Porque usted está aquí, en Carolina del Norte. Habría tardado horas en encontrar a alguien en otro sitio.

—¿Qué clase de «alguien» necesita?

—Alguien que haga su mismo trabajo.

—Soy consciente de que trabajo en una aula —repuso—. No hace falta que me lo recuerden continuamente.

—¿Cómo?

—Aquí esto es una afición muy extendida, recordarle a Andrea Norton que sólo es una profesora enteradilla mientras los demás andan por ahí ocupados en las cosas de verdad.

—No lo sabía. Soy nuevo aquí. Sólo quiero unas primeras impresiones de alguien de su especialidad, eso es todo.

—¿Trata de averiguar algo en particular?

—Sólo trato de conseguir ayuda.

Torció el gesto.

—Muy bien.

Le tendí mi linterna.

—Siga el rastro de ropa hasta el final. Por favor, no toque nada. Sólo fije mentalmente sus primeras impresiones. Después me gustaría hablar con usted sobre ello.

No dijo nada. Se limitó a tomar la linterna y se puso en marcha. Durante los primeros seis metros, la iluminaron por detrás los faros del Humvee del joven PM, que seguía orientado hacia el bosque. La sombra de ella bailaba por delante de sus pasos. De pronto se salió del alcance de los faros y vi el haz de la linterna moverse hacia delante, meneándose y atravesando la negrura. Después lo perdí de vista. Sólo era visible un tenue reflejo de las ramas inferiores, a lo lejos, colgado en el aire.

Pasaron diez minutos. De repente advertí el haz de la linterna barriendo hacia nosotros. Norton volvía sobre sus pasos. Se me acercó directamente, pálida. Apagó la linterna y me la devolvió.

—En mi despacho —dijo—. Dentro de una hora.

Regresó al Humvee de Summer, que dio marcha atrás, giró y se alejó a toda prisa.

—Muy bien, chicos, a trabajar —dije.

Me senté en el coche y observé el humo moviéndose en el aire y los haces de las linternas troceando el terreno; brillantes flashes azules congelaban el movimiento a mi alrededor. Hablé de nuevo por radio con mi sargento y le dije que tuviera abierto el depósito de cadáveres de la base. Y que a primera hora de la mañana hubiera allí un patólogo esperando. Al cabo de treinta minutos, la ambulancia retrocedió hasta el linde del sendero y los muchachos metieron dentro un bulto cubierto con una sábana. Cerraron las puertas y el vehículo arrancó. Se estaban recogiendo las pruebas y etiquetando en bolsas de plástico. Se tendió cinta especial entre los árboles, un rectángulo de unos cuarenta metros por cincuenta.

Dejé que terminaran su trabajo y conduje de nuevo

hasta los edificios de la base. Pregunté a un centinela por las instalaciones de Operaciones Psicológicas. Era un edificio bajo de ladrillo, con ventanas y puertas verdes, con aspecto de haber albergado las oficinas de Intendencia. Estaba situado a cierta distancia de las oficinas principales de la base, aproximadamente a mitad de camino del alojamiento de las Fuerzas Especiales. Alrededor todo era oscuridad y silencio, si bien había luz en el vestíbulo central y en una ventana de un despacho. Aparqué el vehículo y entré. Recorrí lúgubres pasillos hasta llegar a una puerta con una ventana de cristal grueso. Se leía TEN/COR. A. NORTON en letras estampadas con plantilla en el cristal, a través del cual se veía luz dentro. Llamé y entré. Vi un despacho pequeño y ordenado. Estaba limpio y olía a femenino. No volví a saludar. Supuse que ya no hacía falta.

Norton se hallaba tras un escritorio grande y de madera de roble, lleno de libros abiertos, tantos que había puesto el teléfono en el suelo. Delante tenía un bloc de notas manuscritas, bañado por la luz de la lámpara, cuyo color se le reflejaba en el pelo.

—Hola —dijo.

Me senté en la silla de las visitas.

—¿Quién era? —preguntó.

—No lo sé —repuse—. No creo que logremos una identificación visual. Lo golpearon demasiado. Tendremos que mirar las huellas dactilares. O los dientes, si le queda alguno.

—¿Por qué ha querido que lo examinase?

—Ya se lo he dicho. Quería su opinión.

—Pero ¿por qué pensaba que yo tendría una opinión?

—Me ha parecido que ahí había elementos que usted comprendería.

—No me dedico a hacer perfiles de criminales.

—No quiero que haga eso. Sólo quiero alguna aportación rápida. Saber si estoy en la dirección adecuada.

Ella asintió. Se apartó el pelo de la cara.

—La conclusión obvia es que era homosexual —dijo—. Seguramente lo han matado por eso. O si no, con plena conciencia de ello por parte de los agresores.

Asentí.

—Hubo amputación genital —añadió.

—¿Lo ha comprobado?

—Lo moví un poco —precisó—. Lo siento. Ya sé que me avisó de que no lo hiciera.

La miré. No llevaba guantes. Era una mujer dura. Quizá su fama de intelectualilla fuera inmerecida.

—No se preocupe —dije.

—Supongo que encontrarán los testículos y el pene en la boca. No creo que los carrillos se le hayan hinchado tanto sólo por los golpes. Desde la óptica de un agresor homófobo, es un símbolo obvio. Eliminación de los órganos del invertido, simulación de sexo oral.

Asentí.

—Así como la desnudez y la falta de distintivos de identificación —prosiguió Norton—. Quitarle el ejército al desviado es como sacar al desviado del ejército.

Confirmé con la cabeza.

—La introducción de un objeto extraño habla por sí misma —continuó—. En el ano.

Asentí.

—Y luego el líquido en su espalda —añadió.

—Yogur —dije yo.

—Seguramente de fresa —puntualizó—. O de frambuesa. Es el viejo chiste. ¿Cómo puede un gay fingir un orgasmo?

—Gime un poco —dije— y luego tira un poco de yogur a la espalda de su amante.

—Sí —dijo ella. No sonrió, y me miró para ver si yo sí lo hacía.

—¿Y qué hay de las cuchilladas y los golpes? —pregunté.

—Odio.

—¿Y el cinturón alrededor del cuello?
Se encogió de hombros.
—Sugiere una técnica autoerótica. La asfixia parcial aumenta el placer durante el orgasmo.
Asentí.
—Muy bien —dije.
—Muy bien ¿qué?
—Éstas han sido sus primeras impresiones. ¿Tiene alguna opinión basada en ellas?
—¿Y usted? —repuso ella.
—Sí.
—Adelante, pues.
—Creo que es una farsa.
—¿Por qué?
—Demasiadas cosas a la vez —respondí—. Seis. La desnudez, los distintivos, los genitales, la rama de árbol, el yogur y el cinturón. Con dos ya habría bastado. Quizá tres. Es como si hubiesen intentado dejar clara una cuestión en vez de llevarla a cabo simplemente. Intentándolo quizá con demasiada vehemencia.
Norton no dijo nada.
—Demasiadas cosas —repetí—. Es como disparar sobre alguien y luego estrangularlo, apuñalarlo y ahogarlo. Como si estuvieran decorando un maldito árbol de Navidad.
Ella siguió callada, observándome. Acaso evaluándome.
—Tengo mis dudas sobre lo del cinturón —dijo—. El autoerotismo no es exclusivo de los homosexuales. Desde el punto de vista fisiológico todos los hombres tienen los mismos orgasmos, sean o no gays.
—Todo ha sido una simulación —insistí.
Ella asintió finalmente.
—De acuerdo —dijo—. Es usted muy perspicaz.
—¿Para ser un poli?
No sonrió.

—Como oficiales, no obstante, sabemos que va contra el reglamento admitir homosexuales en el ejército. Asegurémonos de que una defensa del mismo no confunde nuestro criterio.

—Mi deber es proteger al ejército —señalé.

—Precisamente —dijo Norton.

Me encogí de hombros.

—No estoy adoptando ninguna postura —dije—. No estoy diciendo categóricamente que ese tío no era gay. Quizá sí lo era. La verdad es que me da igual. Y los agresores quizá lo sabían, o tal vez no. Estoy diciendo que, en un caso o en otro, no lo han matado por eso. Sólo querían que ése pareciera el motivo. No estaban realmente sintiendo eso, sino otra cosa. Así que lo dejaron todo lleno de pistas de un modo bastante consciente. —Hice una pausa—. De un modo bastante académico —añadí.

Ella se puso rígida.

—¿Un modo académico? —repitió.

—¿Ustedes enseñan en clase cosas así?

—No enseñamos a la gente a matar —precisó.

—No es lo que he preguntado.

Norton asintió.

—Hablamos de cosas así —admitió—. Hemos de hacerlo. Cortarle la polla a tu enemigo es lo más básico. Ha ocurrido a lo largo de la historia. Sucedió en Vietnam. Durante los últimos diez años, las mujeres afganas se lo han estado haciendo a los soldados soviéticos prisioneros. Hablamos de lo que simboliza, lo que transmite, y del miedo que provoca. Hay libros enteros dedicados al miedo a las heridas repulsivas. Siempre es un mensaje a la población enemiga. Hablamos de violación con objetos extraños, de la exhibición intencionada de cuerpos violados. El reguero de prendas abandonadas es un detalle clásico.

—¿Hablan de yogures?

Negó con la cabeza.

—Pero ése es un chiste muy viejo.

—¿Y de la asfixia?

—En los cursos de Operaciones Psicológicas no. Pero puede que muchas de las personas de aquí lean revistas. O vean películas porno en vídeo.

—¿Hablan sobre poner en duda la sexualidad del enemigo?

—Desde luego. Poner en entredicho la sexualidad del enemigo vendría a ser el título central del curso. La orientación sexual del enemigo, su virilidad, su capacidad, su competencia. Es una táctica esencial. Siempre lo ha sido, en todas partes, a lo largo de la historia. Está concebida para surtir efecto en ambas direcciones. Lo debilita a él y por comparación nos fortalece a nosotros.

No dije nada.

Me miró fijamente.

—¿Me está preguntando si allá en el bosque he reconocido el fruto de nuestras clases?

—Supongo que sí —repuse.

—En realidad no quería mi opinión, ¿verdad? Todo ha sido un circunloquio. Usted ya sabía lo que estaba viendo.

Asentí.

—Para ser un poli, soy un tipo perspicaz.

—La respuesta es no —dijo ella—. Allá en el bosque no he identificado el fruto de nuestras clases. No de manera específica.

—Pero ¿hay alguna posibilidad?

—Cualquier cosa es posible.

—Cuándo estaba en Fort Irwin, ¿conoció usted al general Kramer? —pregunté.

—Nos vimos un par de veces —contestó—. ¿Por qué?

—¿Cuando fue la última vez que lo vio?

No me acuerdo —dijo.

—¿Fue hace poco?

—No —repuso—. Hace poco no. ¿Por qué?

—¿Cómo le conoció?

—Por motivos profesionales —respondió.

—¿Da clases a la División de Blindados?

—Fort Irwin no es solamente la División de Blindados —precisó—. También es el Centro Nacional de Formación, no lo olvide. Antes la gente asistía a nuestros cursos allí. Ahora nosotros vamos a los sitios.

No comenté nada.

—¿Le sorprende que diéramos clases a los de Blindados?

Me encogí de hombros.

—Un poco, supongo. Si yo fuera montado en un tanque de setenta toneladas, creo que no sentiría la necesidad de ningún planteamiento psicológico.

Ella seguía sin sonreír.

—Les organizamos cursos. Por lo que recuerdo, al general Kramer no le gustaba que Infantería tuviera cosas que ellos no tuvieran. Había una fuerte rivalidad.

—¿A quién da el curso ahora?

—A Delta Force —contestó—. En exclusiva.

—Gracias por su ayuda —dije.

—Esta noche no he reconocido nada de lo que seamos responsables.

—De manera específica.

—Desde el punto de vista psicológico, siempre es algo genérico —dijo.

—Muy bien —asentí.

—Y me incomoda que me interroguen.

—Muy bien —repetí—. Buenas noches, señora.

Me levanté de la silla y me dirigí a la puerta.

—Si lo que hemos visto es un montaje, ¿cuál ha sido el verdadero motivo? —preguntó.

—No lo sé —respondí—. No soy tan perspicaz.

Antes de entrar en mi despacho la sargento del niño pequeño me ofreció café. Luego entré, porque me esperaba Summer. Ya que el caso de Kramer había sido cerrado, había ido a recoger sus listas.

—Aparte de Norton, ¿ha inspeccionado también a las otras mujeres? —inquirí.

Asintió.

—Todas tienen coartadas. Es la mejor noche del año para ello. Nadie pasa la Nochevieja solo.

—Yo sí —dije.

No replicó. Reuní los papeles en un ordenado montón, volví a meterlos en la carpeta y quité la nota de la tapa. «Espero que su mamá esté bien.» Dejé caer la nota en el cajón y le di la carpeta.

—¿Qué le ha contado Norton? —preguntó ella.

—Ha coincidido conmigo en que es un homicidio manipulado para aparentar un típico ataque a homosexuales. Le he preguntado si alguno de los signos procedían de las clases de Operaciones Psicológicas y no me ha respondido con claridad. Ha dicho que desde el punto de vista psicológico era algo genérico. Y que le incomodaba que la interrogaran.

—¿Y ahora, qué?

Bostecé. Estaba cansado.

—Procederemos como de costumbre. Aún ignoramos quién es la víctima. Supongo que lo sabremos mañana. A las siete listos, ¿de acuerdo?

—De acuerdo —dijo, y se dirigió a la puerta con su carpeta.

—Llamé a Rock Creek —añadí—. Le pedí a un empleado que buscara una copia de la orden por la que se me trasladaba aquí desde Panamá.

—¿Y?

—Dijo que llevaba la firma de Garber.

—¿Pcro?

—Que es imposible. Garber llamó por teléfono en Nochevieja y le sorprendió encontrarme aquí.

—¿Por qué mentiría un empleado?

—No creo que lo hiciera. Me parece que la firma es falsa.

—¿Cabe la posibilidad de algo así?

—Es la única explicación. Garber no habría olvidado que me había trasladado aquí cuarenta y ocho horas antes.

—Entonces ¿de qué va todo esto?

—No tengo ni idea. Alguien está jugando al ajedrez en algún sitio. Mi hermano me dijo que debería averiguar quién me quiere tanto aquí, hasta el punto de sustituirme en Panamá por un capullo. Así que he intentado averiguarlo. Y ahora pienso que debería hacer la misma pregunta sobre Garber. ¿Quién lo quiere tanto fuera de Rock Creek como para reemplazarlo por un gilipollas?

—Pero Corea es un verdadero ascenso por méritos, ¿no?

—Garber lo merece, no hay duda —aclaré—, pero ha sido demasiado precipitado. Es un puesto para una estrella. El Departamento de Defensa ha de proponerlo al Senado, y ese procedimiento tiene lugar en otoño, no en enero. Fue un movimiento de improviso, causado por la alarma.

—No tiene sentido —reflexionó Summer—. ¿Por qué traerle a usted y echarle a él? Las dos jugadas se neutralizan.

—Pues quizás hay dos personas jugando. Como el juego del tira y afloja con una cuerda. El bueno y el malo. Gana uno, pierde el otro.

—Pero el malo pudo haber ganado ambas jugadas. Podía haberse deshecho de usted. O meterle en la cárcel. Para eso tiene una denuncia civil.

No dije nada.

—No cuadra —insistió Summer—. Quien esté jugando en su lado está dispuesto a dejar ir a Garber pero tiene suficiente poder para mantenerle a usted aquí, incluso con una denuncia sobre la mesa. Tanto poder que Willard sabía que no podía actuar en su contra, aunque probablemente deseaba hacerlo. ¿Sabe lo que eso significa?

—Sí —dije—. Lo sé.

Me miró fijamente.

—Significa que le consideran más importante que Garber —prosiguió—. Garber se ha ido y usted sigue aún aquí. —Entonces apartó la vista y se quedó callada.

—Tiene permiso para hablar sin tapujos, teniente —dije.

Ella volvió a mirarme.

—Usted no es más importante que Garber —señaló—. No puede serlo.

Bostecé de nuevo.

—Eso es indiscutible —dije—. Al menos en este caso concreto. No se trata de elegir entre Garber y yo.

Summer hizo una pausa. Acto seguido, asintió.

—Así es —confirmó—. No se trata de eso. Sino de elegir entre Fort Bird y Rock Creek. Se considera que Fort Bird es más importante. Se piensa que aquí pasan cosas más delicadas, conflictivas, que en los cuarteles de las unidades especiales.

—De acuerdo —dije—. Pero entonces ¿qué demonios está pasando?

9

A las siete y un minuto de la mañana siguiente, en el depósito de cadáveres de Fort Bird di el primer paso de tanteo en mi investigación. Había dormido tres horas y no había desayunado. En una investigación militar criminal no hay demasiadas reglas estrictas. Nos fiamos sobre todo del instinto y la improvisación. Pero una de las pocas normas que existen es: no comas antes de entrar en un lugar donde se hacen autopsias militares.

Así que pasé la hora del desayuno con el informe sobre la escena del crimen. Era un expediente bastante grueso, pero no contenía información útil. Enumeraba las prendas recuperadas del uniforme y las reseñaba con minucioso detalle. Describía el cadáver. Precisaba tiempos y temperaturas. Las miles de palabras se acompañaban de docenas de fotos polaroid, pero ni las palabras ni las imágenes me dijeron lo que necesitaba saber.

Guardé el expediente en el cajón de mi escritorio y llamé a la oficina del jefe de la Policía Militar por si había informes sobre ausencias no autorizadas o sin permiso. Al muerto ya lo estarían echando en falta, y así quizá nosotros podríamos establecer su identidad. Pero no había ningún informe. Nada fuera de lo normal. La base estaba poniéndose en marcha con todos sus patitos en fila.

Salí a la fría mañana.

El depósito de cadáveres había sido construido a tal fin durante la época de Eisenhower y todavía era apto para su finalidad. No necesitamos un grado elevado de sofisticación. Esto no es el mundo civil. Sabíamos que la víctima de la noche anterior no había resbalado con una piel de plátano. No me importaba mucho la herida concreta que había causado la muerte, sólo quería saber la hora aproximada y su identidad.

En el vestíbulo embaldosado había puertas a la izquierda, el centro y la derecha. Si uno iba a la izquierda se encontraba las oficinas. A la derecha, las cámaras frigoríficas. Seguí recto, hacia donde los cuchillos cortaban, zumbaban las sierras y corría el agua.

En medio de la estancia había dos mesas metálicas ahuecadas con luces brillantes encima y ruidosos tubos de desagüe debajo. Estaban rodeadas de balanzas de carnicería colgadas de cadenas y listas para pesar órganos extirpados, así como por carritos rodantes de acero con recipientes de vidrio preparados para recibirlos y otros carritos con instrumental quirúrgico y sábanas de lona verde para ser utilizadas. Todo aquel espacio estaba revestido de baldosas de paso subterráneo y el aire era frío y olía a formaldehído.

La mesa de la derecha estaba limpia y vacía. La de la izquierda, rodeada de gente. Había un forense, un ayudante y un empleado tomando notas. También vi a Summer, algo apartada, observando. Se hallaban más o menos en mitad del proceso. Todos los utensilios tenían algún usuario. Algunos recipientes de vidrio ya estaban llenos. Los desagües sorbían ruidosamente. Alcancé a ver las piernas del cadáver. Habían sido lavadas. Bajo las lámparas parecían blanco azuladas. Habían desaparecido todas las manchas de suciedad y sangre.

Me coloqué junto a Summer y eché un vistazo. El cadáver yacía de espaldas. Le habían quitado la parte superior del cráneo, cortando por el centro de la frente, y despegado la piel de la cara hacia abajo. Había quedado del revés, como una manta retirada de la cama. Le llegaba a la barbilla, con lo que quedaban al descubierto los pómulos y los globos oculares. El forense estaba examinando el cerebro, buscando algo. Había usado la sierra con el cráneo, haciendo saltar la parte superior como si fuera una tapa.

—¿Cómo va? —le pregunté.

—Hemos conseguido huellas dactilares —contestó.

—Las he enviado por fax —señaló Summer—. Hoy sabremos el resultado.

—¿Causa de la muerte?

—Traumatismo masivo —dijo el médico—. En la parte posterior de la cabeza. Tres golpes contundentes, con una palanca para neumáticos o algo así. Toda esa parafernalia es posterior a la muerte. Pura decoración.

—¿Alguna lesión defensiva?

—Nada —repuso el médico—. Fue un ataque por sorpresa. Repentino. No hubo pelea ni forcejeo.

—¿Cuántos agresores?

—No soy adivino. Seguramente los golpes mortales fueron propinados por la misma persona. Pero no sé si había otros por ahí, mirando.

—¿Cuál es su conjetura?

—Soy científico, no hago conjeturas.

—Un solo agresor —dijo Summer—. Es sólo una impresión.

Asentí.

—¿Hora de la muerte? —inquirí.

—Es difícil precisarlo —dijo el médico—. Entre las nueve y las diez de la noche. Pero no pongo la mano en el fuego.

Volví a asentir. Eran horas razonables. Bastante después de oscurecer, varias horas antes de un posible descubrimiento. Tiempo de sobra para que el malo montase su tinglado y cuando sonaran las alarmas pudiera estar en cualquier otra parte.

—¿Fue asesinado en la escena del crimen? —inquirí.

El forense asintió con un gesto.

—O muy cerca —puntualizó—. No hay indicios que indiquen otra cosa.

—Muy bien —dije. Miré alrededor. En un carrito estaba la rama de árbol. Al lado, un recipiente con un pene y dos testículos.

—¿En la boca? —pregunté.

El forense asintió nuevamente. No dijo nada.

—¿Qué clase de cuchillo?

—Seguramente uno de supervivencia de los marines —repuso.

—Fantástico —solté. En los últimos cincuenta años se habían fabricado decenas de millones de esos cuchillos. Eran tan corrientes como las medallas.

—El cuchillo lo utilizó una persona diestra —precisó el médico.

—¿Y la palanca?

—También.

—De acuerdo —dije.

—El líquido era yogur —agregó el médico.

—¿Fresa o frambuesa?

—No he realizado ningún test de sabor.

Junto a los recipientes de los órganos había un montoncito de fotos polaroid. Todas de la herida mortal. La primera era tal como había sido descubierta. El tipo tenía el cabello relativamente largo y sucio y apelmazado por la sangre, y no se distinguía bien. En la segunda foto ya no había sangre ni suciedad. En la tercera, el pelo había sido cortado con tijeras. En la cuarta, completamente afeitado con navaja.

—¿Y una barra de hierro? —pregunté.

—Es posible —dijo el médico—. Quizás incluso mejor que una palanca para cambiar neumáticos. En todo caso, haré un molde en escayola. Si usted me trae el arma, yo le diré sí o no.

Me acerqué más y miré con mayor atención. El cadáver estaba muy limpio. Gris, blanco y rosa. Olía ligeramente a jabón así como a sangre y otros olores orgánicos intensos. La ingle era un revoltijo, como una carnicería. Las cuchilladas en brazos y hombros eran profundas y patentes. Músculo y hueso expuestos. Los bordes de las heridas estaban azulados, sin vida. La hoja había atravesado un tatuaje del brazo izquierdo: un águila sostenía en el pico un pergamino con la inscripción «Madre». En conjunto, el tío no ofrecía una imagen agradable. No obstante, su estado era mejor del que me temía.

—Creía que habría más hinchazones y magulladuras —dije.

El forense me echó una mirada.

—Ya se lo he dicho —apuntó—. Todo el numerito se montó después de muerto. Sin pulso, presión sanguínea y circulación no quedan contusiones ni hinchazones. Tampoco hay demasiada hemorragia, sólo la debida a la gravedad. Si lo hubieran apuñalado estando vivo, habría sangrado a borbotones.

Se volvió hacia la mesa, terminó su trabajo en el cerebro de aquel pobre tipo y colocó en su sitio la tapa del cráneo. Le dio un par de golpecitos para que se ajustara bien y limpió la irregular juntura con una esponja. A continuación puso otra vez la piel facial en su sitio. Toqueteó, apretó y alisó con los dedos, y cuando apartó las manos vi al sargento de las Fuerzas Especiales con el que había hablado en aquel local de *striptease*, la mirada vacía clavada en las brillantes luces de arriba.

Cogí un Humvee, pasé frente al edificio de Operaciones Psicológicas y llegué al de los Delta Force. El lugar era bastante independiente dentro de lo que tiempo atrás había sido una cárcel, antes de que el ejército reuniera a todas sus ovejas negras en Fort Leavenworth, Kansas. La vieja alambrada y las paredes iban bien a su uso actual. Al lado había un enorme hangar para aviones de la Segunda Guerra Mundial. Parecía como si lo hubieran traído a rastras de alguna base cercana y lo hubieran atornillado allí para albergar sus estantes de equipamiento, y sus camionetas y sus Humvee blindados y acaso un par de helicópteros de respuesta rápida.

El centinela de la puerta interior me dejó pasar y fui directamente a la oficina del encargado de tareas administrativas. Eran las siete y media de la mañana y ya estaban las luces encendidas y había mucho movimiento, lo que me reveló algo. El tipo estaba en su escritorio. Era capitán. En el mundo al revés de Delta Force, los sargentos son las estrellas y los oficiales se quedan en casa y se dedican a sus quehaceres domésticos.

—¿Le falta alguien? —pregunté.

Apartó la vista, lo que me reveló algo más.

—Supongo que sabe que sí —dijo—. Si no, no habría venido.

—¿Puede darme un nombre?

—¿Un nombre? Supongo que lo ha detenido por algo.

—No tiene nada que ver con una detención —señalé.

—Entonces ¿con qué?

—¿A este soldado lo detienen mucho?

—No. Es un soldado excelente.

—¿Cómo se llama?

El capitán no respondió. Sólo se inclinó, abrió un cajón y sacó un expediente. Me lo dio. Como todos los expedientes de Delta que yo había visto, estaba purgado a fondo para el consumo público. Sólo contenía dos hojas. En la primera había un nombre, un rango, un número de identificación y un resumen de lo estrictamente esencial de la carrera de un tal Christopher Carbone, un veterano soltero que llevaba dieciséis años de servicio, cuatro en una división de Infantería, cuatro en una división aerotransportada, cuatro en una compañía de Rangers y otros cuatro en las Fuerzas Especiales. Tenía cinco años más que yo. Era sargento primero. No había pormenores efectistas ni mención alguna de medallas o condecoraciones.

La segunda hoja contenía diez huellas dactilares de tinta y una fotografía en color del sargento con el que yo había hablado en el bar y que acababa de dejar en la mesa de autopsias del depósito de cadáveres.

—¿Dónde está? —preguntó el capitán—. ¿Qué ha pasado?

—Muerto —repuse.

—¿Cómo?

—Homicidio —dije.

—¿Cuándo?

—Anoche. Entre las nueve y las diez.

—¿Dónde?

—En la linde del bosque.

—¿Qué bosque?

—Nuestro bosque. Aquí.

—Dios santo. ¿Por qué?

Cerré el expediente y me lo puse bajo el brazo.

—No lo sé —dije—. Todavía.

—Dios santo —repitió él—. ¿Quién lo hizo?

—No lo sé —repetí—. Todavía.

—Dios santo —repitió por tercera vez.

—¿Parientes más cercanos? —pregunté.

Hizo una pausa y exhaló un suspiro.

—Creo que tiene una madre por alguna parte —contestó—. Ya se lo haré saber.

—No me lo haga saber —señalé—. Comunique la noticia usted mismo.

No respondió.

—¿Tenía Carbone enemigos aquí? —inquirí.

—No que yo supiera.

—¿Algún roce?

—¿De qué clase?

—¿Alguna cuestión sobre su estilo de vida?

Me miró fijamente.

—¿De qué está hablando?

—¿Era gay?

—¿Qué? Desde luego que no.

Guardé silencio.

—¿Está diciendo que Carbone era maricón? —preguntó el capitán con un susurro de incredulidad.

Visualicé a Carbone delante del escenario del local de *striptease*, a dos metros de una chica que en ese momento se arrastraba sobre codos y rodillas con el culo al aire y los pezones rozando el suelo, exhibiendo una ancha sonrisa en la cara. Para un gay parecía un modo extraño de pasar el tiempo libre. De repente recordé la indiferencia en sus ojos y el gesto de fastidio con que se había quitado de encima a aquella puta.

—No sé qué era Carbone —dije.

—Entonces mantenga cerrada la maldita boca —espetó el capitán—. Señor.

Me llevé el expediente, recogí a Summer en el depósito de cadáveres y la llevé a desayunar al club de oficiales. Nos sentamos en un rincón, lejos de todos. Yo comí huevos, beicon y tostadas. Summer, copos de avena y fruta mientras echaba un vistazo al expediente. Yo tomé café; Summer, té.

—El forense lo denomina ataque típico a homosexuales —dijo—. Cree que es evidente.

—Se equivoca.

—Carbone no estaba casado.

—Yo tampoco —dije—. Y usted tampoco. ¿Es usted gay?

—No.

—Pues ahí tiene.

—Pero la información falsa ha de basarse en algo real, ¿no? A ver, si hubieran sabido que era un jugador, por ejemplo, seguramente le habrían metido pagarés en la boca o habrían llenado el suelo de naipes. Entonces habríamos podido suponer que era un ajuste de cuentas por deudas de juego. ¿Entiende lo que quiero decir? Si no se basa en algo, no funciona. Algo que se refuta en cinco minutos es estúpido, no tiene nada de ingenioso.

—¿Cuál es su hipótesis?

—Era gay, y alguien lo sabía, pero ése no fue el móvil.

Asentí.

—No lo fue —confirmé—. Pongamos que era gay. Llevaba dieciséis años en el ejército. Aguantó la mayor parte de los setenta y todos los ochenta. Entonces ¿por qué ahora? Los tiempos están cambiando, mejorando, y él también lo disimula mejor yendo a tugurios de *striptease* con sus camaradas. No hay razón alguna para que pase ahora, de súbito. Habría sucedido antes. Cuatro años antes, ocho, o doce, o dieciséis. Cada vez que se incorporaba a una nueva unidad y le conocía gente nueva.

—¿Cuál es la razón, pues?

—Ni idea.

—En cualquier caso, podría ser algo embarazoso. Como lo de Kramer en el motel.

Volví a asentir.

—Por lo visto, Fort Bird es un lugar donde se dan situaciones muy embarazosas.

—¿Cree que por eso está usted aquí? ¿Por Carbone?

—Puede ser. Depende de lo que él represente.

Pedí a Summer que reuniera y me enviara todos los informes y notificaciones pertinentes y regresé a mi despacho. El rumor se propagó deprisa. Me esperaban tres sargentos delta que querían información. Eran tíos típicos de las Fuerzas Especiales. Delgados, flexibles, ligeramente descuidados, duros como piedras. El más joven llevaba barba y estaba bronceado, como recién llegado de algún lugar tropical. Se paseaba nerviosamente por el exterior de mi oficina. Mi sargento, la del niño pequeño, los observaba como si hubieran podido estar a ratos paseándose y a ratos golpeándola. En comparación con ellos, parecía muy educada, casi refinada. Les hice pasar al despacho, cerré la puerta, me senté al escritorio y les dejé de pie delante.

—¿Es verdad lo de Carbone? —preguntó uno.

—Fue asesinado —dije—. No sé por quién ni por qué.

—¿Cuándo?

—Anoche, entre las nueve y las diez.

—¿Dónde?

—Aquí.

—Ésta es una base vallada y vigilada.

Asentí.

—El autor no pertenecía al gran público.

—¿Es verdad que lo dejaron hecho una calamidad?

—Así es.

—¿Cuándo sabrá quién fue?

—Pronto, espero.

—¿Tiene pistas?

—Nada concreto.

—Cuando lo sepa, ¿lo sabremos nosotros también?

—¿Así lo desean?

—Puede apostarse el cuello.

—¿Por qué?

—Ya sabe por qué —soltó el tipo.

Asentí. Homosexual o heterosexual, Carbone pertenecía a la cuadrilla más temible del mundo. Sus colegas iban a salir en su defensa. Por un instante sentí un poco de envidia. Si a mí me mataran en el bosque una noche a altas horas, dudo que a las ocho de la mañana del día siguiente tres tipos duros entraran en el despacho de alguien consumidos de impaciencia, dispuestos a vengarse. Entonces los miré de nuevo y pensé que el asesino podría verse en un apuro muy serio. Todo lo que tenía que hacer yo era mencionar un nombre.

—He de hacerles algunas preguntas típicas de un poli —dije.

Les pregunté lo habitual. Si Carbone tenía algún enemigo, si se había visto envuelto en alguna polémica, amenazas, peleas. Los tres tipos menearon la cabeza y respondieron todas las preguntas negativamente.

—¿Algo que se os ocurra? —inquirí—. ¿Algo que lo pusiera en peligro?

—¿Como qué? —preguntó uno con tono tranquilo.

—Cualquier cosa —dije. No quería ir más lejos.

—No —contestaron todos.

—¿Tienen alguna hipótesis? —insistí.

—Mire en los Rangers —indicó el joven—. Encuentre a alguien que haya fracasado en la instrucción de Delta y crea que aún tiene algo que demostrar.

Se marcharon y yo me quedé sentado dándole vueltas al último comentario. ¿Un Ranger con algo que demostrar? Lo dudaba. No sonaba muy convincente. Los sargentos Delta no suelen ir al bosque con gente desconocida para dejarse golpear en la cabeza. Se preparan mucho y duro para que eventualidades como ésa sean muy improbables, casi imposibles. Si un ranger hubiera peleado con Carbone, habría sido el ranger el que habría aparecido al pie del árbol. Y si hubieran sido dos rangers, habrían sido dos rangers muertos. O al menos habríamos encontrado heridas defensivas en el cuerpo de Carbone. No lo habrían vencido tan fácilmente.

De modo que fue al bosque con un conocido en quien confiaba. Me lo imaginé tranquilo, tal vez charlando, o sonriendo como en aquel bar. Quizás en cabeza hacia algún sitio, dándole la espalda a su agresor, sin sospechar nada. Luego me representé una barra de hierro saliendo del interior de un abrigo y golpeándolo con un impacto mortal. Y otra vez, y otra. Para acabar con él habían hecho falta tres golpes. Tres golpes por sorpresa. Pero a los tíos como Carbone no es fácil sorprenderlos.

Sonó el teléfono. Era el coronel Willard, el gilipollas de la oficina de Garber en Rock Creek.

—¿Dónde está usted? —preguntó.

—En mi despacho —repuse—. ¿Cómo, si no, podría estar contestando mi teléfono?

—Quédese ahí —ordenó—. No vaya a ningún sitio, no haga nada, no llame a nadie. Éstas son órdenes directas. Quédese ahí tranquilo y espere.

—¿Que espere qué?

—Voy para allá.

Colgó. Yo hice otro tanto.

Allí me quedé. No fui a ninguna parte, no hice nada ni llamé a nadie. Mi sargento me trajo una taza de café. La acepté. Willard no había dicho que tuviera que morirme de sed.

Al cabo de una hora oí una voz y acto seguido entró el joven de los sargentos delta, el bronceado y con barba. Le dije que tomara asiento y cavilé sobre mis órdenes. «No vaya a ningún sitio, no haga nada, no llame a nadie.» Supuse que hablar con aquel tío significaba hacer algo, lo que contravenía la parte de *no hacer nada* de la orden. Pero claro, desde un punto de vista técnico respirar también era hacer algo. Igual que digerir el desayuno. También me crecía el pelo, y la barba, y las uñas. Perdía peso. Era imposible no hacer *nada*. Así pues, llegué a la conclusión de que ese componente de la orden era pura retórica.

—¿Puedo ayudarle en algo, sargento? —dije.

—Creo que Carbone era gay —contestó el sargento.

—¿*Cree* que lo era?

—Vale, lo era.

—¿Quién más lo sabía?

—Todos.

—¿Y?

—Y nada. Creí que usted debía saberlo, nada más.

—¿Piensa que hay alguna relación?
Meneó la cabeza.
—No dábamos importancia a eso. No lo mató ninguno de nosotros. Nadie de la unidad. Es imposible. Nosotros no hacemos esas cosas. Fuera de la unidad no lo sabía nadie. Por tanto, no creo que tenga relación.
—Entonces ¿por qué me lo cuenta?
—Porque seguramente usted va a descubrirlo. Quería avisarle, que no fuera una sorpresa.
—¿Por qué?
—Para que guarde el secreto, puesto que no tiene nada que ver.
No dije nada.
—Una cosa así dejaría su reputación por los suelos —prosiguió el sargento—. Y eso no está bien. Era un tío majo y un buen soldado. Ser gay no debería ser ningún crimen.
—Coincido con usted —dije.
—El ejército debería cambiar.
—El ejército detesta los cambios.
—Dicen que perjudica la cohesión de las unidades —dijo él—, pero tendrían que haber visto a nuestra unidad en acción. Con Carbone en primera línea.
—No puedo ocultarlo —advertí—. Si pudiera lo haría, pero la escena del crimen ha lanzado un mensaje inequívoco para todo el mundo.
—¿Cómo? ¿Fue una especie de crimen sexual? Antes no lo ha mencionado.
—Intentaba mantenerlo en secreto —expliqué.
—Pero nadie lo sabía. Fuera de la unidad, al menos.
—Seguramente alguien sí —dije—. A menos que el asesino sea de su unidad.
—Imposible. De ninguna manera. Ni hablar.
—Ha de ser una cosa o la otra —observé—. ¿Se veía con alguien fuera?
—No, nunca.

—Entonces ¿fue célibe durante dieciséis años?

El sargento apretó los labios.

—En realidad lo ignoro —admitió.

—Alguien lo sabía —insistí—. Pero de hecho también creo que no guarda relación con su muerte. Me parece que alguien ha intentado que pareciera eso. Quizá podamos dejar claro esto, al menos.

El sargento negó con la cabeza.

—Será lo único que la gente recuerde de él —se lamentó.

—Lo siento —dije.

—Yo no soy gay —precisó él.

—Eso me tiene sin cuidado, la verdad.

—Tengo esposa y un niño pequeño.

Y se marchó dejándome esa información. Yo retomé la obediencia de las órdenes de Willard.

Pasé el rato pensando. En el escenario del crimen no se había encontrado arma alguna, ni pruebas significativas. Tampoco hilos de ropa enganchados en arbustos, ni pisadas en el suelo, ni restos de piel del agresor bajo las uñas de Carbone. Todo tenía su explicación. El arma se la habría llevado el atacante, quien seguramente llevaba uniforme de campaña, que, tal como especifica el Departamento de Defensa, no se deshará ni dejará hilachas por todas partes. En lo referente al desgaste de la sarga y la popelina de los uniformes militares, fábricas textiles de todo el país tienen que satisfacer estrictos requisitos de calidad. El suelo estaba helado y duro, con lo que no era posible dejar huellas. Carolina del Norte tiene un período fiable de heladas que dura aproximadamente un mes, y nos encontrábamos en él de lleno. Y había sido un ataque por sorpresa. Carbone no había tenido tiempo de volverse, parar el golpe y librarse de su agresor.

Así que no había información sobre el terreno. Sin

embargo, habíamos hecho algunos avances. Teníamos una serie de posibles sospechosos. Era una base cerrada, y el ejército es bastante eficiente en saber quién está en cada lugar en todo momento. Podíamos empezar con metros de papel impreso y analizar cada nombre según un sistema binario, posible o no posible. A continuación podíamos reunir todos los posibles y trabajar con la santísima trinidad universal de los detectives: medios, móvil, oportunidad. Los medios y la oportunidad no revelarían gran cosa. Por definición, nadie estaría en la lista de los posibles a menos que se demostrase que tenía una oportunidad. Y en el ejército todo el mundo es físicamente capaz de estrellar una barra de hierro contra la cabeza de una víctima desprevenida. Sería un equivalente aproximado del requisito más básico para entrar.

O sea que vamos a parar al móvil, que a mi entender era donde empezaba todo. ¿Por qué?

Me quedé sentado otra hora. No fui a ninguna parte, no hice nada, no llamé a nadie. La sargento me trajo más café. Le dije que llamase a la teniente Summer de mi parte y le sugiriese que me hiciera una visita.

No habían pasado cinco minutos cuando apareció Summer. Yo tenía varias cosas que contarle, pero ella se había anticipado a todas. Había mandado hacer una lista de todo el personal de la base además de una copia del registro de la entrada para así poder añadir o quitar nombres si lo considerábamos conveniente. Había dispuesto que precintaran el alojamiento de Carbone hasta que se efectuara un registro. Había concertado una entrevista con el superior de Carbone para confeccionar una imagen más completa de su vida personal y profesional.

—Excelente —dije.

—¿Qué es eso de Willard? —preguntó.

—Seguramente un concurso para ver quién mea más

lejos. Ante un caso importante como éste quiere venir y dirigirlo todo personalmente. Para recordarme que estoy bajo sospecha.

Pero me equivocaba.

Al cabo de exactamente cuatro horas por fin apareció Willard. Oí su voz fuera. Seguro que la sargento no le estaba ofreciendo café. Tenía buen olfato. Se abrió la puerta y entró Willard. No me miró. Simplemente cerró, se volvió y se sentó en la silla de las visitas. Enseguida comenzó a revolverse. Acometía la tarea con ahínco, tirando de las rodillas de sus pantalones como si le quemaran la piel.

—Quiero una relación completa de sus movimientos ayer —dijo—. Quiero oírlo de su propia boca.

—¿Ha venido a hacerme preguntas?

—Sí —repuso.

Me encogí de hombros.

—Estuve en un avión hasta las dos —expliqué—. Luego con usted hasta las cinco.

—¿Y después?

—Estuve aquí de vuelta a las once.

—¿Seis horas? Yo lo he hecho en cuatro.

—Seguramente ha venido en coche. Yo cogí dos autobuses e hice autostop.

—¿Después de eso?

—Hablé con mi hermano por teléfono.

—Recuerdo a su hermano —señaló Willard—. Trabajé con él.

Asentí y dije:

—Me habló de usted.

—Prosiga.

—Hablé con la teniente Summer —contesté—. Una charla informal.

—¿Y después?

—Hacia medianoche fue descubierto el cadáver de Carbone.

Cabeceó, se rascó y se removió; parecía incómodo.

—¿Guardó los billetes de autobús? —preguntó.

—Me parece que no.

Willard sonrió.

—¿Recuerda quién le trajo hasta la base?

—Me parece que no. ¿Por qué?

—Porque quizá me convendría saberlo. Para demostrar que no cometí ningún error.

No dije nada.

—Usted sí ha cometido errores —soltó.

—¿Ah, sí?

Asintió.

—No estoy seguro de si es usted idiota o está haciendo esto adrede.

—¿Haciendo qué?

—¿Pretende poner al ejército en un aprieto?

—¿Qué?

—¿Cuál es la situación actual, comandante? —preguntó.

—Dígamelo usted, coronel.

—La guerra fría está tocando a su fin. Se avecinan grandes cambios. El statu quo no será una opción válida. Por tanto, ahora todos los militares están intentando mantenerse firmes y hacer los recortes. ¿Pero sabe una cosa?

—¿Qué?

—El ejército está siempre en el fondo del tarro. La Fuerza Aérea ha conseguido esos sofisticados aviones. La Armada tiene submarinos y portaaviones. Los marines son intocables. Y nosotros estamos literalmente atascados en el barro. En el fondo del tarro, como le he dicho. El ejército es aburrido, Reacher. Así nos ven en Washington.

—¿Y?

—Ese Carbone era homosexual. Un maldito mariconazo, por el amor de Dios. ¡Una unidad de elite con pervertidos en su seno! ¿Y según usted el ejército necesita que esto se sepa? ¿En un momento como éste? En su informe debería haber puesto que fue un accidente durante unas maniobras.

—Eso no habría sido verdad.

—¿Y a quién le importa?

—No lo asesinaron por su orientación sexual.

—Pues claro que sí.

—Me gano la vida con esto —dije—. Y yo digo que no.

Me fulminó con la mirada y guardó silencio unos instantes.

—Muy bien —dijo—. Volvamos a eso. ¿Quién más vio el cadáver aparte de usted?

—Mis hombres. Además de una coronel de Operaciones Psicológicas de quien recabé opinión. Y también la forense.

Asintió.

—Usted ocúpese de sus hombres. Yo se lo diré a la psicóloga y a la forense.

—¿Les dirá qué?

—Que en el informe haremos constar que fue un accidente durante unas maniobras. Lo entenderán. Si no hay daño, no hay falta. Ni investigación.

—Está de broma.

—¿Cree que el ejército quiere que esto se difunda? ¿Ahora? ¿Que en la Delta Force hubo un soldado maricón durante cuatro años? ¿Está usted chalado?

—Los sargentos quieren una investigación.

—Estoy seguro de que su oficial al mando no la quiere. Créame. Es la pura verdad.

—Tendrá que darme una orden directa —dije—. De forma clara.

—Míreme los labios —repuso—. No investigue lo del marica. Redacte un informe indicando que murió en un accidente durante unas maniobras nocturnas, una carrera, un ejercicio, cualquier cosa. Tropezó, cayó y se golpeó en la cabeza. Caso cerrado. Ésta es una orden directa.

—La necesito por escrito.

—No sea infantil —espetó.

Nos quedamos en silencio unos instantes, mirándonos desafiantes por encima de la mesa. Yo estaba inmóvil, y Willard se balanceaba y se daba tirones en la ropa. Apreté el puño, sin que él me viera. Me imaginé estrellando un derechazo en el centro mismo de su pecho. Me figuré que podía parar su corazón de mierda con un solo golpe. Luego informaría de que había sido un accidente durante unas maniobras. Diría que él estaba practicando el ejercicio de levantarse de la silla y sentarse y que había resbalado y había dado con el esternón en una esquina de la mesa.

—¿A qué hora murió? —preguntó.

—Entre las nueve y las diez de anoche.

—Y usted no llegó al puesto hasta las once.

—En efecto —dije.

—¿Puede demostrarlo?

Pensé en los guardias de la entrada en su garita. Me habían dejado pasar sin más.

—¿He de demostrarlo? —pregunté.

Volvió a quedarse callado. Se inclinó a la izquierda en la silla.

—Siguiente cuestión —señaló—. Afirma usted que el sodomita no fue asesinado por ser sodomita. ¿Qué pruebas tiene de eso?

—En el escenario del crimen todo era muy exagerado —expliqué.

—¿Para ocultar el motivo real?

Asentí.

—Ésa es mi opinión.

—¿Cuál fue el verdadero móvil?

—No lo sé. Eso requeriría una investigación.

—Hagamos conjeturas —propuso Willard—. Supongamos que el hipotético autor saca algún provecho del crimen. Dígame cómo.

—Evitando cierta acción futura por parte de Carbone. O para echar tierra sobre algún delito en que Carbone hubiera estado involucrado o del que tuviera conocimiento.

—En pocas palabras, para cerrarle la boca.

—Para poner fin a algo —precisé—. Ésta sería mi conjetura.

—Y usted se gana la vida con esto.

—Sí —dije—. Así es.

—¿Cómo descubriría al culpable?

—Llevando a cabo una investigación.

Willard asintió.

—Y cuando lo encontrara, es una hipótesis, suponiendo que fuera capaz de hacerlo, ¿qué haría usted?

—Lo pondría bajo custodia —repuse. «Custodia protectora», pensé. Me imaginé a los colegas de la unidad de Carbone paseándose ansiosos, listos para caer sobre él.

—¿Y en su lista de sospechosos tendría cabida cualquiera que hubiese estado en la base en el momento en cuestión?

Asentí con la cabeza. Seguramente mientras hablábamos la teniente Summer estaba trajinando con hojas y más hojas de papel impreso.

—Verificada mediante listas de efectivos y registros de entrada —puntualicé.

—Hechos —dijo Willard—. Yo habría pensado que los hechos serían muy importantes para alguien que se gana la vida con esto. Esta base abarca cincuenta mil hectáreas. La alambrada de todo el perímetro data de 1943. Éstos son hechos. Los averigüé sin demasiada dificultad, y usted debería haberlo hecho. ¿No se ha parado a pensar que no todo el personal de la base tiene que entrar necesariamente por la puerta principal? ¿No se le ha pasado por la cabeza que alguien que *no* consta haber estado aquí pudo haberse colado a través de la alambrada?

—Poco probable. El tipo en cuestión habría tenido que dar una caminata de casi cuatro kilómetros, totalmente a oscuras, y nosotros mantenemos toda la noche patrullas motorizadas y con ruta variable.

—A las patrullas les pudo haber pasado por alto un hombre experto.

—Poco probable —repetí—. Además, ¿cómo se habría dado cita con el sargento Carbone?

—Fijando el lugar de antemano.

—No era ningún lugar concreto —observé—. Sólo un punto al azar cerca del camino.

—Pues con la ayuda de un mapa de referencia.

—Poco probable —dije por tercera vez.

—¿Pero posible?

—Todo es posible.

—Por tanto, un hombre pudo encontrarse con el marica, luego matarlo, después escabullirse por la alambrada y a continuación caminar hasta la entrada y firmar el registro, ¿no?

—Todo es posible —reiteré.

—¿De qué intervalo de tiempo estamos hablando? Entre la muerte y la firma.

—No lo sé. Tendría que calcular la distancia que recorriera el tío.

—Tal vez corrió.

—Tal vez.

—En cuyo caso habría llegado sin aliento a la entrada.

No opiné al respecto.

—Una hipótesis —dijo Willard—. ¿Cuánto tiempo?

—Una hora o dos.

Asintió.

—De modo que si el mariconazo cayó muerto entre las nueve y las diez, el asesino pudo haber entrado a la base a eso de las once, ¿no?

—Es posible —confirmé.

—Y el móvil pudo haber sido poner fin a algo.

Asentí. No dije nada.

—Y usted tardó seis horas en un viaje que puede durar cuatro, quedando un espacio de dos horas que justifica con la imprecisa declaración de que siguió un itinerario lento.

No respondí.

—Y acaba de admitir que dos horas es más que suficiente para llevar a cabo la acción. Concretamente las dos horas que van de las nueve a las once, que casualmente son las mismas horas de las que usted no puede dar cuenta.

Seguí callado. Él sonrió.

—Y llegó a la entrada de la base sin aliento —prosiguió—. Lo he comprobado.

No repliqué.

—Pero ¿cuál habría sido su móvil? —dijo—. Supongo que no conocía bien a Carbone. Y que no se movía por los mismos ambientes que él. Al menos eso espero, sinceramente.

—Está perdiendo el tiempo —interrumpí—. Y cometiendo un grave error. Porque en el fondo usted no quiere que yo me convierta en su enemigo.

—¿Ah no?

—No —repetí—. En el fondo, no.

—¿A qué tiene usted que poner fin? —preguntó.

No respondí.

—Pues aquí hay un dato interesante —añadió Willard—. El sargento primero Christopher Carbone fue el soldado que presentó la denuncia contra usted.

Para demostrarlo, sacó del bolsillo una copia de la denuncia y la desdobló. La alisó y me la tendió por encima de la mesa. En la parte superior había un número de referencia y luego una fecha, un lugar y una hora. La fecha era el 2 de enero; el lugar, la oficina del jefe de la Policía Militar de Fort Bird; la hora, las 8.45. Luego venían dos párrafos de declaración jurada. Leí por encima algunas frases formales y acartonadas. «Vi personalmente a un comandante de servicio de la Policía Militar llamado Reacher golpear al primer civil mediante un puntapié en su rodilla derecha. Ulteriormente y de inmediato, el comandante Reacher golpeó al segundo civil en el rostro con la frente. A mi leal saber y entender, no hubo provocación alguna que justificara las agresiones. No aprecié ningún elemento de defensa propia.» Después venía la firma de Carbone y debajo un número mecanografiado. Lo reconocí. Era el de su expediente. Alcé la vista al lento reloj de pared y visualicé a Carbone saliendo por la puerta del bar y llegando al aparcamiento, mirándome un instante y luego mezclándose con el grupo de soldados que bebían cerveza apoyados en los coches. Bajé de nuevo los ojos, abrí un cajón y guardé la hoja.

—Delta Force cuida de los suyos —dijo Willard—. Ya lo sabemos. Supongo que forma parte de su mística. Así pues, ¿qué van a hacer ahora? Porque resulta que apalean a uno de los suyos hasta la muerte después de que éste presente una denuncia contra un comandante sabihondo de la PM, y el comandante sabihondo de la PM ha de salvar su carrera y no tiene coartada razonable para el lapso en que sucedió todo.

No respondí.

—El oficial al mando de Delta tiene su propia copia —dijo Willard—. El procedimiento habitual con las denuncias disciplinarias. Múltiples copias por todas partes. Así la noticia se propagará enseguida. Después ellos harán preguntas. ¿Y yo qué les digo? Podría decirles que desde luego usted no es ningún sospechoso. O sugerirles que sí es sospechoso pero que debido a cierto detalle técnico no puedo tocarle. Puedo imaginarme cómo el sentido del bien y del mal de esta gente reacciona ante esa suerte de injusticia.

Seguí callado.

—Es la única denuncia presentada por Carbone a lo largo de una carrera de dieciséis años —prosiguió—. También he comprobado esto. Y es lógico. Un hombre como él tiene que mantener la cabeza baja. Pero Delta como cuerpo verá en ello cierta trascendencia. Si Carbone enseña las uñas por primera vez en su vida van a pensar que ustedes dos tenían alguna historia. Y supondrán que fue una venganza. Y esto no mejorará su imagen ante ellos.

No abrí la boca.

—Por tanto ¿qué debería hacer? —se preguntó Willard—. ¿Voy y dejo caer algunas insinuaciones sobre molestos tecnicismos legales? ¿O negociamos? Yo le quito a Delta de encima y usted acata la disciplina.

Seguí en silencio.

—No creo realmente que le matara —añadió—. Ni siquiera usted llegaría tan lejos. Pero si lo hubiera hecho, no me habría importado. Habría que acabar con todos los maricones del ejército. Están aquí de manera fraudulenta. Habría elegido usted el móvil equivocado, eso es todo.

—Es una amenaza vana —dije—. Usted nunca me dijo que él hubiera presentado la denuncia. Ayer no me la enseñó. Jamás mencionó ningún nombre.

—Esos sargentos no se lo tragarán ni por un instante. Usted es un investigador de una unidad especial. Se gana la vida con esto. Le resultaría muy fácil eliminar un nombre del papeleo que ellos creen que nos traemos por aquí.

No respondí.

—Despierte, comandante. Siga el programa. Garber ya no está. Ahora haremos las cosas a mi modo.

—Al convertirme en su enemigo está cometiendo un error —dije.

Willard meneó la cabeza.

—Discrepo. No estoy cometiendo ningún error. Y tampoco estoy convirtiéndole en mi enemigo, sino metiendo a esta unidad en vereda, nada más. Más adelante me lo agradecerán. Todos. El mundo está cambiando. Puedo imaginarme la nueva situación.

No dije nada.

—Ayude al ejército —agregó—. Y a la vez ayúdese a sí mismo.

Continué callado.

—¿Estamos de acuerdo? —preguntó.

No respondí. Me guiñó el ojo.

—Entiendo que estamos de acuerdo —dijo—. No es usted tan estúpido.

Se puso en pie, salió del despacho y cerró la puerta a su espalda. Me quedé sentado y observé cómo el rígido asiento de vinilo de la silla de visitas recuperaba la forma. Sucedió despacio, con un discreto siseo a medida que el aire presionaba de nuevo.

10

«El mundo está cambiando», pensé. Yo siempre había sido un solitario pero en ese momento empecé a sentirme solo. Y siempre había sido un escéptico, pero en ese momento empecé a sentirme desesperadamente ingenuo. Mis dos familias estaban desapareciendo, una debido a la simple e implacable cronología, y la otra porque sus viejos y solventes valores parecían estar evaporándose. Me sentí como un hombre que despierta solo en una isla desierta y descubre que el resto del mundo se ha escabullido por la noche en unos botes. Me sentí como si estuviera en la orilla, contemplando en el horizonte pequeñas formas alejándose. Y como si hubiera estado hablando mi lengua de siempre y ahora me diera cuenta de que los demás habían utilizado una lengua completamente distinta. El mundo estaba cambiando. Y yo no quería eso.

Tres minutos después apareció Summer. Supuse que había estado oculta tras la esquina, aguardando a que Willard se fuera. Llevaba bajo el brazo unos papeles y grandes noticias en los ojos.

—Vassell y Coomer estuvieron aquí anoche —anunció—. Figuran en el registro de la entrada.

—Siéntese —dije.

Sorprendida, vaciló, pero acto seguido se sentó en la silla donde antes había estado Willard.

—Soy tóxico —dije—. Debería usted alejarse de mí ahora mismo.

—¿Qué quiere decir?

—Estábamos en lo cierto. Fort Bird es un lugar donde se producen situaciones muy embarazosas. Primero Kramer, luego Carbone. Willard quiere dar carpetazo a los dos casos, para ahorrarle sofocos al ejército.

—No puede cerrar el caso Carbone.

—Accidente durante unas maniobras —expliqué—. Tropezó y se golpeó la cabeza.

—¿Cómo?

—Lo está utilizando como una prueba para mí. Estoy con la nueva situación o no estoy.

—¿Y lo está?

No contesté.

—Son órdenes ilegales —dijo Summer—. Han de serlo.

—¿Está usted dispuesta a desafiarlas?

No contestó. La única manera práctica de desafiar órdenes ilegales es desobedecerlas y después correr el riesgo de un consejo de guerra, el cual se convertirá inevitablemente en un mano a mano con un tipo situado más arriba en el escalafón, frente a un juez muy consciente de que el ejército prefiere que las órdenes no se pongan jamás en entredicho.

—Así que no ha pasado nada —solté—. Llévese sus papeles de aquí y piense que nunca ha oído hablar de mí, de Kramer ni de Carbone.

Summer guardó silencio.

—Y hable con los que estuvieron allí anoche. Dígales que olviden lo que vieron.

La teniente bajó los ojos.

—Luego vaya al club de oficiales y espere su próxima tarea.

Alzó la vista y me miró.

—¿Habla en serio? —dijo.

—Completamente. Le estoy dando una orden directa.

Me miró fijamente.

—No es usted el hombre que yo creía.

Asentí.

—Coincido con usted —dije—. No lo soy.

Summer salió, le concedí un minuto para que se marchara del todo y luego cogí los papeles que se había dejado. Había un montón. Encontré el que buscaba y lo leí con atención.

Porque no me gustan las coincidencias.

Vassell y Coomer habían entrado en Fort Bird por la puerta principal a las 18.45 del día de la muerte de Carbone. Habían vuelto a salir a las diez. Tres horas y cuarto, período que incluía la hora del crimen.

O la de cenar.

Cogí el teléfono y llamé al comedor del club de oficiales. Un sargento me dijo que el suboficial al cargo me llamaría. Después telefoneé a la sargento y le pedí que averiguara quién era mi homólogo en Fort Irwin y que me pusiera con él. Entró al cabo de cuatro minutos con un tazón de café para mí.

—Ahora está ocupado —dijo—. Tardará una media hora. Se llama Franz.

—No puede ser —señalé—. Franz está en Panamá. Hablé allí con él en persona.

—El comandante Calvin Franz —aclaró ella—. Es lo que me han dicho.

—Vuelva a llamar —sugerí—. Verifíquelo.

Dejó el café en mi mesa y volvió a su teléfono. Entró de nuevo al cabo de otros cuatro minutos y confirmó que la anterior información era correcta.

—El comandante Calvin Franz —repitió—. Está ahí desde el 29 de diciembre.

Miré el calendario: 5 de enero.

—Y usted está aquí desde el 29 de diciembre —indicó ella.

La miré fijamente.

—Llame a otras bases más —dije—. Sólo las grandes. Empiece con Fort Benning y luego prosiga por orden alfabético. Averigüe los nombres de los oficiales al mando de PM y desde cuándo están ahí.

La sargento asintió y volvió a salir. Me llamó el suboficial del comedor. Le pregunté por Vassell y Coomer. Corroboró que habían cenado allí. Vassell había tomado lenguado y Coomer filete.

—¿Cenaron solos? —pregunté.

—No, señor. Estaban acompañados por varios oficiales de alto rango.

—¿Celebraban algo especial?

—No, señor. Tuvimos la impresión de que era improvisado. Era un grupo curioso. Creo que se conocieron en el bar, tomando aperitivos. Desde luego no habían hecho ninguna reserva.

—¿Cuánto tiempo estuvieron ahí?

—Se sentaron antes de las siete y media y se levantaron justo antes de las diez.

—¿Nadie salió y regresó?

—No, señor. Los estuvimos viendo todo el rato.

—¿Todo el rato?

—Les prestamos mucha atención, señor. Por el rango del general.

Colgué. Acto seguido llamé a la puerta principal. Pregunté quién había visto con sus propios ojos entrar y salir a Vassell y Coomer. Me dieron el nombre de un sargento. Les dije que lo encontraran y que me llamara.

Esperé.

El tío de la puerta fue el primero en telefonear. Confirmó que había estado de servicio toda la noche anterior y que había visto personalmente llegar a Vassell y Coomer a las 18.45 y marcharse a las 22.00.

—¿En qué coche? —inquirí.
—Un sedán grande y negro. Del Estado Mayor del Pentágono.
—¿Grand Marquis?
—Casi seguro, señor.
—¿Llevaban conductor?
—Conducía el coronel —precisó el tipo—. El coronel Coomer, eso es. El general Vassell iba en el asiento del acompañante.
—¿Sólo iban los dos en el coche?
—En efecto, señor.
—¿Está seguro?
—Absolutamente, señor. No hay duda sobre eso. Por la noche utilizamos linternas. Un sedán negro, placas del Departamento de Defensa, dos oficiales delante que mostraron debidamente su identificación, el asiento de atrás vacío.
—Muy bien, gracias —dije, y colgué.
El teléfono volvió a sonar casi de inmediato. Era Calvin Franz, desde California.
—¿Reacher? —dijo—. ¿Qué demonios estás haciendo ahí?
—Podría hacerte la misma pregunta.
Hubo un silencio.
—No tengo ni idea de qué narices estoy haciendo aquí —soltó—. Irwin es un remanso de paz. Me dijeron que suele ser así. Pero hace buen tiempo.
—¿Comprobaste las órdenes?
—Claro —contestó—. ¿Tú no? No me había divertido tanto desde lo de Granada y resulta que ahora estoy mirando las playas del Mojave. Parece que fue idea de Garber. Pensé que quizá se había disgustado conmigo. Ahora no estoy tan seguro de lo que está pasando. Y no es probable que se disgustara con los dos.
—¿Cuáles eran tus órdenes exactamente?
—Interino al mando y adscrito al jefe de la PM.

—¿Está ahí ahora?
—De hecho no. Le mandaron a un destacamento interinamente el mismo día que llegué yo.
—Así que estás actuando como oficial al mando.
—Eso parece —dijo.
—Yo también.
—¿Qué está pasando?
—Ni idea —repuse—. Ya te lo diré si llego a averiguarlo. Pero primero he de hacerte una pregunta. Por aquí me tropecé con un coronel y un general de una estrella que al parecer se dirigían a Fort Irwin para asistir a una reunión de blindados el día de Año Nuevo. Vassell y Coomer. ¿Llegaron a aparecer?
—Esa reunión se canceló —explicó Franz—. Nos enteramos de que su dos estrellas la palmó por ahí. Un tipo llamado Kramer. Por lo visto pensaban que no tenía sentido celebrarla sin él. Quizá no son capaces siquiera de pensar sin ese Kramer. O tal vez están demasiado ocupados peleándose por ver quién asume ahora el mando.
—Entonces, ¿Vassell y Coomer no fueron a California?
—No vinieron a Irwin —precisó Franz—. Eso seguro. Del resto de California no sé nada. Es un estado muy grande.
—¿Quién más tenía que asistir?
—El círculo interno de los blindados. Algunos tienen aquí su base. Otros llegaron y se fueron. Y otros no se presentaron.
—¿Oíste algo sobre el orden del día?
—No tenía por qué. ¿Era importante?
—No lo sé. Vassell y Coomer decían que no había ninguno.
—Ya.
—Es lo que yo suponía.
—Estaré al tanto.
—Feliz Año Nuevo —dije.
Colgué y me quedé inmóvil, devanándome los sesos.

Calvin Franz era un buen tío. De hecho, uno de los mejores. Duro, íntegro, competente como él solo. Nada le apartaba de su camino. Me fui de Panamá contento de saber que él se quedaba. Pero ya no estaba. Ni él ni yo. Entonces ¿quién diablos había?

Me acabé el café, llevé el tazón fuera y lo dejé junto a la máquina. La sargento estaba al teléfono. Garabateaba notas en una hoja. Levantó un dedo como si tuviera que darme una gran noticia. Luego continuó escribiendo. Regresé a mi mesa. Al cabo de cinco minutos entró ella con su hoja de anotaciones. Trece líneas, tres columnas. La tercera columna eran números. Seguramente fechas.

—He llegado hasta Fort Rucker —dijo—. Luego ya me he parado, porque el patrón es muy evidente.

—Cuénteme.

Recitó trece bases de un tirón por orden alfabético. Después pronunció los nombres de los oficiales al mando de sus PM. Yo conocía los trece nombres, entre ellos el de Franz y el mío. A continuación dijo las fechas en que habían sido trasladados. Siempre la misma: 29 de diciembre. Hacía ocho días.

—Recite otra vez los nombres —le dije.

Volvió a leerlos. Asentí. En el pequeño mundo secreto de los PM, si alguien hubiera querido formar un equipo de estrellas y hubiera cavilado largo y tendido sobre ellos toda la noche, habrían salido esos trece nombres. Sin duda. Habrían formado un equipo insuperable. En la selección habría otros diez tíos, pero segurísimo que un par de ellos estarían allí mismo, en los puestos que siguieran en el orden alfabético, y que los otros ocho se hallarían en destinos importantes. Y yo estaba convencido de que todos habían llegado a su destino hacía exactamente ocho días. La fuerza de choque. Prefiero no decir en qué nivel individual del escalafón estaría yo, pero en el plano colectivo, sobre el terreno éramos los mejores policías militares, no cabía ninguna duda.

—Extraño —dije. Y lo era. Cambiar de sitio a tantos individuos concretos el mismo día exigía voluntad y planificación, y hacerlo durante la operación Causa Justa revelaba un motivo urgente. La estancia pareció quedarse en silencio, como si yo estuviera aguzando el oído para escuchar el siguiente paso—. Voy donde los de Delta —dije.

Fui en un Humvee porque no me apetecía andar. No sabía si el gilipollas de Willard había abandonado el puesto y no quería volver a cruzarme en su camino. El centinela me dejó pasar a la vieja cárcel y fui directamente a la oficina del ayudante. Estaba sentado frente a su mesa, con un aspecto más cansado que cuando lo había visto a primera hora de la mañana.

—Fue un accidente durante unas maniobras —dije.

Asintió.

—Eso he oído.

—¿Qué clase de maniobras estaba haciendo? —pregunté.

—Maniobras nocturnas.

—¿Solo?

—Pues entonces deserción.

—¿Sin salir de la base?

—Muy bien, estaba haciendo *footing*. Quemando las calorías de las vacaciones. Lo que sea.

—Necesito que suene creíble —señalé—. Mi nombre saldrá en el informe.

El capitán asintió.

—Pues deje lo del *footing*. No creo que a Carbone le gustara correr. Era más bien una rata de gimnasio. Hay muchos así.

—¿Muchos qué?

Me clavó la mirada.

—Tíos delta —dijo.

—¿Tenía Carbone alguna especialidad?

—Son competentes en todos los campos. Buenos en todo.

—¿Radio, medicina?

—Todos hacen radio. Y todos tienen conocimientos de medicina. Es una salvaguarda. Si alguien es capturado en solitario, puede afirmar que es el médico de la compañía. Esto puede salvarle de una bala en la nuca. Y si los ponen a prueba, pueden demostrar sus conocimientos.

—¿De noche se hace alguna clase de instrucción médica?

El capitán meneó la cabeza.

—No de manera específica.

—¿Podía haber estado verificando equipos de comunicaciones?

—Pudo haber estado revisando algún vehículo —propuso el capitán—. Era bueno con la mecánica. Supongo que tanto como cualquiera de los que se encargan de los camiones de la unidad.

—Muy bien —dije—. ¿Puede que tuviera un reventón y que mientras cambiaba el neumático el vehículo se saliera del gato y le aplastara la cabeza?

—Me suena verosímil —dijo el capitán.

—Terreno irregular, acaso una zona blanda bajo el gato...

—Me suena verosímil —repitió.

—Diré que mis hombres trajeron el camión remolcándolo.

—Vale.

—¿Qué clase de camión era?

—El que usted quiera.

—¿Está por aquí su oficial al mando? —inquirí.

—No. Está de vacaciones.

—¿Quién es?

—No le conoce.

—Póngame a prueba.

—El coronel Brubaker —contestó.

—¿David Brubaker? Le conozco. —Lo que era verdad en parte. Lo conocía por su reputación. Era un viril predicador de las Fuerzas Especiales. Según él, el resto de nosotros ya podíamos plegar nuestras tiendas y volver a casa y aun así el mundo entero estaría suficientemente protegido por sus unidades cuidadosamente seleccionadas. Quizá necesitase algunos escuadrones de helicópteros para transportar a su gente de un sitio a otro. Y bastaría con que quedara abierta una sola oficina del Pentágono para proporcionarle las armas que necesitara.

—¿Cuándo regresará? —pregunté.

—Mañana.

—¿Le ha llamado?

El capitán negó con la cabeza.

—No querrá verse implicado. Y no querrá hablar con usted. Pero en cuanto averigüemos qué clase de accidente fue, haré que revise algunos procedimientos operativos de seguridad.

—Aplastado por un camión —dije—. Eso es lo que sucedió. Debería alegrarle. La seguridad de los vehículos es una sección más corta que la seguridad de las armas.

—¿Dónde?

—En el manual de campaña.

Sonrió.

—Brubaker no utiliza el manual de campaña —aclaró.

—Quiero ver el alojamiento de Carbone —dije.

—¿Para qué?

—He de adecentarlo. Voy a firmar un accidente de camión y no quiero que quede por ahí ningún cabo suelto.

Carbone se había instalado igual que los demás integrantes de su unidad, solo en una de las viejas celdas. Era un espacio de seis por ocho de hormigón pintado, con su lavabo y su retrete. Tenía un catre corriente del ejército, un zapatero y en la pared una estantería larga como la cama. En resumidas cuentas, un alojamiento bastante bueno para un sargento. En el mundo había muchos que lo habrían aceptado sin vacilar.

Summer había hecho colocar la cinta de la policía en la puerta. La quité, la convertí en una bola y me la guardé en el bolsillo. Entré.

El destacamento D de las Fuerzas Especiales es muy distinto del resto del ejército en su enfoque de la disciplina y la uniformidad. Las relaciones entre los rangos son muy informales. Nadie recuerda siquiera cómo se saluda. No se valora el hecho de ser ordenado. El uniforme no es obligatorio. Si uno se siente cómodo con ropa de faena que ya tenía antes, pues se la pone. Si le gustan más las zapatillas de correr New Balance que las botas de combate reglamentarias, pues lleva las zapatillas. Si el ejército compra cuatrocientas mil pistolas Beretta pero el tipo de Delta prefiere la SIG, pues usa la SIG.

Así que Carbone no tenía un armario lleno de uniformes limpios y planchados. No había hileras de camisetas impecables y listas para usar. Tampoco lustrosas botas debajo de la cama. La ropa estaba toda amontonada en las primeras tres cuartas partes de la larga estantería que había sobre el catre. Poca cosa, todo básicamente verde oliva, pero aparte de eso no eran cosas que un oficial corriente de intendencia pudiera identificar. Se veían algunas prendas viejas del extenso vestuario original del ejército para el tiempo frío. Había algunas prendas descoloridas de uniformes de campaña estándar. Nada estaba marcado con insignias de la unidad ni del regimiento. Había también un pañuelo verde. Y algunas viejas camisetas verdes, lavadas tantas veces que eran casi transparentes. Al lado, una correa ALICE pulcramente arrollada. En inglés, ALICE es un acrónimo de Equipo Multiuso de Transporte de Carga Liviana, que así denomina el ejército a un cinturón de fibra sintética del que uno cuelga cosas.

En la parte final de la estantería había una serie de libros y una pequeña foto en color en un marco de latón. Una mujer mayor que se parecía a Carbone. Su madre, seguro. Recordé su tatuaje, hecho trizas por el cuchillo de supervivencia. Un águila sosteniendo un pergamino con la palabra «Madre». Recordé a mi madre, casi empujándonos hasta el estrecho ascensor después de habernos despedido de ella con un largo abrazo.

Me acerqué a los libros.

Había cinco en rústica y uno alto y delgado de tapa dura. Pasé el dedo por los primeros. No reconocí los títulos ni los autores. Todos tenían el lomo agrietado y cóncavo y las páginas con el borde amarillo. Parecían historias de aventuras en que aparecían modelos de aviones o submarinos perdidos. El de tapa dura era una edición de recuerdo de una gira de los Rolling Stones. A juzgar por el tipo de impresión del lomo, tendría unos diez años.

Alcé el colchón de los muelles del catre y miré debajo. Nada. Inspeccioné la cisterna del retrete y debajo del lavabo. Nada. Me dirigí al zapatero. Lo primero que vi al abrirlo fue una chaqueta de piel marrón doblada. Bajo la chaqueta había dos camisas blancas con botones en el cuello y dos vaqueros azules. Estas prendas estaban gastadas y eran suaves, y la chaqueta no era ni cara ni barata. En conjunto constituían el típico atuendo para la noche del sábado de un soldado. Una vez afeitado y duchado, embutirse en trapos civiles, amontonarse en el coche de alguien, cerrar un par de bares, divertirse un poco.

Bajo los pantalones había una cartera. Era pequeña, de piel marrón casi a juego con la chaqueta. Como la ropa de encima, estaba pensada para satisfacer las típicas necesidades de un sábado por la noche. Contenía cuarenta y tres dólares en metálico, lo que alcanzaba para suficientes rondas de cerveza que dieran inicio a la diversión. Dentro también había una credencial militar y un carné de conducir de Carolina del Norte por si la fiesta no terminaba en un jeep de la PM sino en un simple vehículo civil. Y un condón sin abrir, por si el asunto se ponía serio.

Había también la foto de una chica. Quizás una hermana, o una prima, o una amiga. O nadie. Camuflaje, sin duda.

Debajo de la cartera vi una caja de zapatos medio llena de copias de quince por diez. Todas fotos de aficionado de grupos de soldados. El propio Carbone aparecía en algunas. Pequeños grupos de hombres de pie y posando, pasándose recíprocamente los brazos por los hombros. En algunas instantáneas los tíos estaban bajo un sol abrasador e iban sin camisa, luciendo gorritas estrafalarias, entrecerrando los ojos y sonriendo. Unas estaban tomadas en la selva. Otras en calles destruidas y nevadas. Todas exhibían la misma estrecha camaradería. Compañeros de armas fuera de servicio, aún vivos; y felices por ello.

En aquella celda de seis por ocho no había nada más. Nada significativo, nada fuera de lo normal, nada aclaratorio. Nada que pusiera al descubierto su historia, su carácter, sus pasiones o sus intereses. Había vivido su vida en secreto, formal y convencional, con el cuello abotonado, como sus camisas del sábado por la noche.

De regreso al Humvee me encontré cara a cara con el joven sargento bronceado y con barba. Íbamos por el mismo camino y él no iba a apartarse.

—Usted me engañó —me espetó.

—¿Ah sí?

—Sobre lo de Carbone. Al dejarme hablar como lo hice. Acaban de enseñarnos unos papeles interesantes.

—¿Y?

—Estamos pensando en ello.

—No se cansen mucho —dije.

—¿Cree que será divertido? ¿Cree que lo será si averiguamos que fue usted?

—No fui yo.

—Eso dice usted.

Asentí.

—Exacto. Ahora apártese.

—¿Si no, qué?

—Si no le daré una patada en el culo.

Se acercó más.

—¿Cree que puede darme una patada en el culo?

No me moví.

—Usted se está preguntando si le di una patada en el culo a Carbone. Y él seguramente era el doble de soldado que usted.

—Ni siquiera verá cómo le cae —espetó.

No respondí.

—Créame —dijo.

Aparté la vista. Le creí. Si los delta me señalaban con el dedo, ni siquiera vería cómo me caía. Sin lugar a dudas. Pasarían semanas, meses o quizás años a partir de ese momento, hasta que un día me metería en un callejón oscuro y aparecería una sombra y un cuchillo de supervivencia penetraría entre mis costillas, o mi cuello se partiría con un sonoro crujido que resonaría en los muros; y entonces habría acabado todo.

—Dispone de una semana —dijo el tipo.

—¿Para hacer qué?

—Para demostrarnos que no fue usted.

No respondí.

—Usted decide —añadió—. O nos lo demuestra o empiece a hacer la cuenta atrás. Asegúrese de conseguir todas las ambiciones de su vida, pero no empiece a escribir un libro largo.

11

Regresé a mi despacho. Aparqué el Humvee justo delante de la puerta. La sargento del niño pequeño se había ido. Ocupaba su sitio el cabo que yo creía de Luisiana. La cafetera estaba fría y vacía. En mi mesa había dos notas con mensajes. El primero ponía: «Ha llamado el comandante Franz. Por favor, llámele.» El segundo decía: «Le ha llamado el detective Clark.» Telefoneé primero a California.

—¿Reacher? He preguntado por el orden del día de la reunión de Blindados.

—¿Y?

—No había ninguno. Es lo que dicen. Y se atienen a eso.

—¿Pero?

—Pero todos sabemos que siempre hay un orden del día.

—Entonces ¿has llegado a alguna conclusión?

—De hecho no —contestó—. Pero me consta la llegada de un fax de seguridad desde Alemania a última hora del treinta de diciembre y una significativa actividad de la fotocopiadora el treinta y uno por la tarde. Y después, tras saberse las noticias sobre Kramer, el día de Año Nuevo hubo destrucción y quema de papeles. He hablado con el tío de la incineradora. Una bolsa llena de trozos de papel quemado, quizás el equivalente a sesenta hojas.

—¿Cómo es de segura la línea del fax de seguridad?

—¿Cómo de segura quieres que sea?

—Segurísima. Porque todo esto sólo tiene sentido si el orden del día era de veras secreto. Quiero decir «de veras». Y para empezar, si era realmente secreto, ¿lo habrían puesto por escrito?

—Son el XII Cuerpo, Reacher. Han estado cuarenta años viviendo en primera línea. No tienen más que secretos.

—¿Cuánta gente estaba previsto que asistiera a la reunión?

—He hablado con el comedor. Había reservadas quince fiambreras.

—Sesenta hojas, quince personas. Entonces el orden del día era de cuatro hojas.

—Eso parece. Pero se convirtieron en humo.

—No el original enviado por fax desde Alemania —observé.

—Lo habrán quemado allí.

—No; mi hipótesis es que Kramer lo llevaba encima cuando murió.

—Entonces ¿ahora dónde está?

—Nadie lo sabe. Desapareció.

—¿Vale la pena tratar de localizarlo?

—Nadie lo sabe —repetí—. Salvo el tío que lo redactó, pero está muerto. Y Vassell y Coomer. Seguramente lo vieron y colaboraron en todo.

—Vassell y Coomer han regresado a Alemania. Esta mañana. En el primer avión que salía de Dulles. Los del Estado Mayor de aquí estaban hablando de eso.

—¿Conoces a ese Willard, el nuevo? —le pregunté.

—No.

—No lo intentes. Es un capullo.

—Gracias por el aviso. ¿Qué hemos hecho para merecerle?

—Ni idea. —Colgué y llamé al número de Virginia y pregunté por el detective Clark. Me quedé a la espera. Acto seguido oí un chasquido, unos breves sonidos de comisaría y una voz al otro lado.

—Clark —dijo.

—Reacher —dije—. Ejército de Estados Unidos, en Fort Bird. ¿Me quería para algo?

—Por lo que recuerdo, me quería usted a mí —corrigió Clark—. Quería un informe sobre la marcha de la investigación. Pero no hay todavía ningún avance. Aquí estamos frente a una pared de ladrillos. De hecho, necesitamos ayuda.

—No hay nada que yo pueda hacer. Es su caso.

—Ojalá no lo fuera —señaló.

—¿Qué ha averiguado?

—Muchas cosas insignificantes. El asesino entró y salió sin tocar casi nada. Guantes, evidentemente. En el suelo había una ligera escarcha. Del camino de entrada y del sendero hemos conseguido un poco de arenilla, pero nada que se parezca a una huella de pisada.

—¿Los vecinos vieron algo?

—La mayoría estaban fuera o borrachos. Era Nochevieja. He mandado a algunos hombres calle arriba y abajo a sondear, pero de momento no hay nada que me llame la atención. Había algunos coches, pero en Nochevieja los habría habido igualmente, con gente yendo de una fiesta a otra.

—¿Y huellas de neumático en el camino de entrada?

—Nada significativo.

Me quedé callado.

—La víctima fue golpeada con una barra de hierro —dijo Clark—. Seguramente la misma herramienta utilizada para abrir la puerta.

—Me lo figuraba.

—Después de la agresión, el autor la limpió en la alfombra y a continuación la aclaró en el fregadero de la cocina. Hemos encontrado restos en la tubería. Pero ninguna huella en el grifo. Guantes otra vez.

No respondí.

—No tenemos mucho más —señaló Clark—. No es añadir mucho que su general jamás vivió realmente ahí.

—¿Cómo?

—Desde un punto de vista forense nos esforzamos al máximo. Sacamos huellas de toda la casa, recogimos cabellos y fibras de todas partes, incluido el fregadero, la ducha y los grifos, como le he dicho. Todo pertenecía a la víctima excepto un par de marcas perdidas. Bingo, pensamos, pero según la base de datos eran de su marido. Y la proporción entre las de uno y otro da a entender que él apenas pisó la casa durante los últimos cinco años o así. ¿Es normal?

—Se quedaría mucho tiempo en su puesto —comenté—. Aunque debería haber ido a casa de vacaciones cada año. Pero ese matrimonio no iba muy bien.

—En casos así, la gente va y se divorcia —observó Clark—. Quiero decir, no hay ningún impedimento ni siquiera para un general, ¿verdad?

—No que yo sepa. Ya no.

Entonces Clark guardó silencio unos instantes. Pensando.

—¿Tan malo era el matrimonio? —preguntó—. ¿Hasta el punto de que debamos pensar en el marido como sospechoso?

—Las horas no cuadran —precisé—. Cuando sucedió, él estaba muerto.

—¿Había dinero de por medio?

—Es una casa bonita —dije—. Seguramente de ella.

—¿Y un sicario? Pudo haberse preparado todo de antemano.

Ahora Clark estaba realmente agarrándose a un clavo ardiendo.

—Lo habría preparado todo cuando estaba en Alemania.

Clark no replicó.

—¿Quién le ha llamado preguntándole por el informe sobre la marcha del asunto? —inquirí.

—Usted —contestó—. Hace una hora.

—No recuerdo haberlo hecho.

—Usted personalmente no —puntualizó—. Su gente. La chavala menuda, negra, que conocí en el lugar del crimen. Su teniente. Yo estaba demasiado atareado para hablar y ella me dejó el número, pero lo habré extraviado. Así que he llamado al que usted me dio en su día. ¿He hecho mal?

—No —dije—. Lo ha hecho muy bien. Lamento no poder ayudarle.

Colgamos. Me quedé inmóvil unos momentos y luego llamé al cabo por el interfono.

—Diga a la teniente Summer que venga a verme.

Summer compareció al cabo de diez minutos, en uniforme de campaña. Por su cara y su lenguaje corporal reparé en que me tenía un poco de miedo y a la vez también me despreciaba un poco. Le dije que se sentara y empecé sin rodeos.

—Ha llamado el detective Clark —dije.

Ella no abrió la boca.

—Ha desobedecido usted una orden directa —dije.

No contestó.

—¿Por qué? —inquirí.

—¿Por qué me dio la orden?

—¿Por qué cree?

—Porque está usted bailando al compás que le marca Willard.

—Es el oficial al mando —le recordé—. Es un buen compás para bailar.

—No estoy de acuerdo.

—Summer, esto es el ejército. Uno no obedece las órdenes sólo si está de acuerdo con ellas.

—Tampoco tapamos cosas sólo porque nos ordenen hacerlo —replicó.

—Sí lo hacemos —objeté—. Lo hacemos continuamente. Tenemos que hacerlo.

—Pues no deberíamos.

—Vaya, ¿quién la ha nombrado jefe del Estado Mayor?

—No es justo para Carbone y la señora Kramer —indicó—. Son víctimas inocentes.

Hice una pausa.

—¿Por qué ha empezado por la señora Kramer? ¿La considera más importante que Carbone?

Summer negó con la cabeza.

—No he comenzado por la señora Kramer. Primero me he ocupado de Carbone. He repasado los registros de la entrada y he marcado quién estaba aquí y quién no a aquella hora.

—Usted me dio aquellos papeles.

—Primero hice una copia.

—Es usted una idiota —solté.

—¿Por qué? ¿Porque no soy cobarde?

—¿Cuántos años tiene?

—Veinticinco.

—Muy bien —dije—. O sea que el año que viene cumplirá veintiséis. Será una mujer negra de veintiséis años dada de baja con deshonor del único trabajo que ha tenido. Entretanto, el mercado civil del empleo estará inundado debido a la reducción de efectivos militares y usted se encontrará compitiendo con gente que tiene el pecho a rebosar de medallas y los bolsillos llenos de cartas de recomendación. Entonces ¿qué va a hacer? ¿Morirse de hambre? ¿Ir a pedir trabajo al local de *striptease* de Sin?

Summer no respondió.

—Tenía que habérmelo dejado a mí —dije.

—Usted no iba a hacer nada.

—Me alegra que piense eso —solté—. Ése era el plan.

—¿Cómo?

—Voy a enfrentarme con Willard —expliqué—. O él o yo.

Guardó silencio.

—Trabajo para el ejército —proseguí—, no para Willard. Creo en el ejército. No creo en Willard. No voy a dejar que él lo estropee todo.

Summer siguió callada.

—Le dije que no me convirtiera en su enemigo. Pero él no me escuchó.

—Un paso importante —señaló ella.

—Un paso que ya dio usted —le recordé.

—¿Por qué quería dejarme fuera?

—Porque si las cosas vienen mal dadas no quiero arrastrar a nadie conmigo.

—¿Estaba usted protegiéndome?

Asentí.

—Pues no lo haga —soltó—. Sé pensar por mi cuenta.

No respondí.

—¿Cuántos años tiene usted? —preguntó.

—Veintinueve.

—O sea que el año que viene cumplirá treinta. Será un hombre blanco de treinta años dado de baja con deshonor del único trabajo que ha tenido. Y mientras yo soy lo bastante joven para comenzar de nuevo, usted no. Usted está marcado por su estancia en esta institución, carece de habilidades sociales, nunca ha estado en el mundo civil y no sabe hacer nada. Así que quizá debería ser usted quien se quedara cruzado de brazos, no yo.

No respondí.

—Usted debería haber destapado todo el asunto —me reprochó.

—Es una decisión personal —dije.

—Yo también he tomado mi decisión —dijo ella—. Me parece que ahora ya lo sabe. Es como si el detective Clark me hubiera denunciado sin querer.

—Eso es exactamente lo que quiero decir —solté—. Una simple llamada y usted se va a la calle. Esto es un deporte de riesgo.

—Y yo lo voy a practicar con usted, Reacher. Así que póngame al tanto.

Al cabo de cinco minutos supo todo lo que yo sabía. Todas las preguntas, ninguna respuesta.

—La firma de Garber es una falsificación —dijo.

Asentí.

—¿Y qué pasa con la de Carbone en la denuncia? ¿También falsa?

—Tal vez —dije. Cogí del cajón la copia que me había dado Willard. La alisé sobre el cartapacio y se la tendí a Summer. Ella la dobló cuidadosamente y se la guardó en el bolsillo.

—Haré que verifiquen la letra —dijo—. Es más fácil para mí que para usted.

—Ahora ya no hay nada fácil para ninguno de los dos —observé—. Ha de tener muy claro lo que está haciendo.

—Lo tengo —dijo—. Hay que llegar al fondo del asunto.

Guardé silencio un minuto, tan sólo mirándola. Summer esbozaba una ligera sonrisa. Era muy fuerte. No obstante, había crecido pobre en una casucha de Alabama con iglesias ardiendo y explosiones alrededor. Pensé que guardarle las espaldas frente a Willard y un grupo de vigilantes delta supondría una especie de progreso en su vida.

—Gracias —dije—. Por estar de mi parte.

—Yo no estoy de su parte —corrigió—. Usted está de la mía.

Sonó el teléfono. Era el cabo de Luisiana, que llamaba desde la mesa de fuera.

—La policía estatal al teléfono —dijo—. Preguntan por un oficial de guardia. ¿Quiere contestar?

—La verdad es que no. Pero es mejor que lo haga, supongo.

Se oyó un clic, pareció que la comunicación se había cortado, y luego otro clic. A continuación alguien habló para comunicar que un agente que patrullaba por la I-95 había encontrado abandonado un maletín de lona verde en el arcén de la autopista. Dijo que dentro había una cartera que identificaba a su propietario como el general Kenneth R. Kramer. Precisó que llamaba a Fort Bird porque había calculado que era la instalación militar más próxima al lugar donde había sido hallado el maletín. Y también para decirme dónde guardarían el maletín por si yo tenía interés en mandar a alguien a recogerlo.

12

Conducía Summer. Habíamos cogido el Humvee que yo había aparcado junto al bordillo. No queríamos perder tiempo pidiendo un sedán. Pero el Humvee le cortaba la inspiración a la teniente. Son vehículos grandes y lentos ideales para montones de cosas, entre las que no se cuenta recorrer carreteras asfaltadas. Al volante Summer parecía diminuta. Era un vehículo muy ruidoso; el motor resonaba y los neumáticos gemían con desespero. Eran las cuatro de un día desapacible y empezaba a oscurecer.

Fuimos hacia el norte, pasamos frente al motel de Kramer y giramos al este, por el cruce en trébol, y luego pusimos otra vez rumbo norte por la misma I-95. Recorrimos veinticinco kilómetros, dejamos atrás una área de descanso y empezamos a buscar el edificio de la policía estatal. Lo encontramos al cabo de otros veinte kilómetros. Era una estructura de ladrillo, larga y de poca altura, de una planta, con el tejado a rebosar de antenas repetidoras de radio. Aparentaba unos cuarenta años. El ladrillo era de un marrón apagado; imposible saber si, inicialmente amarillo, se había decolorado por el sol, o si, en principio blanco, lo había ido oscureciendo el humo de los coches. En letras metálicas estilo *art déco* que abarcaban toda la fachada se leía: POLICÍA ESTATAL DE CAROLINA DEL NORTE.

Nos arrimamos y aparcamos delante de unas puertas de cristal. Summer apagó el motor y nos quedamos sentados un instante. Luego bajamos. Atravesamos una acera estrecha, tiramos de las puertas y entramos. Era una típica instalación policial, funcional y con un suelo de linóleo que era abrillantado todas las noches tanto si hacía falta como si no. En las paredes se apreciaban varias capas de pintura aplicada directamente a los bloques de hormigón. Olía ligeramente a sudor, tabaco y café pasado.

Tras el mostrador había un sargento de guardia. Nosotros íbamos en uniforme de campaña y el Humvee era visible a nuestra espalda, por lo que el hombre no pidió que nos identificáramos ni preguntó qué queríamos. Tampoco hizo conjeturas sobre por qué el general Kramer no había acudido en persona. Tan sólo me echó una mirada, se demoró algo más en Summer y a continuación se inclinó tras el mostrador y sacó el maletín. Estaba en una bolsa de plástico transparente. No una de esas para pruebas judiciales sino una especie de bolsa de la compra, con el logotipo de unos grandes almacenes estampado en rojo.

El maletín hacía juego en todo con el portatrajes de Kramer. El mismo diseño, el mismo color, los mismos años, el mismo grado de desgaste, sin monograma. Lo abrí y miré dentro. Había una cartera. Billetes de avión. Un pasaporte. También un itinerario de tres hojas sujetas con un clip. Y un libro de tapa dura.

No había ningún orden del día.

Volví a cerrarlo y lo dejé sobre el mostrador. Perfectamente alineado con el borde. Me sentía decepcionado pero no sorprendido.

—¿Estaba en la bolsa de plástico cuando lo encontró el agente? —pregunté.

—Yo mismo lo metí en la bolsa —explicó—. Para que no se manchara. No sabía si ustedes vendrían enseguida.

—¿Dónde fue hallado exactamente? —inquirí.

Hizo una breve pausa, apartó la vista de Summer y fue bajando la yema de un grueso dedo por un libro que tenía sobre la mesa y a lo largo de una línea de códigos de indicadores de distancia. Acto seguido se volvió y llevó el mismo dedo a un mapa. Era un mapa largo y estrecho, a gran escala, del tramo de la I-95 que atravesaba Carolina del Norte. En él se apreciaba cada kilómetro de la autopista, desde donde entraba procedente de Carolina del Sur hasta que salía hacia Virginia. El dedo se mantuvo inmóvil en el aire un segundo y bajó con decisión.

—Aquí —dijo—. En el arcén derecho, un kilómetro y medio después del área de descanso, unos dieciocho kilómetros al sur de donde nos encontramos ahora mismo.

—¿Hay modo de saber cuánto tiempo estuvo allí?

—Pues no —repuso—. No nos dedicamos propiamente a buscar basura en los arcenes. Podría llevar allí un mes.

—Entonces ¿cómo lo vieron?

—Por una parada rutinaria. El agente simplemente lo vio allí cuando volvía a su vehículo desde el coche que había hecho parar.

—¿Cuándo fue exactamente?

—Hoy —respondió el hombre—. Al inicio de la segunda guardia. Poco después del mediodía.

—No estuvo allí un mes —señalé.

—¿Cuándo lo perdió?

—En Nochevieja —precisé.

—¿Dónde?

—Se lo robaron en el lugar donde se alojaba.

—¿Dónde se alojaba?

—En un motel a unos cincuenta kilómetros al sur de aquí.

—Así que los malos iban hacia el norte.

—Supongo —dije.

El tipo me miró como pidiendo permiso y luego cogió el maletín y lo observó como si fuera un experto y aquello fuera una pieza poco común. Lo puso frente a la luz y lo examinó desde todos los ángulos.

—Enero —dijo—. Estamos teniendo poco rocío nocturno y hace suficiente frío para que nos preocupe el hielo. Así que echamos sal. En esta época del año, en el arcén de la autopista las cosas envejecen rápido. Este maletín parece gastado, pero no muy deteriorado. Tiene arenilla en la trama de la lona, pero no mucha. No estuvo allí desde Nochevieja, eso segurísimo. Menos de veinticuatro horas, diría yo. Máximo una noche.

—¿Está seguro? —preguntó Summer.

El tipo meneó la cabeza y dejó el maletín sobre el mostrador.

—Es sólo una conjetura.

—Muy bien —dije—. Gracias.

—Tiene que firmar el recibo.

Asentí. El recepcionista hizo girar el libro mayor, que empujó hacia mí. Encima de mi bolsillo derecho. Se leía «Reacher» en un distintivo de segundo orden, pero supuse que el tipo no se había fijado demasiado. Había pasado la mayor parte del tiempo observando los bolsillos de Summer. Garabateé «K. Kramer» en la línea correspondiente del libro, cogí el maletín y me di la vuelta.

—Un robo curioso —comentó el sargento—. En la cartera hay una tarjeta American Express y dinero en efectivo. Hicimos inventario del contenido.

No contesté. Cruzamos las puertas y regresamos al Humvee.

Summer esperó a que se aligerara el tráfico, y en cuanto pudo atravesó los tres carriles y saltó directamente a la mediana de hierba mullida. Bajó por una pendiente y a través de una zanja de desagüe llegó al otro lado. Paró un momento, miró por el retrovisor y luego se incorporó a la carretera rumbo al sur. Para esas cosas sí servía el Humvee.

—A ver qué le parece esto —dijo—. Anoche Vassell y Coomer abandonan Bird a las diez con el maletín. Se dirigen al norte, a Dulles o D.C. Sacan el orden del día y tiran el maletín por la ventanilla.

—Todo el tiempo que pasaron en Bird estuvieron en el bar o en el comedor.

—Pues se lo dio uno de sus compañeros de mesa. Deberíamos averiguar con quién cenaron. Tal vez estaba una de las mujeres de la lista de los Humvee.

—Todas tenían coartada.

—Sólo superficialmente. Las fiestas de Nochevieja son bastante caóticas.

Miré por la ventanilla. La tarde iba tocando a su fin. Empezaba a anochecer. El mundo parecía oscuro y frío.

—Cien kilómetros —dije—. Encontraron el maletín a cien kilómetros al norte de Bird. Eso es una hora. Habrían cogido el orden del día y se habrían deshecho del maletín antes.

Summer no replicó.

—Se habrían parado en el área de descanso —proseguí— para dejarlo en un contenedor de basura. Eso habría sido más seguro. Arrojar un maletín por la ventanilla de un coche llama mucho la atención.

—Quizás en realidad no existía ningún orden del día.

—Sería la primera vez en la historia militar.

—Entonces quizá no era realmente importante —observó ella.

—En Irwin pidieron fiambreras. Generales de una y dos estrellas y coroneles tenían intención de trabajar a la hora del almuerzo. Eso también sería la primera vez en la historia militar. Créame, Summer, había una reunión importante.

Ella no respondió.

—Vuelva a hacer el cambio de sentido —indiqué—. A través de la mediana. Quiero echar un vistazo en ese área de descanso.

El área de descanso era igual a las de la mayoría de interestatales. Las autopistas que van en dirección norte y sur se separan para dejar en la mediana una isla larga y gruesa. Las instalaciones son compartidas por los viajeros de ambas direcciones. Por tanto, tienen dos partes delanteras, ninguna trasera. Son de ladrillo y alrededor tienen arriates aletargados y árboles enclenques. Hay surtidores de gasolina y plazas de aparcamiento en batería.

El lugar no estaba muy concurrido ni del todo tranquilo. Se acababan las vacaciones. Las familias regresaban penosamente a casa, vuelta al trabajo y al colegio. El aparcamiento estaba ocupado más o menos en una tercera parte. La distribución de los coches era curiosa. Habían cogido el primer espacio libre que habían visto en vez de arriesgarse a ir algo más lejos, aunque así habrían quedado más cerca de la comida y los servicios. Quizás estaba en la naturaleza humana. Una especie de inseguridad innata.

Delante de la entrada principal del complejo había una pequeña plaza semicircular. Alcancé a ver en el interior brillantes rótulos de neón en los puestos de comida. Fuera había seis cubos de basura bastante cerca de las puertas, así como bastante gente pululando por los alrededores.

—Demasiado personal —dijo Summer—. No se puede hacer nada.

Asentí de nuevo.

—Lo mandaría todo a paseo si no fuera por la señora Kramer —añadió.

—Carbone es más importante. Debemos establecer prioridades.

—Es como si estuviéramos dándonos por vencidos.

Salimos del área de descanso en dirección norte y Summer realizó otra vez su maniobra a través de la mediana y puso rumbo sur. Para el camino de vuelta me instalé todo lo cómodo que uno se puede instalar en un vehículo militar. A mi izquierda se desplegaba la oscuridad. Al oeste, a mi derecha, había una vaga puesta de sol. La calzada parecía mojada. Por lo visto, a Summer no le preocupaba la posibilidad de que hubiera hielo.

Durante los primeros veinte minutos no hice nada. Después encendí la luz del techo y rebusqué concienzudamente en el maletín de Kramer. No esperaba encontrar nada, y así fue. El pasaporte era corriente, de siete años. Él tenía mejor aspecto en la foto que muerto en el motel, pero tampoco había tanta diferencia. El pasaporte tenía montones de sellos de entrada y salida de Alemania y Bélgica. El futuro campo de batalla y el cuartel general de la OTAN, respectivamente. No había estado en ninguna otra parte. Era un auténtico especialista. Durante al menos siete años se había concentrado exclusivamente en el mundillo de los más recientes y sofisticados carros de combate y su estructura de mando.

Los billetes de avión eran exactamente lo que Garber había predicho. De Francfort al aeropuerto internacional Dulles, y del Washington National a Los Ángeles, todos de ida y vuelta. Todos de clase turista y con descuento del gobierno, reservados tres días antes de la primera fecha de salida.

El itinerario se correspondía exactamente con las especificaciones de los billetes. Había asignaciones de asientos. Al parecer, Kramer prefería el pasillo. Quizá la edad le afectaba a la vejiga. Había una reserva de una habitación individual en el Cuartel de Oficiales de Visita de Fort Irwin, al que nunca llegó.

La cartera contenía treinta y siete dólares americanos y sesenta y siete marcos alemanes, todos en billetes pequeños mezclados. La tarjeta de crédito era el típico plástico verde y caducaba en el plazo de un año y medio. Según constaba, había tenido una desde 1964. Calculé que para un oficial del ejército eso era muy pronto. En aquella época, la mayoría funcionaba con dinero en metálico y vales militares. Desde el punto de vista económico, seguramente Kramer había sido un tipo con recursos.

Había también un carné de conducir de Virginia. Kramer había utilizado Green Valley como dirección habitual pese a que apenas pasaba tiempo allí. Vi una credencial militar estándar. Y tras un plástico, una foto de la señora Kramer en una versión mucho más joven de la mujer que yo había visto muerta en el pasillo de su casa. La foto tenía al menos veinte años. Había sido bonita. Con un largo cabello castaño pese a que con el tiempo la foto se había decolorado.

En la cartera no había nada más. Ni recetas, ni cuentas de restaurante, ni resguardos de la American Express, ni números de teléfono ni papelitos. No me extrañó. Los generales son a menudo gente ordenada y organizada. Han de tener talento para el combate pero también para la burocracia. Supuse que el despacho, la mesa y la residencia de Kramer serían igual que su cartera. Contendrían todo lo que necesitaba y nada que no necesitara.

El libro de tapa dura era una monografía académica de una universidad del Medio Oeste sobre la batalla de Kursk, en julio de 1943. Fue la última gran ofensiva de la Alemania nazi en la Segunda Guerra Mundial y su primera derrota importante en un enfrentamiento abierto. Acabó siendo la mayor batalla de tanques que se había visto, y se vería jamás, en la historia, a menos que con el tiempo tipos como el propio Kramer se vuelvan unos inconscientes. No me extrañó su elección de material de lectura. Seguramente una parte de él temía que lo más cerca que iba a estar nunca de una acción verdaderamente catastrófica sería leyendo sobre los centenares de Tigers, Panzers y T-34 girando y rugiendo a través del sofocante polvo estival tantos años atrás.

En el maletín no había nada más. Sólo unos trocitos sucios de papel atrapados en las juntas. Al parecer Kramer era de esos que vacían el maletín poniéndolo del revés y agitándolo cada vez que necesitan llenarlo antes de emprender un viaje. Lo coloqué otra vez todo dentro, abroché las pequeñas correas y lo dejé en el suelo, a mis pies.

—Hable con el tipo del comedor —dije—. Averigüe quién estaba en la mesa con Vassell y Coomer.

—De acuerdo —dijo Summer. Y siguió conduciendo.

Llegamos a Bird a tiempo para cenar. Comimos en el club de oficiales con un grupo de colegas de la PM. Si Willard tenía entre ellos algún espía, éste no vería nada salvo un par de oficiales agotados que no hacían nada especial. Pero entre plato y plato Summer se escabulló y regresó con noticias reflejadas en su semblante. Me tomé el postre y el café lo bastante despacio para que nadie sospechara que tenía nada urgente que hacer. Acto seguido, me puse en pie y salí como si tal cosa. Esperé en la acera. Al cabo de cinco minutos apareció Summer. Sonreí. Era como si tuviéramos una aventura secreta.

—Sólo una mujer cenó con Vassell y Coomer —anunció.

—¿Quién? —pregunté.

—La teniente coronel Andrea Norton.

—¿La de Operaciones Psicológicas?

—La misma.

—¿No estaba en una fiesta?

Summer torció el gesto.

—Ya sabe cómo son esas fiestas de Nochevieja. Un bar de la ciudad, decenas de personas entrando y saliendo todo el rato, ruido, confusión, copas, gente desapareciendo de dos en dos. Pudo escurrirse.

—¿Dónde queda el bar?

—A treinta minutos del motel.

—En ese caso tuvo que estar fuera al menos una hora.

—Es posible.

—¿No estaba en el bar a medianoche? ¿Cogida de manos y cantando *Auld Lang Syne*? Quien estuviera a su lado podría confirmarlo.

—La gente dice que ella estaba allí. Pero en todo caso a esa hora ya podría haber vuelto. El chico del motel dijo que el Humvee se marchó a las once veinticinco. Regresó y le sobraron cinco minutos. Parecería todo normal. Todo el mundo sale de quién sabe dónde para la cuenta atrás de bienvenida al nuevo año. De alguna manera la fiesta vuelve a empezar.

No dije palabra.

—Ella habría cogido el maletín para hacer limpieza. Acaso dentro estuviera su número de teléfono, o el nombre o alguna foto. O un diario. No quería escándalos. Pero en cuanto hubo terminado ya no lo necesitaba para nada. Habría estado contenta de devolverlo si se lo hubieran pedido.

—¿Cómo iban a saber Vassell y Coomer a quién pedírselo?

—Es difícil ocultar una aventura larga en esta pecera.

—No tiene lógica —repuse—. Si la gente sabía lo de Kramer y Norton, ¿por qué alguien fue a la casa de Virginia?

—Muy bien, tal vez no se sabía. Quizá sólo era una de tantas posibilidades. Puede que una al final de la lista. Tal vez pensaran que era algo acabado.

Asentí.

—¿Qué puede contarnos ella?

—Puede confirmarnos que anoche Vassell y Coomer lo organizaron todo para hacerse con el maletín. Eso demostraría que lo estaban buscando, lo cual los delata con respecto a la señora Kramer.

—Desde el hotel no hicieron llamadas y no tuvieron tiempo de ir a Virginia. Así que no veo qué los iba a delatar. ¿Qué más?

—Podemos comprobar qué pasó con el orden del día.

Y saber que Vassell y Coomer lo han devuelto. De este modo al menos el ejército podrá quedarse tranquilo porque sabremos con seguridad que ningún periodista va a airear ninguna mierda.

Asentí.

—Y quizá Norton lo vio —añadió Summer—. Y quizá lo leyó. A lo mejor podría contarnos de qué va todo esto.

—Suena tentador.

—Sin duda lo es.

—¿Podemos ir y preguntarle sin más?

—Usted es de la 110. Puede preguntar a cualquiera lo que quiera.

—Debo mantenerme bajo el radar de Willard.

—Norton no sabe que usted lo sabe.

—Sí lo sabe. Él habló con ella después de lo de Carbone.

—Aun así, creo que hemos de hablar con ella —insistió.

—Va a ser una charla difícil —señalé—. Es probable que se sienta ofendida.

—Sólo si lo hacemos mal.

—¿Cuántas posibilidades tenemos de hacerlo bien?

—Podríamos manipular la situación. Habrá el factor azoramiento. Ella no querrá que esto trascienda.

—No podemos presionarla tanto que acabe llamando a Willard —objeté.

—¿Tiene miedo de él?

—Tengo miedo de lo que puede hacernos en el aspecto burocrático. Que a los dos nos trasladen a Alaska no mejorará las cosas.

—Pues le toca salir a escena. No tiene opción.

Guardé silencio. Recordé el libro de Kramer. Esto era como el 13 de julio de 1943, el día crucial de la batalla de Kursk. Nosotros éramos como Alexander Vasilevsky, el general soviético. Si atacábamos ahora, en este preciso instante, deberíamos seguir adelante hasta que el enemigo pusiera pies en polvorosa y perdiese así la guerra. Si nos quedábamos atascados, nos superarían otra vez.

—Muy bien —dije—. En marcha.

Encontramos a Andrea Norton en el salón del club de oficiales y le pregunté si podía concedernos un minuto en su despacho. Se mostró un poco desconcertada. Le dije que era un asunto confidencial. Pareció más desconcertada. Willard le había dicho que el de Carbone era un caso cerrado, y ella no alcanzaba a imaginar de qué querríamos hablarle. Pero accedió. Nos dijo que estaría con nosotros en media hora.

Summer y yo pasamos los treinta minutos en mi despacho con la lista de los que estaban en la base y los que no en el momento de la muerte de Carbone. La teniente tenía metros de papel de impresora pulcramente doblado en una especie de acordeón de dos o tres centímetros de grosor. En cada línea había un nombre, un rango y un número en tinta pálida de matriz de puntos. Casi todos los nombres tenían al lado una marca de comprobación.

—¿Qué significan las marcas? —pregunté—. ¿Presente o no presente?

—Presente —repuso.

Asentí. Me lo temía. Pasé el pulgar por el acordeón.

—¿Cuántos? —inquirí.

—Casi mil doscientos.

Asentí de nuevo. No había nada intrínsecamente difícil en ir reduciendo los mil doscientos nombres hasta encontrar al culpable. Los archivos policiales de todas partes están llenos de listas de sospechosos más largas aún. En Corea hubo casos en que todos los efectivos militares de Estados Unidos habían caído bajo sospecha. Pero esos casos requieren recursos humanos ilimitados, plantillas numerosas, medios inagotables. Y la absoluta colaboración de todos. No pueden resolverlos dos personas solas en secreto, a espaldas del oficial al mando.

—Es imposible —dije.

—No hay nada imposible —señaló Summer.

—Tenemos que tomar otro camino.

—¿Cómo?

—¿Qué llevó el culpable al escenario del crimen?

—Nada.

—Se equivoca —observé—. Para empezar, se llevó a sí mismo.

Summer se encogió de hombros. Pasó los dedos por los bordes plegados del papel. El montón engordó y luego adelgazó mientras el aire suspiraba entre las páginas.

—Elija un nombre —dijo ella.

—Y un cuchillo de supervivencia —añadí.

—Mil doscientos nombres, mil doscientos cuchillos.

—Y una barra de hierro o una palanca para neumáticos.

Summer asintió.

—Y yogur —concluí.

Se quedó callada.

—Cuatro cosas —resumí—. Él mismo, un cuchillo de supervivencia, un objeto contundente y yogur. ¿De dónde sacó el yogur?

—Del frigorífico de su cuartel. O de un comedor, o de una cantina, o del economato, o de un supermercado, una charcutería o una tienda de ultramarinos fuera de la base.

Me representé mentalmente a un hombre respirando con dificultad, andando deprisa, tal vez sudando, en la mano derecha un cuchillo ensangrentado y una barra de hierro y en la izquierda un bote vacío de yogur, trastabillando en la oscuridad, aproximándose a los edificios de la base, deshaciéndose del bote, guardándose el cuchillo en el bolsillo, ocultando la barra dentro del abrigo.

—Deberíamos rastrear el terreno —sugerí.

Summer no dijo nada.

—Seguramente tiró el bote de yogur —agregué—. No cerca del lugar del crimen, pero tampoco lejos.

—¿Y de qué nos servirá encontrarlo?

—Tendrá algún tipo de código impreso. La fecha de caducidad y cosas así. Podría conducirnos al lugar de donde salió. —Hice una pausa—. Y puede que tenga huellas —agregué.

—¿No cree que llevaba guantes?

Meneé la cabeza.

—He visto a mucha gente abrir yogures, pero nunca a nadie hacerlo con guantes.

—La base tiene cincuenta mil hectáreas.

—Bueno, sólo sería en los alrededores del lugar del crimen. En condiciones normales, un par de llamadas telefónicas habrían servido para tener a todos los veteranos del puesto alineados, de rodillas y con un metro de separación, arrastrándose lentamente como un peine humano gigante, registrando el suelo centímetro a centímetro. Y de nuevo al día siguiente, y al otro, hasta que alguno hallara lo que buscábamos. Con recursos humanos como los que tiene el ejército, uno puede encontrar una aguja en un pajar. Puede encontrar las dos mitades de una aguja partida. Incluso el minúsculo trocito de cromo que se desprendiera en la rotura.

Summer miró el reloj de pared.

—Han pasado los treinta minutos —dijo.

Fuimos a Operaciones Psicológicas en el Humvee, que aparcamos en una plaza seguramente reservada. Eran las nueve. Summer apagó el motor y salimos al aire frío.

Yo llevaba el maletín de Kramer.

Atravesamos los viejos pasillos embaldosados hasta llegar al despacho de Norton. Había luz dentro. Llamé y entramos. Norton se hallaba sentada tras su escritorio. Todos los libros de texto, colocados en los estantes. No se veían blocs, bolígrafos ni lápices. La mesa estaba despejada. La luz de la lámpara formaba un círculo perfecto en la madera vacía. Había tres sillas para visitas. La teniente coronel las indicó con un gesto. Summer se sentó en la de la derecha y yo en la de la izquierda. Dejé el maletín en la del centro, delante de Norton, como un convidado de piedra. Ella no lo miró.

—¿En qué puedo ayudarles? —preguntó.

Me entretuve en ajustar la posición del maletín para que quedara totalmente recto en la silla.

—Háblenos de la cena de anoche —dije.

—¿Qué cena?

—Usted cenó con algunos miembros del Estado Mayor de Blindados que estaban de visita.

Asintió.

—Vassell y Coomer —confirmó—. ¿Y?

—Trabajaban para el general Kramer.

—Eso creo.

—Háblenos de la comida.

—¿Del menú?

—Del ambiente —precisé—. La conversación. El estado de ánimo.

—Fue sólo una cena en el club de oficiales —dijo.

—Alguien entregó a Vassell y Coomer un maletín.

—¿Ah sí? ¿Qué era? ¿Un regalo?

No contesté.

—No lo recuerdo —añadió—. ¿Cuándo fue?

—Durante la cena —contesté—. O cuando ya se marchaban.

Un silencio.

—¿Un maletín? —repitió Norton.

—¿Fue usted? —preguntó Summer.

Norton la miró como si no comprendiera. O estaba desconcertada de veras o era una estupenda actriz.

—Si fui yo... ¿quién?

—Quien les dio el maletín.

—¿Por qué debería darles yo ningún maletín? Apenas les conocía.

—¿Hasta qué punto les conocía?

—Hace años me crucé con ellos un par de veces.

—¿En Fort Irwin?

—Creo que sí.

—¿Por qué cenó usted con ellos?

—Yo estaba allí. Me invitaron y habría sido descortés rehusar.

—¿Sabía usted que ellos venían? —inquirí.

—No. No tenía ni idea. Me sorprendió que no estuvieran en Alemania.

—Así que les conocía lo suficiente para saber dónde estaban destinados.

—Kramer era un comandante de la División de Blindados en Europa. Ellos dos eran sus colegas del Estado Mayor. No me habría pasado por la cabeza que su base estuviera en Hawai.

Silencio. Observé los ojos de Norton. Apenas había mirado el maletín medio segundo.

—¿Qué significa todo esto? —preguntó ella.

—Cuéntemelo usted —repuse, y señalé el maletín—. Era del general Kramer. Lo perdió en Nochevieja y hoy ha vuelto a aparecer. Estamos intentando descubrir dónde ha estado todo este tiempo.

—¿Dónde lo perdió?

Summer se arrellanó en la silla.

—En un motel —respondió—. Durante una cita sexual con una mujer de esta base. La mujer en cuestión conducía un Humvee. Por tanto, estamos buscando a una mujer que conocía a Kramer, que tiene acceso a los Humvee, que estaba fuera de la base en Nochevieja y que se hallaba en la cena de anoche.

—En la cena yo era la única mujer.

Silencio.

Summer asintió.

—Ya lo sabemos. Y prometemos mantener todo esto en secreto, pero primero necesitamos que nos confirme a quién entregó usted el maletín.

Se hizo el silencio. Norton miró a Summer como si acabara de escuchar un chiste que no captaba.

—¿Cree que me acosté con el general Kramer? —le soltó.

Summer no respondió.

—Bueno, pues no —aseguró Norton—. Dios me libre.

Otro silencio.

—No sé si reír o llorar —añadió—. Es una acusación totalmente ridícula. Estoy pasmada.

Hubo una pausa tensa. Norton sonrió, como si el principal componente de su reacción fuera el regocijo y no el enfado. Cerró los ojos y los abrió al cabo de un instante, como si intentase borrar la conversación de su memoria.

—¿Falta algo en el maletín? —me preguntó.

No contesté.

—Por favor —dijo—. Estoy intentando encontrarle sentido a esta visita insólita—. ¿Falta algo en el maletín?

—Vassell y Coomer dicen que no.

—¿Pero?

—No les creo —dije.

—Pues debería hacerlo. Son oficiales de rango superior.

No repliqué.

—¿Qué dice su nuevo oficial al mando?

—No quiere que siga con esto. Tiene miedo de un posible escándalo.

—Él debería marcarle la pauta.

—Soy un investigador. Tengo que hacer preguntas.

—El ejército es una familia —dijo ella—. Estamos en el mismo bando.

—¿Vassell o Coomer se fueron con ese maletín anoche? —pregunté.

Norton volvió a cerrar los ojos. Al principio creí que sólo se estaba impacientando, pero luego reparé en que estaba evocando la escena de la noche anterior, en el guardarropa.

—No —contestó—. Ninguno de los dos salió con este maletín.

—¿Está completamente segura?

—No tengo ninguna duda.

—¿De qué humor estaban durante la cena?

Norton abrió los ojos.

—Relajados —repuso—. Como si estuvieran pasando una velada insustancial.

—¿Explicaron por qué se encontraban aquí?

—Ayer al mediodía se ofició el funeral del general Kramer.

—No lo sabía.

—Creo que los de Walter Reed entregaron el cadáver y el Pentágono se encargó de los detalles.

—¿Dónde fue el funeral?

—En el cementerio de Arlington —contestó—. ¿Dónde si no?

—Eso está casi a quinientos kilómetros.

—Aproximadamente. En línea recta.

—Entonces ¿por qué vinieron aquí a cenar?

—No lo sé —respondió.

Me quedé callado.

—¿Algo más? —preguntó ella.

Negué con la cabeza.

—¿Un motel? —soltó—. ¿Parezco la clase de mujer que quedaría con un hombre en un motel?

No respondí.

—Retírense —dijo.

Me puse en pie. Summer hizo lo propio. Cogí el maletín y salí del despacho. Summer siguió mis pasos.

—¿La ha creído? —me preguntó la teniente.

Estábamos sentados en el Humvee, fuera del edificio de Operaciones Psicológicas. El motor estaba al ralentí y la calefacción soltaba aire viciado y caliente que olía a diesel.

—Por supuesto —contesté—. En cuanto vi que no reaccionaba ante el maletín. Si lo hubiera visto antes se habría puesto nerviosa. Y naturalmente la he creído en lo del motel. Para verle las bragas a ésa hay que ir a una *suite* del Ritz.

—Así pues, ¿qué hemos averiguado?

—Nada —dije—. Absolutamente nada.

—No; nos hemos enterado de que, por lo visto, Fort Bird es un lugar muy atractivo. De que Vassell y Coomer suelen aparecer por aquí por nada en concreto.

—Siga —dije.

—Y que Norton cree que somos una familia.

—Oficiales —solté—. ¿Qué esperaba?

—Usted es un oficial. Yo también.

Asentí.

—Estuve cuatro años en West Point —dije—. Tenía que haber sido más listo. Cambiarme de nombre y volver como soldado raso. Tres ascensos. Ahora sería especialista E4. Quizá sargento E-5. Ojalá así fuera.

—¿Y ahora qué?

Miré la hora. Casi las diez.

—A dormir —dije—. Mañana a primera ahora tenemos que buscar un envase de yogur.

13

No había comido nunca yogur. Pero lo había visto, y tenía la impresión de que los yogures eran porciones individuales que venían en pequeños botes de unos cinco centímetros de ancho, lo que significaba que en un metro cuadrado cabían unos trescientos. O sea que en media hectárea cabían casi tres millones. Por tanto, dentro del perímetro alambrado de Fort Bird tenían cabida ciento cincuenta mil millones de botes. Esto es, buscar uno sería como buscar una espora de ántrax en el Yankee Stadium. Hice el cálculo mientras me duchaba y me vestía en la oscuridad previa al amanecer.

A continuación me senté en la cama y esperé a que el cielo clarease. Era absurdo salir fuera y perder esa posibilidad entre ciento cincuenta mil millones debido a que estuviera demasiado oscuro para ver bien. No obstante, mientras estaba sentado pensé que el número total de posibilidades se reduciría ya que debíamos buscar en el lugar apropiado. Evidentemente, el tío del yogur regresó de *A* a *B*. Y durante el recorrido se había deshecho del bote. Sabíamos dónde estaba *A*, el lugar del crimen. Y *B* era un edificio de la base. Así pues, el bote se encontraría en algún punto del terreno en el trayecto hasta los edificios o entre los propios edificios. De modo que, si éramos espabilados, los miles de millones se reducían a sólo millones, y encontraríamos la cosa esa en cien años y no en mil.

A menos que algún mapache ya lo hubiese encontrado y se lo hubiera llevado a su madriguera.

Me reuní con Summer en el parque móvil de la PM. Ella estaba animosa y llena de brío, pero no hablamos. No había nada que decir, salvo que la tarea que íbamos a emprender era un imposible. Y supuse que ninguno de los dos quería confirmarlo en voz alta. Así que no abrimos la boca. Sólo escogimos un Humvee al azar y salimos. Para variar, conduje yo durante el trayecto de tres minutos que había realizado treinta y pico horas antes.

Según el cuentakilómetros del Humvee, cuando llegamos al lugar del crimen habíamos recorrido exactamente dos kilómetros cuatrocientos metros, y según la brújula habíamos ido en dirección al suroeste. En algunos árboles aún se veían jirones de cinta de la PM. Dejamos el vehículo unos diez metros fuera del camino y bajamos. Me subí al capó y me senté en el techo, encima del parabrisas. Miré al oeste y al norte, y luego me volví y miré al este y al sur. El aire era frío y había viento. El paisaje era marrón, despejado e inmenso. El sol naciente, débil y pálido.

—¿Por dónde se fue? —pregunté.

—Por el noreste —contestó Summer. Parecía muy segura de ello.

—¿Por qué?

Se subió al capó y se sentó a mi lado.

—Tenía un vehículo —explicó.

—¿Por qué?

—Porque no creo que llegaran andando.

—¿Por qué?

—Porque si hubieran venido andando, todo habría sucedido más cerca de los edificios. Esto está al menos a treinta minutos a pie. No me imagino al malo caminando junto al otro y ocultando una palanca o una barra de hierro durante treinta minutos. Si la hubiera llevado dentro del abrigo, habría andado como un robot. Carbone se habría dado cuenta. Así que iban motorizados. En el vehículo del asesino. El arma estaba debajo de una chaqueta o algo así en el asiento de atrás. Quizá también el cuchillo y el yogur.

—¿Desde dónde venían?

—Eso da igual. Lo único que nos importa ahora es adónde fue el tipo después. Y si iba en coche, no condujo en dirección a la alambrada. Podemos dar por supuesto que ésta no tiene agujeros del tamaño de un vehículo. Tal vez sí del tamaño de un hombre, o de un ciervo.

—Muy bien —dije.

—De modo que regresó a los edificios. No pudo ir a ningún otro sitio. Regresó por el camino, aparcó y volvió a sus asuntos.

Asentí. Miré hacia el horizonte occidental, frente a mí. Me volví y dirigí la mirada al noreste, a lo largo del sendero. Hacia los edificios. Dos kilómetros cuatrocientos metros de sendero. Imaginé la aerodinámica de un envase vacío de yogur. Plástico liviano, forma cilíndrica, una laminilla rota agitándose. Me imaginé tirando uno con fuerza. Volaría por el aire unos tres metros como máximo. Dos kilómetros cuatrocientos metros de camino, tres metros hasta el arcén de la izquierda, del lado del conductor. Me pareció que las posibilidades se reducían a miles. Y al punto me pareció que volvían a dilatarse hasta miles de millones.

—Hay una noticia buena y una mala —dije—. Creo que usted tiene razón, así que ha reducido el área de búsqueda en un noventa y nueve por ciento, acaso más. Lo que está muy bien.

—¿Pero?

—Pongamos que estaba en un vehículo, pero ¿llegó a tirar el envase?

Summer esperó.

—Tal vez simplemente lo dejó caer al suelo del vehículo —señalé—. O lo dejó en la parte de atrás.

—Si era un vehículo del parque móvil, no.

—Pues a lo mejor lo arrojó a un cubo de basura más

tarde, después de aparcar. O quizá se lo llevó a su dormitorio.

—Quizá. Las posibilidades están al cincuenta por ciento.

—Yo diría al setenta y al treinta, como mucho.

—De todos modos hemos de mirar.

Asentí. Apoyé las manos contra el parabrisas y salté a tierra.

Estábamos en enero y las condiciones eran bastante buenas. Febrero habría sido mejor. En un clima templado del hemisferio norte, la vegetación muere en febrero y por tanto escasea y está más dispersa. Pero para ser enero estaba bien. El sotobosque estaba bajo y la tierra era plana y del color de los helechos muertos y del mantillo de hojas. No había nieve. El paisaje era uniforme, neutro y orgánico. Un buen escenario. Imaginé que un envase de un producto lácteo sería de un blanco brillante. O crema. O acaso rosa, si era de fresa o frambuesa. En cualquier caso, el color sería de ayuda. Por ejemplo, no sería negro. Nadie pone un producto lácteo en un envase negro. Así que si estaba ahí y pasábamos cerca, lo veríamos.

Inspeccionamos en un radio de tres metros en torno a la escena del crimen. Nada. De modo que regresamos al camino y lo seguimos en dirección noreste. Summer caminaba a un metro y medio del borde izquierdo y yo caminaba a un metro y medio a su izquierda. Abarcábamos una franja de cuatro metros y medio, con dos pares de ojos en el crucial carril de metro y medio entre uno y otro, que, de acuerdo con mi teoría aerodinámica, era exactamente donde el envase debería haber caído.

Andábamos despacio, a la mitad del paso normal. Yo iba moviendo la cabeza de un lado a otro a cada paso. Me sentía un poco estúpido. Seguro que parecía un pingüino, pero era un método eficaz. Puse una especie de piloto automático, y el suelo se desdibujaba a mis pies. No veía hojas ni ramitas sueltas ni briznas de hierba, nada de lo que debía estar allí, atento sólo a algo que no debiera estar allí.

Anduvimos unos diez minutos y no hallamos nada.

—¿Cambio? —sugirió Summer.

Intercambiamos el sitio y proseguimos. Había un millón de toneladas de detritos del bosque pero nada más. Las bases militares se mantienen escrupulosamente limpias. La patrulla semanal de la basura es sagrada. Fuera de la alambrada nos habríamos tropezado con toda clase de cosas. Pero dentro no. Seguimos otros diez minutos a lo largo de otros trescientos metros. Hicimos una pausa y volvimos a intercambiar posiciones. Al moverme tan despacio el aire frío me hacía tiritar. Miraba fijamente la tierra como un poseso. Intuía que estábamos cerca del objetivo. Dos kilómetros cuatrocientos metros. Calculé que los primeros centenares y los últimos eran un mal coto de caza. Al principio el tío sentiría el puro impulso de huir. Luego, ya cerca de los edificios, repararía en que tenía que componer el semblante y mostrarse tranquilo. Así pues, se habría librado del lastre en el trecho intermedio. Cualquiera con un mínimo sentido común se habría parado, habría inspirado, espirado y estudiado a fondo su situación. Habría bajado la ventanilla para que le diera en la cara el aire nocturno. Aminoré el paso y miré con más atención, a derecha e izquierda, a izquierda y derecha. Nada.

—¿Se manchó de sangre? —pregunté.

—Un poco, quizá —repuso Summer, a mi derecha.

No la miré. Seguí con los ojos fijos en el suelo.

—En los guantes —añadió—. A lo mejor en los zapatos.

—Menos de lo que se esperaba —dije—. A menos que fuera médico, habría previsto una buena sangría.

—¿Por tanto?

—Por tanto no utilizó un vehículo del parque. Si suponía que iba a haber mucha sangre no querría arriesgarse a manchar el coche.

—Si es así y el tío fue con su propio coche, seguramente tiraría el envase en el asiento de atrás. O sea que aquí no vamos a encontrar nada.

Asentí. Seguimos andando.

Recorrimos la totalidad de esa parte intermedia y no encontramos nada. Dos mil metros de material orgánico aletargado y ni un solo objeto de fabricación humana. Ni una colilla de cigarrillo, ni un trozo de papel, ni latas oxidadas ni botellas vacías. Toda una prueba del celo del comandante de la base. Pero para nosotros decepcionante. Nos detuvimos cuando fueron claramente visibles los principales edificios, trescientos metros por delante.

—Volvamos atrás —dije—. Quiero inspeccionar otra vez la parte intermedia.

—De acuerdo —dijo ella—. Media vuelta.

Intercambiamos posiciones nuevamente. Decidimos cubrir cada sección de trescientos metros al revés de antes. Si antes yo había andado por dentro, ahora lo haría por fuera, y viceversa. No había un verdadero motivo, salvo que cuatro ojos ven más que dos. Yo superaba en estatura a Summer en más de treinta centímetros, lo cual, aplicando la trigonometría simple, significaba que podía ver treinta centímetros más lejos en cualquier dirección. Ella estaba más cerca del suelo y afirmaba que sus ojos captaban muy bien los detalles.

Iniciamos el recorrido, despacio y con paso regular.

En la primera sección, nada. Cambiamos de posiciones. Me planté a tres metros del camino. Escudriñé a izquierda y derecha. El viento nos daba en la cara y empecé a lagrimear por el frío. Me metí las manos en los bolsillos.

Nada en la segunda sección. Nuevo intercambio de posiciones. Caminé a metro y medio del sendero, en paralelo a la vera. En la tercera sección, nada. Nos cambiamos otra vez. Mientras andábamos yo hacía cálculos mentales. Hasta el momento habíamos explorado una franja de cuatro metros y medio a lo largo de unos dos mil cien metros. Esto equivalía a unos diez mil metros cuadrados, o sea algo más de una hectárea de un total de cincuenta mil. Las posibilidades eran aproximadamente de una entre cuarenta mil. Más que en la lotería, aunque no muchas más.

Seguimos mirando. El viento arreciaba y nos estábamos enfriando.

De pronto vi algo.

A mi derecha. A unos seis metros. No era un envase de yogur. Casi lo pasé por alto porque quedaba fuera de la zona de mayor probabilidad. Ningún objeto poco aerodinámico, liviano y de plástico habría llegado tan lejos tras ser lanzado desde un vehículo que pasara por el camino. De modo que mis ojos lo localizaron y mi cerebro lo procesó y lo desechó al punto.

Pero me quedé pensando. Puro instinto animal.

Porque parecía una serpiente. La parte de lagarto de mi cerebro susurró «serpiente» y noté una leve sacudida primigenia de miedo que había permitido sobrevivir a mis ancestros en las primeras etapas de la evolución. Todo sucedió en una décima de segundo. El susto quedó sofocado enseguida. La parte moderna y racional de mi mente salió al paso y dijo «en enero aquí no hay serpientes, colega; hace demasiado frío». Exhalé un suspiro y me paré para mirar atrás, sólo por curiosidad.

En la hierba marchita había una forma negra curva. ¿Un cinturón? ¿Una manguera de jardín? Pero entre los rígidos tallos marrones estaba más hundido de lo que habría estado algo hecho de piel, tela o goma. Se encontraba justo entre las raíces. Por tanto, pesaba. Tenía que pesar si había llegado tan lejos desde el camino. Por tanto, era de metal. Sólido, no tubular. Por tanto, no me resultaría familiar. Muy pocos artículos militares son curvos.

Me acerqué.

Era una barra de hierro pintada de negro, sangre y pelo apelmazados en un extremo.

Me quedé allí y mandé a Summer en busca del vehículo. Seguramente fue corriendo todo el trecho, pues regresó demasiado pronto y sin aliento.

—¿Tenemos una bolsa para pruebas? —pregunté.

—No es ninguna prueba. Los accidentes durante unas maniobras no las precisan.

—No tengo intención de llevar esto ante un tribunal —señalé—. Es sólo que no quiero tocarlo. No quiero dejar mis huellas. Eso podría darle ideas a Willard.

Summer examinó la parte de atrás del vehículo.

—No hay bolsas de ésas —dijo.

Vacilé. Por lo general, hay que andarse con muchísimo cuidado para no contaminar pruebas con huellas ajenas, pelos o fibras. Al que mete la pata los fiscales se lo comen vivo. Pero esta vez, estando Willard en medio, la motivación sería distinta. Si yo metía la pata, podía dar con mis huesos en la cárcel. Medios, móvil, oportunidad, mis huellas dactilares en el arma. Demasiado bueno para ser cierto. Si la historia del supuesto accidente acababa escaldándole, Willard se cebaría en el primero que pillara.

—Podríamos traer a un especialista —sugirió Summer, de pie detrás de mí.

—No podemos involucrar a nadie más —dije—. Yo ni siquiera quería involucrarla a usted.

Se colocó a mi lado y se agachó. Alisó briznas de hierba con las manos para mirar más de cerca.

—No toque nada —le advertí.

—No pensaba hacerlo —replicó.

Miramos juntos. Un primer plano. Era una barra de mano forjada con acero de sección octogonal. Parecía una herramienta de buena calidad. Y flamante, pintada con esmalte negro. Su forma recordaba un poco al saxofón alto. La parte central medía menos de un metro y conformaba una especie de ese, con una curva casi llana en un extremo y una cerrada en el otro: una jota mayúscula. Ambas puntas estaban aplastadas y tenían muescas a modo de bocas sacaclavos. El diseño era moderno y sencillo. Y brutal.

—Apenas usado —dijo Summer.

—Jamás lo han usado —dije yo—. Al menos no en carpintería.

Me puse en pie.

—No hace falta que saquemos las huellas —señalé—. Podemos dar por supuesto que el tío llevaba guantes.

Summer se puso en pie a mi lado.

—Tampoco hace falta que determinemos el grupo sanguíneo —observó—. Podemos dar por supuesto que es el de Carbone.

No respondí.

—Podríamos dejarlo aquí y ya está —añadió Summer.

—No —repliqué—. No podemos.

Me agaché, quité el cordón de mi bota derecha y uní los dos extremos con un nudo de rizo. Así conseguí un lazo que cogí con la mano derecha y arrastré sobre la hojarasca hasta que se enganchó bajo un extremo de la barra. Levanté el pesado objeto de acero. Lo sostuve en alto, como un orgulloso pescador con su captura.

—Andando —dije.

Llegué cojeando al asiento del acompañante con la barra pendulando en el aire y la bota medio quitada. Me senté y mantuve la barra firme en el suelo para que no me rozara las piernas cuando el vehículo se moviera.

—¿Adónde? —preguntó Summer.

—Al depósito de cadáveres.

Contaba con que el forense y su personal estarían desayunando fuera, pero me equivoqué. Se encontraban todos en el edificio, trabajando. El propio forense nos sorprendió en el vestíbulo. Iba a algún sitio con un expediente en la mano. Nos miró y luego miró el trofeo que colgaba del cordón de mi bota. Tardó medio segundo en comprender qué era y otro medio en darse cuenta de que aquello nos colocaba a todos en una situación muy embarazosa.

—Podríamos venir más tarde —dije. Cuando usted no estuviera.

—No —dijo—. Vamos a mi despacho.

Él abrió el camino. Lo miré andar. Era un hombre pequeño y de piernas cortas, animoso, competente, un poco mayor que yo. Parecía un tío majo. Y supuse que no era estúpido. Muy pocos médicos lo son. Antes de doctorarse deben aprender toda clase de cosas complicadas. Y me figuré que tenía un código ético de conducta. Por mi experiencia, era el caso de muchos. En esencia son científicos, y en general los científicos conservan un interés de buena fe en los hechos y la verdad, o cuando menos cierta curiosidad innata. Todo lo cual era bueno, pues la actitud de ese individuo iba a ser clave. Podía dejarnos vía libre o delatarnos con una simple llamada telefónica.

Su despacho era una sencilla habitación cuadrada llena de antiguas mesas de acero gris y archivadores. Estaba abarrotada. En las paredes se veían diplomas enmarcados. Había estanterías a rebosar de libros y manuales. Pero no recipientes con especímenes, ni cosas raras conservadas en formaldehído. Podía haber sido la oficina de un abogado militar, sólo que los diplomas no eran de facultades de Derecho sino de Medicina.

Se sentó en su silla de ruedecitas y puso el expediente encima de la mesa. Summer cerró la puerta y se apoyó contra ella. Yo me quedé en mitad de la estancia, con la barra de hierro colgando. Nos miramos uno a otro. Aguardé a ver quién hacía el movimiento inicial.

—Lo de Carbone fue un accidente durante unas maniobras —dijo el médico, desplazando su peón dos casillas al frente.

Asentí.

—De eso no hay duda —dije, moviendo mi propio peón.

—Me alegra que lo tengamos claro —repuso, con un tono que significaba: ¿se cree usted toda esa mierda?

Oí a Summer exhalar un suspiro; teníamos un aliado. Pero un aliado que quería guardar las distancias. Un aliado que quería protegerse tras una rebuscada charada. Y yo no le culpaba por ello. El hombre debía años de servicio a cambio de sus cursos en la facultad. Por tanto, era prudente. Por tanto, era un aliado cuyos deseos debíamos respetar.

—Carbone cayó y se golpeó en la cabeza —dije—. Es un caso cerrado. Un simple accidente, desde luego muy lamentable.

—¿Pero?

Alcé un poco más la barra.

—Creo que se golpeó la cabeza con esto —dije.

—¿Tres veces?

—A lo mejor rebotó. Quizás había ramitas bajo las hojas y eso hizo que el terreno fuera como una cama elástica.

El médico asintió.

—El suelo puede ser así en esta época del año.

—Letal —agregué.

Bajé la barra y esperé.

—¿Por qué la ha traído aquí? —inquirió el médico.

—Podría considerarse un elemento de imprudencia concurrente —expliqué—. Quien se lo dejó por ahí para que Carbone cayera encima acaso merecería una reprimenda.

Él asintió de nuevo.

—Tirar basura es una infracción grave. ¿Qué quiere de mí?

—Nada —repuse—. Estamos aquí para echarle una mano, nada más. Estando el caso cerrado, imaginamos que usted no querrá llenar su despacho con esos moldes en escayola que tomó del lugar de la herida. Pensamos que podríamos arrojarlos a la basura por usted.

El médico asintió por tercera vez.

—Pueden hacerlo —dijo—. Así me ahorran el viaje.

Hizo una larga pausa. Luego apartó el expediente que tenía delante y abrió unos cajones, colocó hojas de papel en blanco sobre la mesa y dispuso encima media docena de portaobjetos.

—Esa cosa parece pesada —me dijo.

—Lo es —confirmé.

—Quizá debería dejarla en el suelo. Para que su hombro descanse.

—¿Es un consejo médico?

—No querrá lesionarse el ligamento.

—¿Dónde lo dejo?

—En cualquier superficie plana que vea.

Di unos pasos al frente y dejé la barra con cuidado sobre la mesa, encima del papel y los portaobjetos. Desaté el nudo del cordón. Me agaché y lo devolví a la bota, anudándolo bien. Alcé la vista a tiempo de ver al médico coger un portaobjetos de microscopio. Lo frotó contra el extremo de la barra donde había sangre y pelo apelmazados.

—Vaya —comentó—. He ensuciado este portaobjetos. Qué torpe.

Cometió exactamente el mismo error con los otros cinco.

—¿Queremos huellas dactilares? —preguntó.

Negué con la cabeza.

—Suponemos que llevaba guantes.

—Creo que deberíamos comprobarlo. La imprudencia concurrente es un asunto serio.

Abrió otro cajón, sacó un guante de látex y se lo puso

en la mano. Esto originó una diminuta nube de polvos de talco. Acto seguido cogió la barra y se la llevó fuera del despacho.

Regresó antes de diez minutos. Aún llevaba puesto el guante. La barra estaba totalmente limpia. La pintura negra relucía. No se diferenciaba de una nueva.

—No hay huellas —dijo.

Dejó la barra encima de su silla, abrió un cajón de archivador y sacó una caja de cartón marrón de la que extrajo dos moldes en escayola. Ambos medían unos quince centímetros y llevaban escrito «Carbone» con tinta negra en la parte inferior. Uno era un positivo, formado presionando escayola húmeda en la herida. El otro un negativo, formado moldeando más escayola sobre el positivo. Éste mostraba la forma de la herida causada por el arma, y el positivo reflejaba la forma de la propia arma.

El médico dejó el positivo en la silla contigua a la de la barra. Las alineó bien paralelas. El molde medía unos quince centímetros. Era blanco y estaba algo picado debido al proceso de moldeado, pero por lo demás era idéntico al liso y negro hierro. Absolutamente idéntico. La misma sección, el mismo grosor, el mismo perfil.

A continuación, dejó el negativo sobre el escritorio. Era un poco mayor que el positivo, y estaba algo más sucio. Era una réplica exacta de la parte posterior de la destrozada cabeza de Carbone. El médico cogió la barra y la sopesó con la mano. La alineó, especulativo. La bajó muy despacio, una vez para el primer golpe, luego otra para el segundo. Y otra para el tercero. La acercó al molde. El tercero y último era el mejor definido. En el molde había un hoyo de casi dos centímetros en el que la barra encajaba a la perfección.

—Examinaré la sangre y el pelo —dijo—. Aunque ya sabemos cuáles serán los resultados.

Alzó la barra del molde y probó otra vez. Volvió a coincidir con precisión, hasta el fondo. La levantó y la sostuvo en equilibrio sobre la palma de las manos, como calculando su peso. Luego la agarró por el extremo más recto y la blandió como un bateador dispuesto a golpear una bola alta. La hizo oscilar de nuevo, con más fuerza, un golpe violento, poderoso. En sus manos, la barra parecía grande. Grande y demasiado poco pesada.

—Un hombre muy fuerte —dijo—. Un golpe atroz. El tipo era alto y grande, diestro, en buena forma física. Pero supongo que ésta es la descripción de muchas personas de esta base.

—¿Qué tipo? —pregunté—. Carbone cayó y se rompió la cabeza.

El médico esbozó una sonrisa y volvió a sopesar la barra.

—En cierto modo es hermosa —señaló—. ¿No cree?

Entendí qué quería decir. Era un bonito objeto de acero, y era todo lo que necesitaba ser y nada que no necesitara. Como un Colt Detective Special, o un cuchillo de supervivencia, o una cucaracha. Lo metió dentro de un largo cajón metálico. Los metales rozaron y se oyó un ligero retumbo cuando el médico soltó el extremo de la barra.

—Lo guardaré aquí —dijo—. Si le parece bien. Es lo más seguro.

—De acuerdo —dije.

Cerró el cajón.

—¿Es usted diestro? —me preguntó.

—Sí. Así es.

—El coronel Willard me dijo que lo hizo usted —añadió—. Pero no le creí.

—¿Por qué no?

—Usted se sorprendió mucho al ver quién era cuando volví a poner la piel de la cara en su sitio. Tuvo una reacción física inequívoca. No es posible simular esa clase de cosas.

—¿Se lo dijo a Willard?

El médico asintió.

—Dijo que era un asunto delicado, pero no se desvió de su idea. Y estoy seguro de que ya está elaborando una teoría que aporte razones convincentes.

—Andaré con cuidado —dije.

—También han venido a verme unos sargentos delta. Empiezan a correr ciertos rumores. Creo que debería andarse con mucho cuidado.

—Eso pienso hacer.

—Con muchísimo cuidado —insistió el médico.

Summer y yo regresamos al Humvee. Puso el motor en marcha, metió la primera y mantuvo el pie en el freno.

—Intendencia general —dije.

—No es un objeto militar —advirtió.

—Parece caro —señalé—. Lo bastante para que pueda ser del Pentágono.

—Sería verde.

Asentí.

—Seguramente. Pero aun así deberíamos comprobarlo. Tarde o temprano vamos a necesitar a todos nuestros patitos en fila.

Summer se dirigió al edificio de Intendencia general. Llevaba en Bird mucho más tiempo que yo y sabía dónde estaba todo. Aparcó frente al típico almacén. Yo sabía que dentro habría un largo mostrador y detrás espaciosas zonas de almacenaje de acceso prohibido. Habría enormes fardos de ropa, neumáticos, mantas, retretes de campaña, herramientas para cavar trincheras, equipos de todas clases.

Entramos y al otro lado del mostrador vimos a un muchacho en uniforme de campaña. Era un campesino alegre y de aspecto saludable. Parecía que estuviera trabajando en la ferretería de su papá y que ésa fuera la ambición de su vida. Estaba entusiasmado. Le dije que buscábamos herramientas de construcción. El chico abrió un manual del tamaño de ocho guías telefónicas. Encontró la sección pertinente. Le pedí que buscara listados de barras de hierro. Se lamió el dedo, pasó unas páginas y encontró dos entradas. «Palanca: reglamentaria, larga, boca sacaclavos en un extremo», y «Barra: reglamentaria, corta, boca sacaclavos en ambos extremos». Le pedí que nos enseñara una de estas últimas.

Desapareció entre los altos montones de material. Esperamos. Aspiramos el incomparable olor de los almacenes de intendencia, a polvo viejo, goma nueva y sarga de algodón húmeda. El muchacho regresó tras cinco largos minutos con una barra reglamentaria. La dejó en el mostrador, delante de nosotros. Summer estaba en lo cierto, era verde oliva. Y totalmente distinta de la que habíamos dejado en el despacho del forense. Quince centímetros más corta, ligeramente más delgada y la curvatura algo diferente. Parecía diseñada con esmero, seguramente un ejemplo perfecto del modo en que el ejército hace las cosas. Años atrás probablemente había sido el nonagésimo noveno artículo en la lista de renovaciones del equipo de un zapador. Se habría formado un subcomité, con informes de supervivientes de los viejos batallones de zapadores. Se habría redactado una descripción relativa a la longitud, el peso y la durabilidad. Se habría tenido en cuenta la fatiga del metal, así como las regiones de uso probable. Se habría evaluado su resistencia en los vientos helados del norte de Europa y la maleabilidad en el intenso calor del ecuador. Se habrían hecho croquis detallados. Habría salido a concurso público. Las fábricas de toda Pensilvania y Alabama habrían hecho ofertas. Se habrían forjado prototipos, luego probados de forma exhaustiva. Habría salido un solo ganador. Se habría añadido la pintura, y el grosor y la uniformidad de su aplicación se habrían especificado y controlado minuciosamente. Y luego todo habría quedado en el olvido. Sin embargo, el producto de aquellos largos meses de deliberación seguía materializándose, miles de unidades al año, tanto si hacían falta como si no.

—Gracias, soldado —dije.

—¿No lo necesita? —preguntó el muchacho.

—Sólo necesitaba verlo —contesté.

Regresamos a mi despacho. Era media mañana, un día gris, y yo me sentía desorientado. Hasta el momento, la nueva década no me había deparado nada bueno. Con seis días ya cumplidos del nuevo año, aún no era un gran entusiasta de los noventa.

—¿Va a redactar el informe del accidente? —inquirió Summer.

—¿Para Willard? Todavía no.

—Lo quería para hoy.

—Ya lo sé. Pero haré que vuelva a pedírmelo.

—¿Por qué?

—Porque será una experiencia fascinante, supongo. Como observar gusanos retorciéndose en torno a algo muerto.

—¿Qué ha muerto?

—Mi entusiasmo por levantarme de la cama por la mañana.

—Una manzana podrida —dijo ella—. Eso no significa gran cosa.

—Tal vez. Si es sólo una.

Se quedó callada.

—Barras de hierro —señalé—. Tenemos dos casos distintos con barras de hierro, y no me gustan las coincidencias. Sin embargo, no logro ver qué relación tienen. No hay forma de conectarlos. Carbone estaba a un millón de kilómetros de la señora Kramer, en todos los sentidos imaginables. Uno y otro vivían en mundos totalmente distintos.

—Vassell y Coomer los conectaron —observó ella—. Tenían interés en algo que podía haber estado en la casa de la señora Kramer y se hallaban en Fort Bird la noche en que Carbone fue asesinado.

Asentí.

—Esto me está volviendo loco. Es una conexión perfecta salvo que no lo es. En D.C. recibieron una llamada, estaban demasiado lejos de Green Valley para hacerle nada a la señora Kramer por sí mismos, y desde el hotel no llamaron a nadie. Luego se encontraban aquí la noche de la muerte de Carbone, pero estuvieron todo el rato en el club de oficiales con una docena de testigos, cenando filete y pescado.

—La primera vez que vinieron aquí tenían un chófer —dijo ella—. El comandante Marshall, ¿se acuerda? Pero la segunda vez vinieron por su cuenta. Eso me suena un poco a clandestino. Es como si estuvieran aquí por un motivo secreto.

—No hay nada secreto en perder el tiempo en el bar del club de oficiales y después cenar en el comedor. Estuvieron toda la noche visibles.

—Pero ¿por qué no vinieron con su chófer? —repuso Summer—. ¿Por qué solos? Supongo que Marshall estaba en el funeral con ellos. ¿Y después decidieron conducir por su cuenta quinientos kilómetros? ¿Y luego otros quinientos de vuelta?

—Quizá Marshall no estaba disponible.

—Es su favorito —soltó—. Siempre está disponible.

—Pero ¿por qué llegaron siquiera a venir? Es un largo trecho para una cena que no tenía nada de especial.

—Vinieron por el maletín, Reacher. Norton se equivoca. Seguro. Alguien se lo dio. Y cuando se fueron lo llevaban consigo.

—No creo que Norton esté equivocada. Me convenció.

—Entonces tal vez lo recogieron en el aparcamiento

—apuntó ella—. Eso Norton no lo habría visto. Presumo que con el frío que hacía no salió a despedirles. Pero ellos se marcharon con el maletín, desde luego. ¿Por qué, si no, estarían contentos de regresar a Alemania?

—A lo mejor simplemente se dieron por vencidos. En todo caso debían volver a Alemania. Tenían que disputarse el puesto de Kramer.

Summer no dijo nada.

—En cualquier caso, no hay conexión posible —añadí.

—Vivimos en un mundo azaroso.

Asentí.

—Y así despiertan poca atención —dije—. Y Carbone, toda.

—¿Vamos a volver a buscar el envase de yogur?

Meneé la cabeza.

—Está en el coche del tío. O en su cubo de la basura.

—Podía haber sido útil.

—Investigaremos la barra. Es flamante. Seguramente fue adquirida hace tan poco tiempo como el yogur.

—No disponemos de medios.

—El detective Clark, de Green Valley, lo hará por nosotros. Cabe suponer que ya está buscando *su* barra. Estará preguntando en ferreterías. Le pediremos que amplíe su radio de acción y su marco temporal.

—Eso le supondrá mucho tiempo adicional.

Asentí.

—Tendremos que ofrecerle algo a cambio. Le diremos que estamos trabajando en algo que puede serle de ayuda.

—¿Como qué?

Sonreí.

—Nos lo inventaremos. Le daremos el nombre de Andrea Norton. Así le enseñaríamos a ella qué clase de familia somos exactamente.

Llamé a Clark. No le di el nombre de Andrea Norton pero sí le dije unas cuantas mentiras. Le dije que recordaba el destrozo en la puerta de la señora Kramer y la herida en su cabeza, y que suponía que eran obra de una barra de hierro, y que daba la casualidad que habíamos tenido una racha de allanamientos en instalaciones militares a lo largo de la costa Este en que también parecían haberse utilizado barras de hierro, y le pregunté si podíamos tener acceso al trabajo que él estaba haciendo en lo relativo a localizar el arma de Green Valley. Clark no contestó de inmediato, y yo llené el silencio diciéndole que actualmente los almacenes de intendencia no tenían barras reglamentarias y, por tanto, estaba convencido de que los chicos malos la habían conseguido en el ámbito civil. Le solté un rollo sobre que no queríamos aprovecharnos de sus esfuerzos pero que teníamos una línea de investigación más prometedora. Él aguardó, como los polis de todas partes, a la espera de oír nuestro ofrecimiento. Le dije que en cuanto tuviéramos un nombre, un perfil o una descripción, se lo proporcionaríamos tan rápidamente como el asunto pudiera viajar por la línea de fax. Entonces Clark se animó. Era un hombre desesperado que estaba mirando fijamente una pared de ladrillo. Me preguntó qué quería exactamente. Le expliqué que nos ayudaría mucho si ampliaba su investigación hasta un radio de quinientos kilómetros alrededor de Green Valley y comprobaba compras en ferreterías desde última hora del día de Nochevieja hasta el 4 de enero.

—¿Cuál es su prometedora línea de investigación? —preguntó.

—Puede que exista una conexión militar con la señora Kramer. Podremos ofrecerle al tipo en una bandeja y con un lacito.

—Estaría bien.

—Cooperación —dije—. Lo que hace que el mundo gire.

—Sin duda.

Clark parecía contento. Se lo tragó todo. Prometió ensanchar su campo de investigación y tenerme al corriente. Colgué y el teléfono volvió a sonar inmediatamente. Era una mujer, de cálida voz sureña. Pedía a 10-33 un 10-16 desde el PM XO de Fort Jackson, lo que significaba «por favor esté atento a recibir una llamada por línea terrestre segura de su homólogo en Carolina del Sur». Aguardé con el auricular en el oído y durante unos instantes oí un silbido electrónico hueco. Luego hubo un fuerte chasquido y habló mi colega de Carolina del Sur, quien me hizo saber que aquella mañana el coronel David C. Brubaker, oficial al mando de las Fuerzas Especiales de Fort Bird, había sido encontrado muerto con dos balas alojadas en la cabeza, en un callejón de un barrio de mala muerte de Columbia, la capital de Carolina del Sur, a más de trescientos kilómetros del hotel con campo de golf de Carolina del Norte donde estaba pasando las vacaciones con su esposa. Y según los médicos locales llevaba muerto un par de días.

14

Mi homólogo de Jackson se llamaba Sánchez. Lo conocía bien y me caía mejor. Era listo y amable. Puse la llamada en el altavoz para que Summer oyese, y hablamos brevemente sobre jurisdicción, aunque sin demasiado entusiasmo. La jurisdicción era siempre un asunto de contornos imprecisos, y todos sabíamos que estábamos derrotados desde el primer momento. Brubaker se hallaba de vacaciones, llevaba ropa civil y su cuerpo se había encontrado en una callejuela de la ciudad. Por tanto, su caso competía a la policía de Columbia. Ante eso no podíamos hacer nada. Y la policía de Columbia lo había notificado al FBI, pues el último paradero conocido de Brubaker era el hotel de Carolina del Norte, lo que añadía a la situación una posible dimensión interestatal, y los homicidios interestatales correspondían al Bureau. Y también porque, desde un punto de vista técnico, un oficial del ejército es un empleado federal, y matar empleados federales es un delito federal muy grave, lo que les proporcionaba otra acusación que endilgar al culpable si algún día lo pillaban de milagro. Ni a Sánchez ni a mí ni a Summer nos importaba un pimiento la diferencia entre tribunales estatales y tribunales federales, pero todos sabíamos que si intervenía el FBI, el caso quedaba fuera de nuestro alcance. Coincidimos en que lo máximo que podíamos esperar era llegar a ver, a la larga, parte de la documentación pertinente, con fines estrictamente informativos y exclusivamente por cortesía. Summer torció el gesto y se apartó. Yo desconecté el altavoz y hablé con Sánchez.

—¿Tienes alguna idea? —le pregunté.

—Alguien a quien él conocía —contestó Sánchez—. No es fácil sorprender en un callejón a un delta como Brubaker.

—¿Qué arma?

—Al parecer, una pistola de nueve milímetros.

—¿Por qué estaba él ahí?

—Ni idea. Una cita, supongo. Con alguien a quien conocía.

—¿Cuándo sucedió?

—El cuerpo estaba helado, la piel un poco verdosa y el rigor mortis había desaparecido. Dicen que entre veinticuatro y cuarenta y ocho horas. Quizá lo más acertado sería la media. Pongamos que anteanoche, hacia las tres o las cuatro de la madrugada. El camión de la basura lo encontró esta mañana a las diez. Recogida semanal.

—¿Dónde estabas el veintiocho de diciembre?

—En Corea. ¿Y tú?

—Panamá.

—¿Por qué nos trasladaron?

—Sigo pensando que estamos a punto de averiguarlo.

—Está pasando algo raro —dijo Sánchez—. Movido por la curiosidad, he comprobado que éramos veinte en la misma situación, de todas partes del mundo. Y la firma de Garber está en todas las órdenes, pero no creo que sea auténtica.

—Yo estoy seguro de que no lo es —señalé—. ¿Ha pasado algo por ahí antes de esto de Brubaker?

—Nada. La semana más tranquila que he tenido en mi vida.

Colgamos. Me quedé sentado unos instantes. Columbia estaba a unos trescientos kilómetros de Fort Bird. Uno iba en dirección al sudoeste por la autopista, cruzaba la frontera del estado, tomaba la I-20 hacia el oeste, conducía un poco más y ya había llegado. Trescientos kilómetros y pico. La noche anterior a la noche pasada fue la misma en que encontramos el cadáver de Carbone. Yo había abandonado el despacho de Andrea Norton justo antes de las dos de la madrugada. Ella podía servirme de coartada hasta esa hora. Después yo había estado en el depósito de cadáveres a las siete, para la autopsia. El forense podría confirmarlo. De modo que tenía dos coartadas sin relación entre sí. Pero entre las dos y las siete había aún un intervalo de cinco horas en que cabía el momento probable de la muerte de Brubaker. ¿Podía haber conducido yo trescientos kilómetros de ida y trescientos de vuelta en cinco horas?

—Los tíos de Delta me tienen en la mira por lo de Carbone —dije—. Me pregunto si ahora también vendrán por mí por lo de Brubaker. ¿Qué le parece hacer seiscientos kilómetros en cinco horas?

—Seguramente yo podría hacerlos —repuso Summer—. Basta con un promedio de ciento veinte. Depende del coche, claro, y de la carretera, y del tráfico, el tiempo y la poli. Pero es posible, desde luego.

—Pues qué bien.

—Pero eso es hilar demasiado fino.

—Mejor que así sea. Porque para ellos matar a Brubaker será como haber matado a Dios.

—¿Va a ir por ahí a dar la noticia?

Asentí.

—Creo que debo hacerlo, por una cuestión de respeto. Pero usted informa al comandante del puesto de mi parte, ¿vale?

El encargado de las funciones administrativas de las Fuerzas Especiales era un gilipollas, pero también humano. Cuando se lo conté se quedó inmóvil y palideció, y quedó claro que ahí había bastante más que la previsión de un mero engorro burocrático. Por lo que yo había oído, Brubaker era severo, distante y autoritario, pero era asimismo una verdadera figura paterna, para cada hombre tomado individualmente y para el conjunto de la unidad. Y para la unidad como concepto. Las Fuerzas Especiales en general y Delta en concreto no siempre han gozado de popularidad en el Pentágono y el Capitolio. El ejército detesta los cambios y tarda mucho tiempo en acostumbrarse a cualquier novedad. Al principio, la idea de formar una chusma de intervención rápida y contundente había sido difícil de vender, y Brubaker había sido uno de los encargados de ventas, y desde entonces jamás había cejado en su empeño. Su muerte iba a ser un duro golpe para las Fuerzas Especiales, igual que para una nación entera la muerte de su presidente.

—Lo de Carbone fue muy fuerte —dijo el hombre—. Pero esto es inaudito. ¿Hay alguna relación?

Lo miré.

—¿Cómo va a haber ninguna relación? —dije—. Carbone tuvo un accidente.

No replicó.

—¿Por qué estaba Brubaker en un hotel? —pregunté.

—Porque le gustaba jugar al golf. Tenía una casa cerca de Bragg desde hacía tiempo, pero no le gustaba el golf de allí.

—¿Dónde está ese hotel?

—En las afueras de Raleigh.

—¿Iba mucho?

—Siempre que tenía ocasión.

—¿Su mujer juega al golf?

Él asintió.

—Juegan juntos. —Hizo una pausa—. Jugaban —corrigió, y acto seguido se quedó callado y desvió la vista.

Me imaginé a Brubaker. No lo había conocido, pero conocía a tíos a quienes caía bien. Un día están hablando de cómo orientar un tipo de mina antipersona para que explote con el ángulo exacto para arrancar la columna vertebral de los enemigos, y al día siguiente lucen camisas hawaianas mientras juegan al golf con sus esposas, acaso cogiéndose de las manos y sonriendo mientras se desplazan por el campo en sus cochecitos eléctricos. Yo conocía a muchos tipos así. Mi padre, por ejemplo, aunque él nunca jugó al golf. Observaba pájaros. Había estado en la mayoría de los países del mundo y había visto un montón de pájaros.

Me puse en pie.

—Si me necesita, llámeme —dije—. Ya sabe, si hay algo que yo pueda hacer...

Él asintió.

—Gracias por la visita —dijo—. Mejor que una llamada telefónica.

Regresé a mi despacho. Summer no estaba. Perdí más de una hora con sus listas de personal. Tomé un atajo y quité a la forense. Y a Summer. Y a Andrea Norton. Quité a todas las mujeres. Los datos médicos eran muy claros respecto a la estatura y el peso del agresor. Quité a los camareros del club de oficiales; el suboficial había dicho que estuvieron muy ocupados, deshaciéndose en atenciones con los comensales. También a los cocineros, y a los del bar, y a los PM de la puerta de entrada. Eliminé a todos los que aparecían como hospitalizados y encamados. Me excluí a mí mismo y a Carbone, claro.

Luego conté los que quedaban y escribí el número 973 en un trocito de papel. Ése era nuestro grupo de sospechosos. Me quedé con la mirada perdida. Sonó el teléfono. Era Sánchez, desde Fort Jackson.

—Acaba de llamarme la policía de Columbia —dijo—. Están compartiendo sus hallazgos iniciales.

—¿Y?

—Su médico no está del todo de acuerdo conmigo. La muerte no se produjo entre las tres y las cuatro de la madrugada sino a la una veintitrés de anteanoche.

—Vaya precisión.

—La bala rozó su reloj de pulsera y lo estropeó.

—¿Un reloj roto? No podemos basarnos ciento por ciento en eso.

—Es bastante seguro. Han hecho otras pruebas. No es una estación adecuada para medir la actividad de insectos, lo que habría sido de gran ayuda, pero el contenido del estómago de Brubaker seguía ahí cinco o seis horas después de una copiosa cena.

—¿Qué dice su esposa?

—Que desapareció a las ocho de esa noche, tras haber cenado mucho. Se levantó de la mesa y ya no volvió.

—¿Y qué hizo ella?

—Nada —contestó Sánchez—. Él pertenecía a las Fuerzas Especiales. Durante todo su matrimonio él había desaparecido sin avisar, en mitad de la cena, en mitad de la noche, durante días o semanas, sin ser nunca capaz de decir después dónde había ido ni por qué. Estaba acostumbrada.

—¿Recibió él alguna llamada telefónica o algo así?

—Ella supone que en algún momento sí la recibió. No está segura del todo. Antes de la cena, la mujer se encontraba en el balneario. Acababan de jugar veintisiete hoyos.

—¿Puedes llamarla tú? Contigo hablará más deprisa que con los polis civiles.

—Puedo intentarlo.

—¿Algo más? —dije.

—La herida de bala era de nueve milímetros. Dos tiros, ambos de parte a parte. De entrada limpia y salida fea.

—Munición encamisada —dije.

—Disparos de contacto —corrigió él—. Había quemaduras de pólvora. Y hollín.

Pensé un momento. No podía ser. ¿Dos disparos? ¿De contacto? ¿Una de las balas entra, sale, traza una curva, regresa y le estropea el reloj?

—¿Tenía las manos en la cabeza?

—Le dispararon por la espalda, Reacher. Dos veces, a la parte posterior del cráneo. Pum pum, gracias y buenas noches. El segundo alcanzaría el reloj después de atravesarle la cabeza. Trayectoria descendente. Tirador alto.

No dije nada.

—Bien —dijo Sánchez—. No sé hasta qué punto es verosímil. ¿Lo conocías?

—No.

—Estaba muy por encima de la media. Un verdadero profesional. Y además inteligente. Conocía todos los ángulos, las ventajas y los trucos, y estaba preparado para valerse de ello.

—¿Y le dispararon en la parte posterior de la cabeza?

—Conocía al tipo, sin duda. No hay otra explicación. ¿Cómo, si no, iba a darle la espalda en un callejón en mitad de la noche?

—¿Estás investigando a gente en Fort Jackson?

—Aquí hay un montón de gente.

—Qué me vas a contar.

—¿Tenía enemigos en Fort Bird?

—No que yo sepa —repuse—. ¿Tenía enemigos en la cadena de mando hacia arriba?

—Los peces gordos no quedan con la gente en callejones a media noche.

—¿Dónde está ese callejón?

—En una parte de la ciudad no precisamente tranquila.

—Entonces ¿alguien oyó algo?

—Nadie —contestó Sánchez—. La policía de Columbia ha hecho un sondeo y nada.

—Qué raro.

—Son civiles. ¿Qué otra cosa se podía esperar?

No respondió.

—¿Ya has conocido a Willard? —pregunté.

—Ahora mismo está de camino hacia aquí. Parece un verdadero capullo, de esos que se entrometen en todo.

—¿Cómo es el callejón?

—Putas y traficantes de *crack*. Nada que los prohombres de la ciudad de Columbia vayan a incluir en sus folletos turísticos.

—Willard detesta los escándalos —le advertí—. Se pondrá nervioso por la cuestión de la imagen.

—¿La imagen de Columbia? ¿A quién le importa?

—La imagen del ejército —precisé—. No querrá que el nombre de Brubaker, un coronel de elite, salga junto al de putas y traficantes. Cree que todo este asunto de la Unión Soviética va a agitar las aguas. Cree que ahora mismo nos convienen unas buenas relaciones públicas. Se figura que lo ve todo claro.

—Lo que veo claro yo es que, de todos modos, en este asunto ya no puedo intervenir mucho más. ¿Qué clase de influencia tiene él en la policía de Columbia y el FBI? Porque eso es lo que haría falta.

—Prepárate, que habrá problemas.

—¿Vamos a pasar siete años de vacas flacas?

—No tantos.

—¿Por qué?

—Es una sensación —dije.

—¿Estás conforme con que me ocupe de los contactos de aquí? ¿O prefieres que te llamen a ti? Técnicamente, Brubaker es un muerto tuyo.

—Encárgate tú —dije—. Tengo otras cosas que hacer.

Colgamos, y yo volví a las listas de Summer. «Novecientos setenta y tres.» Novecientos setenta y dos inocentes y un culpable. ¿Cuál?

Al cabo de otra hora regresó Summer. Entró y me entregó una hoja. Era una fotocopia de una solicitud de armas efectuada cuatro meses atrás por el sargento primero Christopher Carbone. Se refería a una pistola Heckler & Kock P7. Quizá le habían gustado las metralletas

H&K de los Delta, y por eso quería una P7 para uso personal. Había pedido que la recámara fuera para el cartucho normal de 9 mm Parabellum. Con un cargador de trece disparos y tres más de repuesto. Era una solicitud totalmente normal y una petición absolutamente razonable. No me cabía duda de que se la habían concedido. No habría habido susceptibilidades. H&K era un producto alemán, y Alemania seguía en la OTAN. Tampoco habría incompatibilidades. La Parabellum de 9 mm era una munición corriente en la OTAN, y el ejército de Estados Unidos no andaba escaso de ella. Había almacenes abarrotados. Podríamos haber llenado cargadores de trece disparos un millón de veces cada día hasta el fin de los tiempos.

—¿Qué?

—Mire la firma —dijo Summer. De un bolsillo interior sacó la copia de la denuncia de Carbone y la dejó sobre la mesa, al lado de la solicitud. Paseé la vista de una a otra.

Las dos firmas eran idénticas.

—No somos expertos en caligrafía —dije.

—No hace falta serlo. Son iguales, Reacher. Créame.

Asentí. En las dos ponía *C. Carbone*, y las cuatro *ces* mayúsculas eran muy características. Rápidas, alargadas, con una rúbrica rizada. La *e* minúscula del final también era peculiar. Tenía una forma redondeada y la cola saltaba velozmente a la derecha de la hoja, más allá del nombre, horizontal, exuberante. El *arbon* del centro era dinámico, fluido y lineal. En conjunto era un firma atrevida, orgullosa, legible, segura de sí misma, desarrollada indudablemente durante largos años de firmar cheques y cuentas del bar, permisos y documentos de vehículos. Cualquier firma podía falsificarse, naturalmente, pero pensé que ésta habría presentado verdaderas dificultades. Dificultades que, a mi juicio, habría sido imposible superar entre la medianoche y las 8.45 en una base militar de Carolina del Norte.

—De acuerdo —dije—. La denuncia es auténtica.

La dejé sobre la mesa. Summer la giró y la leyó de cabo

a rabo pese a que seguramente la había leído ya un montón de veces.

—Es fría —comentó—. Como una puñalada en la espalda.

—Yo diría más bien extraña. Nunca antes había visto a ese tío. Estoy seguro. Y era un delta. No es que entre ellos haya muchas almas amables y pacíficas. ¿Por qué se sentiría ofendido? No fue *su* pierna la que rompí.

—Tal vez fue algo personal. A lo mejor el gordo era amigo suyo.

Meneé la cabeza.

—Entonces habría intervenido para parar la pelea.

—Es la única denuncia que presentó en sus dieciséis años de carrera —dijo.

—¿Ha hablado usted con gente?

—Con toda clase de gente. De aquí mismo, y por teléfono con personas de todas partes.

—¿Ha ido con cuidado?

—Con sumo cuidado. Y es la única denuncia que han presentado jamás contra usted.

—¿También ha comprobado eso?

Asintió.

—Me he remontado al Paleolítico —añadió.

—Quería saber con qué clase de tío está viéndoselas aquí, ¿eh?

—No; quería ser capaz de demostrarles a los delta que usted no tiene antecedentes. Ninguna historia con Carbone ni con nadie.

—¿Ahora me está protegiendo usted a mí?

—Alguien tendrá que hacerlo. Acabo de hacerles una visita. Están desquiciados.

Asentí.

—No me extraña —dije. Imaginé sus solitarios alojamientos, primero pensados para meter dentro a gente, luego usados para dejar fuera a los desconocidos, ahora sirviendo para mantener la unidad en ebullición, como en una olla a presión. Me imaginé el despacho de Brubaker, dondequiera que estuviera, tranquilo y desierto. Y el vacío dormitorio de Carbone.

—¿Dónde estaba la nueva P7 de Carbone? —dije—. En su dormitorio no la encontré.

—En el arsenal que tienen —explicó Summer—. Limpia, lubricada y cargada. Inspeccionan las armas personales que entran y salen. Dentro del hangar hay una especie de jaula. Debería ver usted ese lugar. Es como la tienda de Santa Claus. Humvee blindados especiales, camionetas, explosivos, lanzagranadas, minas antipersona, material de visión nocturna. Ellos solos podrían equipar a cualquier dictador africano.

—Muy tranquilizador.

—Perdón —dijo.

—Así pues, ¿por qué presentó la denuncia?

—No lo sé —repuso ella.

Me imaginé a Carbone en el local de *striptease* en Nochevieja. Yo había entrado y visto un grupo de cuatro hombres que tomé por sargentos. El torbellino de la multitud había hecho que tres de ellos volvieran la mirada y el cuarto quedara frente a mí de manera totalmente fortuita. Yo no sabía a quién me iba a encontrar allí dentro, ellos no sabían que yo iba a aparecer. Nunca había visto a ninguno antes. El encuentro fue todo lo casual que cupiera imaginar. Aun así, Carbone me había denunciado por un alboroto insulso de los que él habría presenciado miles. El tipo de alboroto insulso en el que él habría tomado parte cientos de veces. Si un soldado afirma que jamás ha pegado a un civil en un bar, estamos ante un embustero.

—¿Es usted católica? —pregunté.

—No. ¿Por qué?

—Me preguntaba si sabría latín.

—No sólo los católicos saben latín. Fui al instituto, ¿sabe?

—Vale. *Cui bono?*

—A quién beneficia. ¿El qué? ¿La denuncia?

—Es siempre una buena guía para descubrir el motivo —precisé—. Con ella se pueden explicar muchísimas cosas. Historia, política, todo.

—¿Es como seguir un rastro de dinero?

—Más o menos —dije—. Con la diferencia de que no creo que aquí haya dinero alguno. Pero de algún modo esto iba a beneficiar a Carbone. Si no, ¿por qué iba a hacerlo?

—Por alguna razón moral. Tal vez se sintió impulsado a ello.

—Si era la primera vez en dieciséis años, no. Tuvo que haber visto cosas mucho peores. Al fin y al cabo sólo rompí una pierna y una nariz. Nada del otro mundo. Esto es el ejército, Summer. Doy por sentado que durante todos estos años Carbone no estuvo confundiéndolo con un club de jardinería.

—No sé —dijo Summer.

Deslicé sobre la mesa el papel con los 973 nombres.

—Ésta es nuestra lista de sospechosos.

—Carbone estuvo en el bar hasta las ocho —dijo ella—. También lo verifiqué. Se marchó solo. Después nadie volvió a verlo.

—¿Nadie sabe nada sobre su estado de ánimo?

—Los delta no tienen estados de ánimo. Parecer humano es demasiado peligroso.

—¿Había bebido?

—Una cerveza.

—O sea que se marchó sin más, sin nervios ni preocupaciones.

—Por lo visto.

—Conocía al tipo con el que había quedado —reafirmé.

Summer no respondió.

—Sánchez ha vuelto a llamar cuando usted no estaba —añadí—. Al coronel Brubaker le dispararon en la cabeza. Dos tiros, de cerca, por la espalda.

—Entonces también conocía al tío con quien había quedado.

—Muy probablemente —dije—. La 1.23. Una bala estropeó su reloj. Entre tres horas y media y cuatro horas y media después de lo de Carbone.

—Esto le deja libre de sospecha ante los delta. A la 1.23 usted todavía estaba aquí.

—Sí —dije—. Así es. Estaba con Norton.

—Haré correr la voz.

—No la creerán.

—¿Cree que hay relación entre las dos muertes?

—Eso indica el sentido común. Pero no veo cómo. Ni por qué. Vamos a ver, sí claro, ambos eran chicos delta. Pero Carbone se encontraba aquí y Brubaker allí, y Brubaker era de los que manejaban los hilos mientras que Carbone vivía bastante aislado. Quizá porque pensaba que eso era lo que debía hacer.

—¿Cree que algún día habrá gays en el ejército?

—Creo que ya los hay. Siempre los ha habido. En la Segunda Guerra Mundial, los aliados tenían catorce millones de hombres uniformados. Según cualquier probabilidad razonable, al menos un millón eran gays. Y por lo que recuerdo, la última vez que hojeé los libros de historia vi que aquella guerra la ganamos. A lo grande.

—Sería un paso adelante de narices —soltó ella.

—También se dio un gran paso al aceptar a soldados negros. Y a las mujeres. Muchos se cabrearon y se quejaron. Que era malo para la moral, para la cohesión de las unidades. Chorradas, entonces y ahora, ¿vale? Usted está aquí y lo está haciendo muy bien.

—¿Es usted católico?

Negué con la cabeza.

—El latín nos lo enseñó mi madre —comenté—. Se preocupaba por nuestra educación. Nos enseñaba cosas, a mí y a mi hermano Joe.

—Debería usted llamarla.

—¿Para qué?

—Para ver cómo está de la pierna.

—Quizá más tarde —dije.

Volví a revisar las listas de personal, y Summer se marchó y regresó con un mapa del Este. Lo pegó en la pared, debajo del reloj, y marcó nuestra ubicación en Fort Bird con una chincheta roja. Luego señaló Columbia (Carolina del Sur), donde habían hallado a Brubaker. A continuación marcó Raleigh (Carolina del Norte), donde Brubaker había estado jugando al golf con su mujer. Saqué una regla de plástico transparente de un cajón de mi escritorio y se la di. Summer verificó la escala del mapa y se puso a calcular tiempos y distancias.

—Tenga presente que muy pocos conducen tan deprisa como usted —le advertí.

—Nadie conduce tan rápido como yo —corrigió.

Midió once centímetros y pico entre Raleigh y Columbia, que redondeamos hasta doce para tener en cuenta que la US-1 serpentea un poco. Ella puso la regla contra la escala del recuadro de signos convencionales.

—Trescientos veinte kilómetros —dijo—. De modo que si Brubaker salió de Raleigh después de cenar, pudo haber llegado fácilmente a Columbia a medianoche. Una hora o así antes de morir.

Después comprobó la distancia entre Fort Bird y Columbia. Le salieron doscientos cuarenta kilómetros, menos de lo que yo había supuesto en un principio.

—Tres horas —indicó—. Con un margen cómodo. —Luego me miró—. Pudo haber sido el mismo —dijo—. Si mataron a Carbone entre las nueve y las diez, el mismo tío pudo haber estado en Columbia a medianoche o a la una para cargarse a Brubaker. —Colocó su pequeño dedo en la chincheta de Fort Bird—. Carbone —dijo. Extendió la mano y puso el índice sobre la chincheta de

Columbia—. Brubaker —añadió—. La secuencia es clarísima.

—La conjetura es clarísima —corregí.

No replicó.

—¿Sabemos si Brubaker condujo desde Raleigh? —pregunté.

—Podemos presumir que sí.

—Debemos preguntar a Sánchez y confirmarlo —apunté—. Y averiguar si han encontrado el coche en alguna parte. Y para empezar, si su esposa dice que se lo llevó.

—Muy bien —dijo.

Salió y se dirigió a la mesa de la sargento para efectuar la llamada. Me dejó con las interminables listas de personal. Regresó al cabo de diez minutos.

—Se llevó el coche —explicó—. La esposa le dijo a Sánchez que en el hotel tenían dos coches. Uno de cada uno. Siempre lo hacían así porque con frecuencia Brubaker tenía que irse pitando a algún sitio y ella no quería quedarse colgada.

—¿Qué clase de coche? —Supuse que ella ya lo habría preguntado.

—Chevy Impala SS.

—No está mal.

—Se fue después de cenar y, según cree la esposa, se dirigió aquí, a Bird. Eso habría sido normal. Sin embargo, el vehículo aún no ha aparecido. Al menos, según la policía de Columbia y el FBI.

—Muy bien —dije.

—Sánchez cree que están ocultando algo, que saben algo que nosotros ignoramos.

—Eso también sería normal.

—Los está presionando. Pero no es fácil.

—Nunca lo es —dije.

—En cuanto tenga alguna novedad nos llamará.

Al cabo de media hora recibimos una llamada. Pero no de Sánchez. Ni sobre Brubaker o Carbone. Era el detective Clark, desde Green Valley (Virginia). Sobre el caso de la señora Kramer.

—Tengo algo —dijo.

Sonaba muy satisfecho de sí mismo. Se puso a contar con todo detalle los movimientos que había llevado a cabo. Todo parecía bastante atinado. Se había valido de un mapa para determinar los probables accesos a Green Valley desde una distancia de hasta quinientos kilómetros. Luego había consultado las páginas amarillas para confeccionar una lista de ferreterías a lo largo de esas rutas. Sus hombres habían llamado a todas, una por una, comenzando en el centro de la telaraña. Clark había supuesto que en invierno habría pocas ventas de barras de hierro. Las reformas importantes empiezan a hacerse a partir de la primavera. Si hace frío, nadie quiere que le tiren paredes para ampliar la cocina. Así que esperaba muy pocos informes positivos. Al cabo de tres horas no tenía ninguno. Después de la Navidad, la gente se había dedicado a comprar taladros y destornilladores eléctricos. Algunos habían adquirido motosierras para poder seguir alimentando sus estufas de leña. Quienes tenían fantasías de pionero habían comprado hachas. Pero nadie había mostrado interés en cosas tan inertes y prosaicas como las barras de hierro.

Así que Clark cambió de estrategia y consultó sus bases de datos criminales. En un principio pensó buscar informes, de otros crímenes que incluyeran puertas forzadas con barras de hierro. Consideró que así reduciría el número de posibles emplazamientos. No encontró nada que se correspondiera con sus parámetros. Pero lo que sí vio en Información sobre Crímenes Nacionales de su ordenador fue un robo en una ferretería pequeña de Sperryville (Virginia). La tienda era un local solitario en una calle sin salida. Según el propietario, en las primeras horas del día de Año Nuevo habían roto a patadas la ventana delantera. Como era fiesta, no había dinero en la caja registradora. Por lo que el hombre sabía, sólo le habían robado una barra de hierro.

Summer retrocedió hasta el mapa de la pared y colocó una chincheta en Sperryville (Virginia). Era un punto diminuto, y la cabeza de plástico de la chincheta lo tapaba del todo. Luego puso otra chincheta en Green Valley. Las dos quedaron separadas por unos seis milímetros. Casi se tocaban. Unos quince kilómetros.

—Fíjese en esto —dijo Summer.

Me puse en pie y me acerqué al mapa. Sperryville estaba en el codo de una carretera sinuosa que seguía hacia el sudoeste pasando por Green Valley. La otra dirección no apuntaba a ninguna parte salvo a Washington D.C. De modo que Summer colocó una chincheta en Washington D.C. Puso el meñique encima. Luego el dedo corazón en Sperryville y el índice en Green Valley.

—Vassell y Coomer —dijo—. Salieron de D.C., robaron la barra en Sperryville y entraron en la casa de la señora Kramer en Green Valley.

—Lástima, pero no fue así —observé—. Llegaban del aeropuerto, no tenían coche y no pidieron ninguno. Usted misma examinó las llamadas.

Summer se quedó callada.

—Además son oficiales de despacho —añadí—. No sabrían cómo robar en una ferretería ni en el caso de que su vida dependiera de ello.

Ella quitó la mano del mapa. Yo volví a la mesa y coloqué las listas de personal en un montón ordenado.

—Hemos de concentrarnos en Carbone —dije.

—Entonces necesitamos un nuevo plan —dijo ella—. El detective Clark dejará de buscar barras de hierro. Ya tiene la que quería.

Asentí.

—Volvamos a los métodos de investigación consagrados por la tradición.

—¿Cuáles son?

—No lo sé exactamente. Yo fui a West Point, no a la escuela de la PM.

Sonó el teléfono. La misma voz cálida y sureña de antes repitió la misma rutina: «10-33, 10-16 de Jackson.» Acepté la llamada, pulsé el botón del altavoz, me recliné en la silla y esperé. Un zumbido electrónico llenó la estancia. Luego se oyó un clic.

—¿Reacher? —dijo Sánchez.

—Y la teniente Summer —dije—. Tengo el altavoz conectado.

—¿Hay alguien más?

—No —repuse.

—¿Está cerrada la puerta?

—Sí. ¿Qué pasa?

—Pasa que la policía de Columbia ha llamado otra vez. Me están soltando cosas con cuentagotas. Se lo están pasando en grande, regodeándose como cochinos.

—¿En qué?

—Brubaker llevaba heroína en el bolsillo. Tres bolsitas. Y un buen fajo de billetes. Van diciendo que fue un trapicheo que salió mal.

15

Nací en 1960, por lo que tenía siete años en el Verano del Amor, trece al final de nuestra participación efectiva en Vietnam y quince al final de nuestra postrera implicación en dicha guerra. Ello significa que me perdí la mayor parte del conflicto de los militares americanos con los narcóticos. No viví los años intensos de *Purple Haze*, de Jimmy Hendrix. Yo pillé la fase siguiente, más estable. Como muchos soldados, había fumado hierba de vez en cuando, quizá la suficiente para desarrollar cierta preferencia entre distintas clases y orígenes, pero no tanto como para ocupar un buen puesto en las estadísticas de drogadictos norteamericanos en cuanto a volumen consumido a lo largo de la vida. Yo consumía a tiempo parcial. Era de los que compraba, no de los que vendía.

Pero como PM había visto vender mucho. Había visto trapicheos, unos que salían bien, otros que no. Sabía cuál era el procedimiento. Y una cosa que sabía con seguridad era que si un mal negocio termina con un tío muerto en el suelo, en su bolsillo no hay nada. Ni dinero ni mercancía. Segurísimo. ¿Por qué iba a haberlo? Si el muerto es el comprador, el vendedor huye con su droga y el dinero del otro. Si el muerto es el vendedor, el comprador se queda el alijo gratis. En uno u otro caso, alguien saca un buen provecho a cambio de un par de balas y de hurgar un poco en los bolsillos ajenos.

—Son gilipolleces, Sánchez —solté—. Es una simulación.

—Pues claro. Lo sé muy bien.

—¿Se lo has dejado claro?

—¿Para qué? Son civiles, pero no estúpidos.

—Entonces ¿por qué se regodean?

—Porque esto les allana el camino. Si no pueden resolver el caso, simplemente lo archivan. El que queda mal es Brubaker, no ellos.

—¿Tienen algún testigo?

—Ni uno.

—Hubo disparos —dije—. Alguien debió de oír algo.

—Según los polis, no.

—A Willard le va a dar un ataque —avisé.

—Eso en el fondo es lo de menos.

—¿Tienes coartada?

—¿Yo? ¿Para qué?

—Willard buscará dónde agarrarse. Se valdrá de lo que sea para hacerte marcar el paso.

Sánchez no respondió enseguida. Algo en el circuito electrónico de la línea ocasionó un fuerte silbido. Él habló por encima de la interferencia.

—Creo que soy invulnerable —dijo—. Es el Departamento de Policía de Columbia el que hace las acusaciones, no yo.

—De todos modos, vigila —insistí.

—Descuida.

Colgué. Summer estaba pensando. Componía un semblante tenso y movía los párpados.

—¿Qué pasa? —pregunté.

—¿Está seguro de que era una simulación?

—No hay otra explicación.

—De acuerdo —dijo—. Bien. —Seguía de pie junto al mapa. Volvió a poner la mano sobre el mismo. El dedo meñique en la chincheta de Fort Bird, el índice en la de Columbia—. Admitimos ese punto. No lo ponemos en duda. Vale, ahora hay un patrón. La droga y el dinero en el bolsillo de Brubaker equivalen a la rama en el culo de Carbone y al yogur en su espalda. Confusión calculada. Ocultación del verdadero móvil. Es un modus operandi clarísimo. Y ya no es ninguna conjetura. Cometió los dos crímenes el mismo tío. Mató a Carbone aquí. Luego condujo hasta Columbia y allí se cargó a Brubaker. Es una secuencia clara. Todo encaja. Tiempos, distancias, el modo de pensar del tipo.

La miré, allí de pie. Su pequeña mano oscura extendida como el brazo de una estrella de mar. En las uñas se apreciaba esmalte transparente. Le brillaban los ojos.

—Se deshizo de la barra —dije—. Tras acabar con Carbone pero antes de ir por Brubaker. ¿Por qué?

—Prefería pistola —contestó—, como cualquier persona normal. Pero sabía que aquí no podía utilizarla. Demasiado ruido. A kilómetro y medio de los principales edificios de la base, a una hora avanzada, todos habríamos salido corriendo a ver. Pero en un barrio sórdido de una ciudad grande nadie iba a pararse a curiosear. Y así sucedió, por lo visto.

—¿Pudo él estar seguro de eso?

—No —repuso—. Completamente seguro no. Fijó la cita, y por tanto sabía adónde iba. Pero no podía estar totalmente seguro de qué se encontraría al llegar. Supongo que decidió llevar encima un arma de reserva. Después la barra quedó toda cubierta de pelo y sangre y no tenía tiempo de limpiarla. Tenía prisa. El suelo estaba helado y no había ningún claro de hierba suave para adecentarla. Y no podía llevársela en el coche. En su viaje al sur podía pararle la policía de tráfico. De modo que la tiró por ahí.

Asentí. Ante un adversario en forma y precavido, una pistola era un arma más fiable. Sobre todo en la estrechura de un callejón de ciudad en comparación con los terrenos oscuros y solitarios donde se había cargado a Carbone. Bostecé y cerré los ojos. «Los espacios solitarios donde se había cargado a Carbone.» Volví a abrir los ojos.

—Mató a Carbone aquí —repetí—. Luego se subió al coche, se dirigió a Columbia y allí mató a Brubaker.

—Sí —confirmó Summer.

—Antes usted suponía que condujo por el camino con Carbone, le golpeó en la cabeza, dispuso todo el decorado y acto seguido regresó aquí. El razonamiento era muy bueno. Y el hallazgo de la barra más o menos lo confirmaba.

—Gracias —dijo ella.

—Y luego nos imaginamos que aparcó el coche y volvió a sus ocupaciones.

—Efectivamente —dijo.

—Pero no pudo aparcar el coche y volver a sus ocupaciones. Porque ahora estamos diciendo que, en vez de ello, condujo directamente hasta Columbia para encontrarse con Brubaker. Un trayecto de tres horas. Tenía prisa. No podía perder tiempo.

—Efectivamente —repitió.

—De modo que no estacionó el coche —indiqué—. Ni siquiera se detuvo un instante. Salió por la puerta principal. No hay otra forma de salir de la base. Fue directamente hacia la puerta principal, Summer, inmediatamente después de haber asesinado a Carbone, entre las nueve y las diez.

—Miremos el registro de la entrada —dijo ella—. Hay una copia ahí en el escritorio.

Examinamos el registro juntos. La operación Causa Justa en Panamá había puesto a todas las instalaciones nacionales en un grado más en la escala DefCon, de situación de defensa, por lo que todos los puestos cerrados registraban con todo detalle entradas y salidas en encuadernados libros mayores con páginas numeradas. Nosotros disponíamos de una buena y clara fotocopia xerox de la página correspondiente al 4 de enero. Yo confiaba en que fuera auténtica, estuviera completa y fuese precisa. La Policía Militar tiene muchos defectos, pero no suele meter la pata con el papeleo elemental.

Summer cogió la hoja de mis manos y la pegó en la pared, junto al mapa. Nos quedamos uno al lado del otro mirándola. Estaba organizada en seis columnas. Había espacio para la fecha, las horas de entrada y de salida, el número de placa, los ocupantes y el motivo.

—Había poco tráfico —dijo Summer.

No comenté nada. Ignoraba si diecinueve anotaciones equivalía a poco tráfico o no. No estaba acostumbrado a Fort Bird, y hacía siglos que no me chupaba una guardia en una puerta. Pero sin duda parecía un día tranquilo en comparación con las numerosas páginas del día de Año Nuevo.

—La mayoría de la gente dijo que regresaba al servicio —señaló Summer.

Asentí. Catorce líneas tenían asientos en la columna de *hora de entrada* pero no en la de salida. Eso significaba que habían entrado catorce personas que se habían quedado dentro. Otra vez al trabajo, tras unas buenas vacaciones. O tras haber estado fuera por otras razones. Yo figuraba allí, entre ellos: «4-1-90, 23.02, Reacher, J., RAB. El comandante J. Reacher regresa a la base.» Desde París, pasando por la antigua oficina de Garber en Rock Creek. En la matrícula del vehículo ponía «peatón». También aparecía mi sargento, que venía desde su domicilio fuera del puesto para cumplir su turno de noche. Ella había llegado a las nueve y media, al volante de algo que tenía matrícula de Carolina del Norte.

Catorce que entran y se quedan.

Sólo cinco salidas.

Tres eran proveedores habituales de comestibles. Seguramente furgonetas grandes. Una base militar consume muchísima comida. Hay montones de bocas que alimentar. Tres furgonetas en un día me parecía más o menos normal. La entrada de cada una se había producido aproximadamente a primera hora de la tarde, y la salida después de transcurrida una hora, lo que resultaba razonable. La última hora de salida era justo antes de las tres.

Luego había un intervalo de siete horas.

La penúltima salida anotada era la de Vassell y Coomer tras su cena en el club de oficiales. Habían cruzado la verja a las 22.01. Habían entrado a las 18.45. En ese momento habían sido apuntados sus números de placa del Departamento de Defensa así como sus nombres y rangos respectivos. Como motivo constaba «visita de cortesía».

Cinco salidas. Ya llevábamos cuatro.

Faltaba una.

La otra persona que salió de Fort Bird el 4 de enero aparecía como: «4-1-90, 22.11, Trifonov, S. Sgt.» En el espacio pertinente había una matrícula de Carolina del Norte. No figuraba la hora de entrada. La columna de los motivos estaba en blanco. Por tanto, un sargento llamado Trifonov había estado en el puesto todo el día, o toda la semana, y luego había salido a las diez y once minutos de la noche. No se había hecho constar ningún motivo porque no existía ninguna directriz para preguntar a un soldado por qué se iba. Cabía suponer que salía a tomar una copa o a comer o a divertirse. El motivo era algo que los guardias preguntaban a los que entraban, no a los que salían.

Revisamos la hoja de nuevo, sólo para asegurarnos. Y llegamos a la misma conclusión. Aparte del general Vassell y el coronel Coomer en su Mercury Grand Marquis que conducían ellos mismos y luego un sargento llamado Trifonov en otra clase de coche, el 4 de enero nadie había salido en ningún vehículo ni a pie, salvo las tres furgonetas de reparto a primera hora de la tarde.

—Muy bien —dijo Summer—. El sargento Trifonov. Quienquiera que sea, es él.

—No hay otra —dije yo.

Llamé a la puerta principal. Se puso el mismo con el que ya había hablado respecto a Vassell y Coomer. Le reconocí la voz. Le pedí que buscara en el libro a partir de la página inmediatamente posterior a la que nosotros teníamos, y que averiguara a qué hora exacta había regresado cierto sargento llamado Trifonov. Le dije que podía ser cualquier hora después de las cuatro y media de la madrugada del 5 de enero. El hombre me hizo esperar unos momentos. Le oía pasar las rígidas páginas de pergamino vegetal. Lo hacía despacio, prestando mucha atención.

—Señor, a las cinco en punto de la madrugada —dijo—. Cinco de enero, sargento Trifonov, regreso a la base. —Oí que pasaba otra página—. Había salido a las 22.11 de la noche anterior.

—¿Recuerda algo de él?

—Se marchó unos diez minutos después de aquellos oficiales de Blindados por los que usted me preguntó. Por lo que recuerdo, iba con prisas. No esperó a que la barrera se levantara del todo. Pasó justo por debajo.

—¿Qué coche?

—Un Corvette, creo. No era nuevo, pero tenía buen aspecto.

—Cuando regresó ¿estaba usted todavía de guardia?

—Sí, señor. Así es.

—¿Recuerda algo?

—Nada reseñable. Hablé con él, naturalmente. Tenía acento extranjero.

—¿Cómo iba vestido?

—De civil. Chaqueta de piel, me parece. Supuse que no estaba de servicio.

—¿Se halla ahora en la base?

Oí nuevamente que hojeaba el libro. Imaginé un dedo bajando por las líneas escritas a partir de las cinco de la mañana del día 5.

—No nos consta que haya vuelto a salir, señor —dijo—. Ahora mismo, no. Así que andará por ahí.

—Muy bien —dije—. Gracias, soldado.

Colgué. Summer me miró.

—Regresó a las cinco. Tres horas y media después de que se parara el reloj de Brubaker.

—Un trayecto de tres horas —indicó ella.

—Y ahora se encuentra aquí.

—¿Quién es?

Llamé al cuartel general de la base. Hice la pregunta. Me dijeron quién era. Colgué y miré a Summer fijamente.

—Es un delta —dije—. Un desertor procedente de Bulgaria. Lo trajeron aquí en calidad de instructor. Sabe cosas que los nuestros ignoran.

Me levanté de la mesa y me acerqué al mapa. Puse los dedos sobre las chinchetas. El meñique en Fort Bird, el índice en Columbia. Era como si estuviera validando una teoría mediante el tacto. Doscientos cuarenta kilómetros. Tres horas y doce minutos para llegar, tres horas y treinta y siete minutos para regresar. Hice el cálculo mental. Una velocidad promedio de setenta y cinco por hora a la ida, y de sesenta y seis a la vuelta. De noche, por carreteras vacías, en un Chevrolet Corvette. Podía haberlo hecho con el freno de mano puesto.

—¿Lo detenemos? —dijo Summer.

—No —dije—. Lo haré yo solo. Voy para allá.

—¿Es atinado esto?

—Seguramente no. Pero no quiero que esos tíos crean que me tienen pillado.

Summer hizo una pausa.

—Le acompañaré —dijo.

—Muy bien —dije.

Eran las cinco de la tarde, habían transcurrido treinta y seis horas justas desde que Trifonov regresara a la base. El día era frío y gris. Cogimos armas, esposas y bolsas de pruebas. Nos dirigimos al parque móvil de la PM y encontramos un Humvee con una jaula separada de los asientos delanteros y sin tiradores internos en las puertas traseras. Summer iba al volante. Aparcó frente a la puerta del edificio de Delta. El centinela nos dejó entrar a pie. Rodeamos el edificio principal hasta encontrar el club de suboficiales. Me paré, y Summer se paró a mi lado.

—¿Va a entrar ahí? —preguntó.

—Sólo un minuto.

—¿Solo?

Asentí.

—Después iremos a su arsenal.

—No me parece sensato —señaló—. Debería entrar con usted.

—¿Por qué?

Summer vaciló.

—Como testigo, supongo.

—¿De qué?

—De lo que puedan hacerle.

Esbocé una breve sonrisa.

Empujé la puerta y entré. El lugar estaba bastante concurrido, poco iluminado y lleno de humo. Había mucho ruido. La gente me vio, y se fue imponiendo el silencio. Avancé unos pasos. Todos se quedaron inmóviles pero luego fueron acercándose. Tuve que abrirme paso apartándoles uno a uno. Nadie se movía. Me golpeaban con el hombro, a derecha e izquierda. Yo golpeaba a mi vez, en medio del silencio. Mido dos metros y peso cien kilos. En una competición de empujones sé defenderme.

Logré atravesar el vestíbulo y llegué al bar. Otra vez lo mismo. El ruido se apagó enseguida. Todos se volvieron hacia mí. Me miraban fijamente. Avancé, empujé y me abrí paso por la estancia. No se oía otra cosa salvo la respiración tensa, pies rozando el suelo y el ruido sordo del entrechocar de hombros. Mantuve la mirada fija en la pared más alejada. El joven bronceado de la barba se interpuso en mi camino. Sostenía un vaso de cerveza. Yo seguí andando y él se desplazó a la derecha, chocamos, y el vaso vertió la mitad de su contenido en el suelo de linóleo.

—Has derramado mi cerveza —dijo.

Miré hacia abajo. Luego lo miré a los ojos.

—Lámelo —dijo.

Nos quedamos frente a frente un segundo. Luego seguí adelante pasando por su lado. Noté una comezón en la espalda. Sabía que él me observaba. Pero yo no iba a volverme. Ni en broma. A menos que oyera el ruido de una botella rota contra una mesa.

No lo oí. Hice todo el recorrido hasta la pared del otro extremo. La toqué como un nadador al final de los últimos cincuenta metros. Me di la vuelta y miré. El viaje de vuelta no iba a ser distinto. La estancia estaba en silencio. Retomé el paso. Aceleré entre los presentes. Choqué con más fuerza. La inercia tiene sus ventajas. Cuando ya había recorrido unos diez pasos, la gente empezó a apartarse. A retroceder un poco.

Pensé que el mensaje había surtido efecto. De modo que zigzagueé un poco mostrando cierta cortesía, sin embestir como un toro. Algunos valoraron el detalle. Regresé a la puerta como cualquier persona civilizada en un lugar atestado. Me detuve y me volví. Escudriñé los rostros, lentamente, un grupo cada vez. «Mil, dos mil, tres mil, cuatro mil.» Finalmente les di la espalda y salí al aire fresco.

Summer no estaba.

Miré alrededor y la vi salir de una entrada de servicio a unos tres metros. Había estado tras la barra. Supuse que guardándome las espaldas.

Me miró a los ojos.

—Ahora ya lo sabe —dijo.

—¿Sé qué?

—Cómo se sintió el primer soldado negro. Y la primera mujer.

Me mostró el camino hacia el viejo hangar donde se hallaba el arsenal. Cruzamos seis metros de hormigón y entramos por una puerta auxiliar para el personal. Summer no había bromeado con lo de equipar a una dictadura africana. En el techo del hangar había lámparas de arco que iluminaban una pequeña flota de vehículos especializados y enormes montones de todas las armas portátiles que quepa imaginar. Supuse que David Brubaker había hecho una labor de cabildeo muy eficaz en el Pentágono.

—Por aquí —dijo Summer.

Me condujo a una especie de jaula cuadrada de alambre. Tenía cuatro o cinco metros de lado y un techo de material a prueba de huracanes. Parecía una perrera. La puerta de alambre estaba abierta, con un candado que colgaba de una cadena de eslabones. Tras la puerta había una mesa para escribir de pie. Y detrás de la mesa, un hombre en traje de campaña. No se puso firmes, pero tampoco desvió la vista. Tan sólo se quedó donde estaba y me observó con mirada neutra, lo cual era lo más parecido a los buenos modales que los delta aprenden en su vida militar.

—¿Puedo ayudarles? —dijo, como si fuera el dependiente de una tienda y yo un cliente. A su espalda, en hileras, había armas usadas de todas clases. Vi cinco modelos diferentes de metralletas. También algunos M-16, A1 y A2. Y pistolas. Algunas flamantes; otras, viejas y gastadas. Estaban dispuestas con orden y precisión, pero sin ceremonias. No eran más que herramientas del oficio.

El tipo de la mesa tenía un libro de registro.

—¿Comprueba usted lo que entra y lo que sale? —inquirí.

—Como un aparcacoches —soltó el tipo—. Las normas del puesto no permiten llevar armas personales en las áreas de alojamiento. —Miraba a Summer, con quien ya habría tenido el mismo intercambio de preguntas y respuestas, cuando ella buscaba la nueva P7 de Carbone.

—¿Qué utiliza el sargento Trifonov? —pregunté.

—¿Trifonov? Tiene una Steyr GB.

—Enséñemela.

Se alejó hacia el estante de las pistolas y regresó con una Steyr GB negra. La sostenía por el cañón. Parecía lubricada y bien conservada. Saqué una bolsa de pruebas y él la dejó caer dentro. Cerré la cremallera y observé el arma a través del plástico.

—Nueve milímetros —dijo Summer.

Asentí. Era un arma excelente, pero la suerte no la había acompañado. Steyr-Daimler-Puch la fabricó con la perspectiva de un buen encargo del ejército austríaco, pero apareció un producto rival denominado Glock y se llevó el premio. Y así la GB quedó como un huérfano desdichado, como Cenicienta. Y al igual que Cenicienta, tenía muy buenas cualidades. Admitía catorce disparos, lo que era mucho, pero descargada pesaba algo más de un kilo, lo que era poco. Se podía desmontar y volver a montar en doce segundos, o sea deprisa. Lo mejor es que tenía un sistema muy eficaz de manejo del gas. Todas las armas automáticas funcionan valiéndose de la explosión de gas en la recámara para que salte el casquillo usado y entre el siguiente cartucho. Pero en la práctica, algunos cartuchos son viejos o defectuosos o están mal armados. No todos explotan con la misma fuerza. Si ponemos una carga débil, sin especificar, sólo se oye un resuello y no se produce el ciclo. Si colocamos una carga demasiado potente, el arma puede explotar en la mano. Sin embargo, la Steyr estaba concebida para afrontar cualquier problema de esa clase. Si yo fuera un miembro de las Fuerzas Especiales que hubiera arrebatado munición de calidad dudosa a cualquier chusma de guerrilleros con los que estuviera a la greña, utilizaría una Steyr. Querría estar seguro de que aquello de lo que dependía mi vida dispararía diez veces de diez.

A través del plástico apreté el resorte del cargador, detrás del gatillo, y agité la bolsa hasta hacerlo caer por la culata. Era de dieciocho disparos y tenía dieciséis cartuchos. Agarré la corredera y expulsé una bala de la recámara. Así que había ido con diecinueve proyectiles. Dieciocho en el cargador y uno en la recámara. Había regresado con diecisiete. Dieciséis en el cargador y uno en la recámara. Por tanto, había disparado dos.

—¿Hay teléfono aquí? —pregunté.

El empleado indicó con la cabeza una cabina en un rincón del hangar, a unos seis metros de su habitáculo. Me acerqué al aparato y llamé a la mesa de mi sargento. Respondió el tío de Luisiana. El cabo. Seguramente la mujer del turno de noche estaba todavía en casa, en su caravana, acostando al niño, duchándose, preparándose para la caminata hasta el trabajo.

—Póngame con Sánchez, de Fort Jackson —dije.

Mantuve el auricular pegado al oído y aguardé. Un minuto. Dos.

—¿Qué hay? —dijo Sánchez.

—¿Han encontrado los casquillos vacíos? —pregunté.

—No. El tío probablemente los recogió.

—Lástima. Eso habría sido el mate de la victoria.

—¿Has encontrado al tipo?

—Ahora mismo estoy sosteniendo su arma. Una Steyr GB, con todas las balas menos dos.

—¿Quién es?

—Luego te lo explico. Dejemos que los civiles suden un rato.

—¿Uno de los nuestros?

—Triste pero cierto.

Sánchez se quedó callado.

—¿Han encontrado las balas? —inquirí.

—No —contestó.

—¿Cómo es eso? Era un callejón, ¿no? ¿Tan lejos llegaron? Estarán empotradas en algún ladrillo.

—Entonces no nos servirán de nada. Aplastadas es imposible reconocerlas.

—Estaban encamisadas —señalé—. No se habrán roto. Al menos podríamos pesarlas.

—No las han encontrado.
—¿Las están buscando?
—No lo sé.
—¿Han localizado algún testigo?
—No.
—¿Han hallado el coche de Brubaker?
—No.
—Tiene que estar allí, Sánchez. Condujo hasta allí y llegó a medianoche o la una. En un coche inconfundible. ¿Lo están buscando?
—Está claro que nos ocultan algo.
—¿Ha llegado Willard?
—Estará aquí en cualquier momento.
—Dile que lo de Brubaker es un asunto terminado —dije—. Y que has oído que lo de Carbone no fue un accidente. Eso le alegrará el día.
Colgué. Regresé a la jaula de alambre. Summer estaba al lado del soldado, tras la mesa. Estaban hojeando el libro juntos.
—Fíjese en esto —dijo.
Con los dos dedos índices me mostró dos entradas distintas. A las siete y media de la noche del 4 de enero, Trifonov había firmado al retirar su pistola personal Steyr GB de 9 mm. Y había vuelto a firmar al devolverla a las cinco y cuarto de la mañana del día 5. Su firma era grande y torpe. Era búlgaro. Supuse que había aprendido el alfabeto cirílico y aún no estaba muy habituado a los caracteres latinos.
—¿Por qué la cogió? —pregunté.
—No preguntamos el motivo —respondió el hombre—. Sólo hacemos el papeleo.

Salimos del hangar y nos dirigimos al edificio de los alojamientos. Pasamos junto a un aparcamiento abierto. Había unos cuarenta o cincuenta coches. Vehículos típicos de soldados. De importación, pocos. Se veían algunos sedanes abollados de color vainilla sin adornos, pero mayormente camionetas y grandes cupés Detroit, unos pintados con llamas y rayas, otros con alerones y ruedas cromadas y neumáticos gruesos con letras grabadas. Sólo un Corvette. Rojo, aparcado aparte al final de la fila, tres plazas más allá.

Dimos un rodeo para echar un vistazo.

Tendría unos diez años. Estaba inmaculado, por dentro y por fuera. Hacía uno o dos días que había sido lavado y encerado de arriba abajo. Los arcos de las ruedas estaban impolutos. Los neumáticos, negros y relucientes. A unos diez metros, en la pared del hangar, había una manguera arrollada. Nos inclinamos y miramos por las ventanillas. Al parecer, el interior había sido lavado, y habían pasado la aspiradora. Era un coche de dos plazas, pero tras los asientos tenía un estante, un espacio pequeño pero lo bastante grande para ocultar una barra de hierro bajo un abrigo. Summer se arrodilló y pasó los dedos por debajo. Retiró las manos limpias.

—Nada de polvo del camino —dijo—. Ni sangre en los asientos.

—Ni envase de yogur en el suelo.

—Él mismo lo limpió todo.

Nos alejamos. Salimos por la puerta principal y guardamos el arma de Trifonov en el Humvee. Nos volvimos y entramos de nuevo.

Yo no quería involucrar al tipo de administración. Sólo quería sacar de allí a Trifonov antes de que nadie supiera qué pasaba. Así que cruzamos la puerta de la cocina y me encontré a un camarero al que pedí que buscara a Trifonov y lo llevara fuera a través de la cocina con cualquier pretexto. Luego salimos al frío y aguardamos. El camarero apareció solo al cabo de cinco minutos y nos dijo que Trifonov no estaba en el comedor.

Así que nos dirigimos a los dormitorios. Un soldado que salía de las duchas nos dijo dónde buscar. Dejamos atrás la habitación vacía de Carbone; al parecer no habían tocado nada. Trifonov estaba tres puertas más allá. Llegamos. La puerta abierta. Lo vimos sentado en el estrecho catre, leyendo un libro.

No tenía ni idea de qué me iba a encontrar. Por lo que sabía, Bulgaria no tenía Fuerzas Especiales. En el Pacto de Varsovia no eran habituales las unidades verdaderamente de elite. Checoslovaquia tenía una brigada aerotransportada bastante buena, y Polonia divisiones aerotransportadas y anfibias. La propia Unión Soviética tenía pocos tipos duros *Vysotniki*. Aparte de eso, en el este de Europa se trataba de mantener una superioridad numérica. Manda suficientes cuerpos al combate y, mientras consideres que dos terceras partes de ellos son prescindibles —cosa que ellos hacían—, a la larga vencerás.

Entonces ¿quién era ese tipo?

En la selección y el adiestramiento, las Fuerzas Especiales de la OTAN hacían mucho hincapié en la resistencia. Hacían correr a los tíos ochenta kilómetros acarreándolo todo, hasta el fregadero de la cocina. Los mantenían despiertos y recorriendo un terreno espantoso durante una semana seguida. Por tanto, las tropas de la OTAN tendían a estar formadas por individuos no demasiado grandes y muy flexibles, con la constitución de los corredores de maratón. Pero aquel búlgaro era un ropero. Al menos tan grande como yo. Quizás incluso más. Mediría uno noventa y cinco y pesaría unos ciento diez kilos. Llevaba la cabeza rapada. Tenía una cara grande y cuadrada a medio camino entre lo brutalmente feo y lo razonablemente atractivo, según le diera la luz. En ese momento el fluorescente del techo no le favorecía. Parecía cansado. Tenía unos ojos penetrantes, de párpados caídos, muy juntos y hundidos en las cuencas. Era un poco mayor que yo, treinta y pocos. Tenía unas manos enormes. Lucía un uniforme de campaña flamante, sin nombre, rango ni unidad.

—En pie, soldado —dije.

Dejó el libro sobre la cama, con cuidado, abierto boca abajo, como si estuviera guardando el sitio.

Lo esposamos y lo llevamos al Humvee sin ningún problema. Era un tipo tranquilo. Parecía resignado a su destino, como si supiera que sólo era cuestión de tiempo que los diversos libros de registro de su vida acabaran traicionándole.

Tras regresar, lo llevé a mi despacho sin incidente alguno. Le hicimos sentar, le quitamos las esposas y se las volvimos a poner con la muñeca derecha sujeta a la pata de la silla. Con un segundo par de esposas hicimos lo propio con la izquierda. Sus muñecas eran grandes, gruesas como tobillos.

Summer se acercó al mapa, mirando fijamente las chinchetas, como diciendo: «Lo sabemos.»

Me senté a la mesa.

—¿Cómo se llama? —pregunté—. Es para el expediente.

—Trifonov. —El acento era brusco y sonoro, gutural.

—¿Nombre?

—Slavi.

—Slavi Trifonov —dije—. ¿Rango?

—En mi país era coronel. Ahora soy sargento.

—¿De dónde es?

—De Sofía, Bulgaria.

—Para ser coronel es usted muy joven.

—Era muy bueno en lo que hacía.

—¿Y qué hacía?

No respondió.

—Tiene un bonito coche —observé.

—Gracias —dijo—. Para mí siempre fue un sueño tener un coche como ése.

—¿Dónde lo llevó la noche del cuatro?

No contestó.

—En Bulgaria no hay Fuerzas Especiales —señalé.

—No. No las hay.

—Entonces ¿qué hacía usted allí?

—Estaba en el ejército regular.

—¿Haciendo qué?

—Estaba en la triple coordinación entre el Ejército búlgaro, la policía secreta búlgara y nuestros amigos *Vysotniki* soviéticos.

—¿Formación?

—Cinco años con el GRU.

—¿Y eso qué es?

El tipo sonrió.

—Creo que usted sabe lo que es.

Asentí. El GRU soviético era un cruce entre un cuerpo de policía militar y una Delta Force. Eran muy duros, y tan dispuestos a dirigir su furia hacia dentro como hacia fuera.

—¿Por qué está aquí? —inquirí.

—¿En América? —dijo—. Estoy esperando.

—Esperando qué.

—El fin de la ocupación comunista de mi país. Creo que sucederá pronto. Luego regresaré. Me siento orgulloso de mi país. Es un lugar hermoso y de gente maravillosa. Soy nacionalista.

—¿Qué enseña en Delta?

—Cosas que ahora han quedado desfasadas, como pelear tal como yo aprendí a hacerlo. Pero me parece que esta batalla ya ha concluido. Ustedes han ganado.

—Tiene que decirnos dónde estuvo la noche del cuatro.

No dijo nada.

—¿Por qué desertó?

—Porque soy un patriota —contestó.

—¿Una conversión reciente?

—Siempre fui un patriota. Pero estuve a punto de ser descubierto.

—¿Cómo salió de allí?

—Por Turquía. Allí me dirigí a una base americana.

—Hábleme de la noche del cuatro.

Guardó silencio.

—Tenemos su arma —dije—. Usted firmó al recogerla. Se fue de la base a las 22.11 y regresó a las cinco de la mañana.

No dijo nada.

—Disparó usted dos tiros.

Siguió callado.

—¿Por qué lavó el coche?

—Porque es un coche magnífico. Lo lavo dos veces a la semana. Siempre. Un coche como ése era un sueño para mí.

—¿Ha estado alguna vez en Kansas?

—No.

—Bueno, pues es allí donde irá. No volverá a Sofía, sino que irá a Fort Leavenworth.

—¿Por qué?

—Ya sabe por qué.

Trifonov no se movió. Estaba algo encorvado hacia delante, con las muñecas sujetas a la silla cerca de las rodillas. Yo no estaba seguro de qué hacer. Los tíos delta estaban preparados para aguantar interrogatorios. Yo lo sabía. Estaban preparados para soportar drogas, palizas, desconcierto sensorial y cualquier otra cosa imaginable. Se alentaba a sus instructores a utilizar métodos prácticos. Así que ni siquiera podía imaginar lo que Trifonov había llegado a soportar en sus cinco años en la GRU. Yo no podría hacerle mucho más. Claro, podía atizarlo, pero aquel tío no diría una palabra aunque lo desmontara miembro a miembro.

De modo que pasé a las técnicas tradicionales de la policía. Mentiras y sobornos.

—Algunos creen que lo de Carbone podría ser un escándalo —dije—. Para el ejército, ya me entiende. Así que no queremos llegar muy lejos. Si ahora usted levanta la liebre, le mandaremos de vuelta a Turquía. Podrá esperar allí el ansiado momento de regresar a casa y ser un patriota.

—Fue usted quien mató a Carbone —soltó—. La gente lo dice.

—La gente se equivoca —señalé—. Yo no estaba allí. Y no maté a Brubaker. Porque tampoco estaba allí.

—Ni yo —dijo—. Yo tampoco.

Entonces cayó en la cuenta de algo. Movió los ojos a izquierda y derecha. Después alzó la vista hacia el mapa de Summer. Observó las chinchetas. Me miró a mí. Movió los labios. Vi que decía «Carbone» para sus adentros. Y luego «Brubaker». No emitió sonido alguno, pero leí sus labios el torpe acento.

—Espere —dijo.

—Esperar qué.

—No —dijo.

—No qué.

—No, señor —dijo.

—Hable, Trifonov —lo insté.

—¿Cree que tuve algo que ver con lo de Carbone y Brubaker?

—¿Usted cree que no?

Volvió a quedarse callado. Miró el suelo.

—Hable, Trifonov.

Alzó la vista.

—No fui yo —afirmó.

Seguí sentado sin más, mirándole a los ojos. Durante seis largos años yo había dirigido investigaciones de toda clase, y Trifonov era al menos el milésimo tío que me miraba a los ojos y me decía «no fui yo». El problema era que cierto porcentaje de esos mil tíos había dicho la verdad. Y empezaba a pensar que quizá Trifonov también.

En él había algo raro. Comencé a tener muy malas sensaciones.

—Tendrá que demostrarlo —dije.

—No puedo.

—Pues tendrá que hacerlo. De lo contrario, le encerrarán y tirarán la llave. Puede que se desentiendan de Carbone, pero no de Brubaker, téngalo por seguro.

No dijo nada.

—Empecemos otra vez —dije—. ¿Dónde estaba usted la noche del cuatro de enero?

Se limitó a menear la cabeza.

—En algún sitio estaría —le espeté—. Eso seguro, maldita sea. Porque aquí no estaba. Salió y entró. Usted y su arma.

No abrió la boca. Nos miramos a los ojos. Él cayó en un silencio impotente que yo había visto muchas veces. Se removía en la silla, de forma casi imperceptible. Minúsculos movimientos violentos, de un lado a otro. Como si estuviera luchando contra dos adversarios, uno a la derecha y otro a la izquierda. Como sabiendo que debía decirme dónde había estado, pero también que no sería capaz de ello.

—La noche del cuatro de enero ¿cometió usted un crimen? —lo apremié.

Sus ojos hundidos se alzaron hasta volver a encontrarse con los míos.

—Muy bien —dije—. Ha llegado el momento de hablar claro. ¿Cree que fue un crimen peor que el de disparar a Brubaker en la cabeza?

No contestó.

—¿Fue usted a la Casa Blanca y violó a las nietecitas del presidente?

—No —repuso.

—Pues entonces le daré una pista —dije—: en su actual posición, ése sería el único crimen peor que disparar a Brubaker en la cabeza.

Silencio.

—Hable.

—Fue una cosa personal —dijo.

—¿Qué clase de cosa personal?

No respondió. Summer exhaló un suspiro y se apartó del mapa. Estaba empezando a figurarse que dondequiera que hubiera estado Trifonov, no había muchas probabilidades de que fuera Columbia. La teniente me miró con las cejas enarcadas. Trifonov se rebullía en la silla. Las esposas tintineaban contra las patas de metal.

—¿Qué va a pasarme? —preguntó.

—Eso depende de lo que usted hiciera —contesté.

—Recibí una carta —dijo.

—Recibir correo no es ningún delito.

—De un amigo de un amigo.

—Hábleme de la carta.

—En Sofía hay un hombre —dijo.

Y así, encorvado hacia delante y con las muñecas esposadas a las patas de la silla, nos contó la historia de la carta. Por el modo en que la expuso, parecía creer que en ello había algo exclusivamente búlgaro. Pero en realidad no era así. Era una historia que podía haber contado cualquiera de nosotros.

En Sofía había un hombre que tenía una hermana, una gimnasta de segunda fila que había huido del país aprovechando un viaje universitario a Canadá y finalmente se había afincado en Estados Unidos. Se había casado con un americano, había adquirido la nacionalidad y su esposo se había vuelto malo. La hermana escribía sobre ello al hermano, que seguía en Bulgaria. Cartas largas y tristes. Había palizas, abusos, crueldad, aislamiento. Su vida era un infierno. Los censores comunistas habían dejado pasar las cartas, pues les parecía bien cualquier cosa que desacreditara a América. El hermano tenía en Sofía un amigo que se movía en los círculos de la disidencia. Este amigo tenía a su vez las señas de Trifonov: Fort Bird, Carolina del Norte, puesto que antes de escapar a Turquía Trifonov había estado en contacto con los disidentes. El amigo había dado una carta del hombre de Sofía a un tipo que compraba componentes de maquinaria en Austria. El tipo de las máquinas había ido a Austria y echado la carta al correo. La carta llegó a Fort Bird. Trifonov la recibió el 2 de enero, a primera hora de la mañana, en el reparto. Llevaba su nombre en caracteres cirílicos y estaba llena de sellos extranjeros y etiquetas adhesivas de Luftpost.

Había leído la carta en su dormitorio. Sabía lo que se esperaba de él. El tiempo, la distancia y las relaciones se comprimían bajo la presión de la lealtad nacionalista, por lo que era como si su propia hermana estuviera recibiendo el maltrato. La mujer vivía cerca de un lugar llamado Cabo del Miedo, que, dadas las circunstancias, a juicio de Trifonov, era un nombre adecuado. Había consultado un mapa para saber la ubicación exacta.

Su siguiente permiso era el 4 de enero. Elaboró un plan y ensayó un discurso centrado en la inconveniencia de abusar de mujeres búlgaras que tenían amigos búlgaros dispuestos a vengarlas.

—¿Conserva aún la carta? —pregunté.

Asintió.

—Pero está escrita en búlgaro —dijo.

—¿Cómo vestía aquella noche?

—De paisano. No soy tonto.

—¿Qué clase de ropa de paisano?

—Cazadora de piel. Vaqueros azules. Camisa. Ropa americana. La ropa de paisano que tengo.

—¿Qué le hizo al tío?

Sólo meneó la cabeza.

—Muy bien —dije—. Vamos a Cabo del Miedo.

Mantuvimos a Trifonov esposado y lo metimos en la jaula del Humvee. Conducía Summer. Cabo del Miedo estaba en la costa atlántica, al sureste, a unos ciento sesenta kilómetros. En un Humvee era un viaje aburrido. En un Corvette habría sido otra cosa, aunque no recordaba haberme subido jamás en un Corvette. No conocía a nadie que tuviera uno.

Y yo nunca había estado en Cabo del Miedo. Era uno de los muchos sitios de América que no había visitado. Pero había visto la película. No recordaba exactamente dónde. Quizás en una tienda de campaña, en alguna región calurosa. En blanco y negro, con Gregory Peck teniendo un problema gordo con Robert Mitchum. Por lo que recuerdo, pasé un rato entretenido, pero en el fondo fue un fastidio. Entre el público se oyeron abucheos. Al parecer, Robert Mitchum tenía que haber sido detenido a las primeras de cambio. A los soldados no nos resulta atractivo aguantar a civiles nerviosos sólo para prolongar una historia durante noventa minutos.

Ya había anochecido del todo y aún nos quedaba un buen trecho. A las afueras de Wilmington vimos un cartel que la anunciaba como una ciudad portuaria, histórica y pintoresca. Desde atrás Trifonov gritó que dobláramos a la izquierda por una especie de marisma. Atravesamos la oscuridad hasta el quinto pino y luego giramos otra vez a la izquierda hacia un lugar llamado Southport.

—Cabo del Miedo está frente a Southport —dijo Summer—. Es una isla. Creo que hay un puente.

No obstante, nos paramos bastante antes de llegar a la costa. Ni siquiera llegamos al mismo Southport. Trifonov gritó otra vez cuando pasamos junto a un aparcamiento de caravanas situado a la derecha. Era una gran zona rectangular y llana de terreno ganado al agua. Como si alguien hubiera dragado parte del pantano para hacer un lago y luego hubiera extendido el terraplén por un área cuyo tamaño equivalía a un par de campos de fútbol. La tierra estaba bordeada por zanjas de drenaje. Había postes de tendido eléctrico y aproximadamente un centenar de caravanas esparcidas por todo el rectángulo. Nuestros faros revelaron que algunas eran elegantes trastos de doble ancho con accesorios, huertecitos y vallas de estacas. Otras eran muy sencillas y presentaban abolladuras. Algunas parecían abandonadas. Estábamos a unos quince kilómetros tierra adentro, pero los vendavales marinos llegaban lejos.

—Aquí —dijo Trifonov—. A la derecha.

Había un camino central ancho y otros caminos más estrechos que se ramificaban a ambos lados. Trifonov nos guió a través del laberinto y nos detuvimos frente a una estropeada caravana verde lima que había conocido tiempos mejores. La pintura se desconchaba y el techo de papel alquitranado se arrollaba. Tenía una chimenea humeante y a través de las ventanas se apreciaba el resplandor de un televisor.

—Se llama Elena —dijo Trifonov.

Lo dejamos encerrado en el Humvee. Llamamos a la puerta de Elena. La mujer que abrió podía haber entrado directamente en una enciclopedia bajo el epígrafe de *Mujeres maltratadas*. Estaba hecha una pena. Tenía viejos cardenales amarillos alrededor de los ojos y a lo largo de la mandíbula, y la nariz rota. Se sostenía de pie de un modo que indicaba dolores ya crónicos y quizás incluso costillas recién rotas. Lucía una bata fina y zapatos de hombre. Sin embargo, iba limpia y aseada y llevaba el pelo recogido pulcramente atrás. Se apreciaba una chispa de algo en sus ojos. Acaso una suerte de orgullo, o de satisfacción por haber sobrevivido. Nos escrutó desde la triple opresión de la pobreza, el sufrimiento y la condición de extranjera.

—¿Sí? —dijo—. ¿Qué quieren? —Su acento era como el de Trifonov, aunque con un timbre más agudo. Sonaba bien.

—Queremos hablar con usted —dijo Summer, con tacto.

—¿De qué?

—De lo que Slavi Trifonov hizo por usted —dije.

—Él no hizo nada —replicó.

—Pero usted reconoce el nombre.

Se quedó un instante callada.

—Pasen —dijo.

Tal vez yo pensaba encontrarme con una especie de caos —botellas vacías por el suelo, ceniceros llenos, suciedad y confusión—, pero la caravana estaba limpia y ordenada. No había nada fuera de su sitio. Y no había nadie más.

—¿No está su esposo? —pregunté.

Ella meneó la cabeza.

—¿Dónde está?

No contestó.

—Imagino que se encuentra en el hospital —dijo Summer—. ¿Me equivoco?

Elena se limitó a mirarla.

—El señor Trifonov la ayudó —dije—. Ahora usted ha de ayudarle a él.

La mujer siguió callada.

—La situación es ésta: si él no estaba aquí haciendo algo bueno es que estaba en otro sitio haciendo algo malo. Y yo debo saber la verdad.

Nada.

—Esto es muy, pero que muy importante —insistí.

—¿Y si las dos cosas eran malas? —abrió la boca al fin.

—No se pueden comparar —repuse—. Créame. Ni por asomo. Cuénteme qué pasó exactamente y ya está, ¿vale?

No respondió enseguida. Miré en derredor. En la televisión estaba puesta la PBS, con el volumen bajo. Olía a productos de limpieza. Su esposo había desaparecido y ella había empezado una nueva etapa con un cubo y una fregona y un programa educativo en la tele.

—No sé exactamente qué pasó —dijo—. El señor Trifonov apareció aquí y se llevó a mi marido.

—¿Cuándo?

—Anteanoche, a eso de las doce. Dijo que había recibido una carta de mi hermano de Sofía.

Asentí. «Medianoche. Salió de Bird a las 22.11, llegó ahí al cabo de una hora y cuarenta y nueve minutos. Ciento sesenta kilómetros, una media exacta de ochenta y ocho kilómetros por hora, en un Corvette.» Eché una mirada a Summer. Ella asintió. «Fácil.»

—¿Cuánto rato permaneció aquí?

—Unos minutos. Estuvo muy correcto. Se presentó y me dijo qué iba a hacer y por qué.

—¿Eso es todo?

Asintió.

—¿Cómo vestía?

—Una cazadora de piel. Y vaqueros.

—¿Que clase de coche conducía?

—No sé la marca. Rojo y bajo. Un deportivo. Los tubos de escape hacían mucho ruido.

—Muy bien —dije. Hice una señal a Summer y nos dirigimos a la puerta.

—¿Mi esposo volverá? —preguntó Elena.

Imaginé a Trifonov el primer momento en que lo vi. Su uno noventa y cinco, sus ciento diez kilos, su cabeza afeitada. Las gruesas muñecas, las manos grandes, los ojos encendidos y los cinco años en el GRU.

—Lo dudo mucho —dije.

Montamos de nuevo en el Humvee. Summer puso en marcha el motor. Yo me volví y hablé con Trifonov a través de la malla de alambre.

—¿Dónde dejó al tipo?

—En la carretera a Wilmington —repuso.

—¿A qué hora?

—A las tres de la mañana. Me paré junto a un teléfono público y llamé al nueve uno uno. No di mi nombre.

—¿Pasó tres horas con él?

Asintió despacio.

—Quería asegurarme de que entendía el mensaje.

Summer salió del aparcamiento de caravanas y giró en dirección a Wilmington. Dejamos atrás el cartel turístico de las afueras y buscamos el hospital. Lo encontramos a unos seiscientos metros. Parecía un lugar aceptable. Tenía dos plantas y una entrada para ambulancias con una ancha cubierta transparente. Summer aparcó en una plaza reservada para un médico con apellido indio y bajamos. Abrí la puerta trasera y dejé que Trifonov nos acompañara. Le quité las esposas.

—¿Cómo se llamaba el tío? —le pregunté.

—Pickles.

Entramos los tres juntos, y al auxiliar que había tras una mesa de asignación de grados de urgencia le enseñé mis credenciales. Lo cierto es que, en el mundo civil, mis credenciales no me confieren ningún derecho ni privilegio, pero el hombre reaccionó como la mayoría de los civiles, como si en virtud de ellas yo tuviese poderes ilimitados.

—Madrugada del día cinco —dije—. Entre las tres y las cuatro hubo un ingreso.

El tío buscó en unas carpetas de pinza de un estante que había a su derecha. Sacó parcialmente dos.

—¿Hombre o mujer? —preguntó.

—Hombre.

Sacó una carpeta.

—Un fulano. Indigente, sin documento de identificación ni seguro; afirma llamarse Pickles. La policía lo encontró en la carretera.

—Es nuestro hombre —dije.

—¿Su hombre? —soltó, mirándome el uniforme.

—Podemos hacernos cargo de la factura —dije.

Estuvo atento a eso. Echó un vistazo a la pila de carpetas, como si pensara «uno fuera, doscientos me quedan».

—Está en postoperatorio —dijo. Indicó el ascensor—. Segunda planta.

Subimos al ascensor, bajamos y seguimos las indicaciones hasta la sala de postoperatorio. Una enfermera instalada junto a la puerta nos detuvo. Le enseñé mis credenciales.

—Pickles —dije.

Señaló una puerta al otro lado del pasillo.

—Sólo cinco minutos —dijo—. Está muy mal.

Trifonov sonrió. Cruzamos el pasillo y entramos en la habitación. Estaba bastante oscuro. En la cama había un tipo, dormido. No se distinguía mucho. Se hallaba prácticamente cubierto de escayola. Las piernas estaban sostenidas en alto, y en las rodillas se apreciaban abultados vendajes. A un lado de la cama había una larga caja de luz casi toda llena de radiografías. La encendí y eché una ojeada. Cada placa tenía una fecha y el nombre «Pickles» garabateado en el margen. Había radiografías de brazos, costillas, pecho y piernas. El cuerpo humano tiene más de doscientos huesos, y Pickles parecía tener rotos la mayoría. Él solito se había comido buena parte del presupuesto para radiografías del hospital.

Apagué el aparato y di dos puntapiés a la pata de la cama. El tío se removió un poco. Se despertó. Ajustó la vista a la débil luz, y su mirada al ver a Trifonov sería toda la coartada que éste iba a necesitar. Una mirada espeluznante de terror puro.

—Esperen fuera —dije.

Summer se marchó con Trifonov y yo me acerqué a la cabecera de la cama.

—¿Cómo te encuentras, gilipollas? —dije.

Pickles estaba totalmente pálido. Sudoroso y tembloroso dentro de sus escayolas.

—Es ése... —dijo—. Él me hizo esto.

—Hizo qué.

—Me disparó en las piernas.

Asentí. Miré los abultados vendajes. Le había disparado en las rodillas. Dos rodillas, dos balas. Dos tiros.

—¿Por delante o por el lado? —pregunté.

—Por el lado.

—Por delante es peor —señalé—. Has tenido suerte. Y no es que te la merecieras.

—Yo no he hecho nada.

—Ya. Acabo de conocer a tu mujer.

—Puta extranjera.

—No digas eso.

—Es culpa suya. No hace lo que le digo. A un hombre hay que obedecerle. Lo dice la Biblia.

—Cállate —le espeté.

—¿Va a hacer algo?

—Sí —dije—. Mira.

Le di un golpecito en el costado de la rodilla derecha. El tío soltó un grito y yo salí al pasillo. La enfermera me miró.

—Está muy mal —dije.

Bajamos en el ascensor y evitamos al tipo de la mesa de Urgencias utilizando la puerta principal. Rodeamos el edificio en silencio hasta el Humvee. Abrí la puerta trasera para Trifonov y antes de que subiera le tendí la mano.

—Le pido perdón —dije, estrechándole la suya.

—¿Estoy en un apuro? —preguntó.

—Conmigo no. Me cae usted bien. Pero ha sido afortunado. Podía haberle dado en una arteria femoral y haberlo matado. Entonces habría sido diferente.

Trifonov sonrió, tranquilo.

—Estuve cinco años en el GRU —dijo—. Sé cómo matar cuando quiero matar.

16

Devolvimos a Trifonov su arma y lo dejamos en su cuartel. Seguramente firmó la devolución del arma y a continuación fue a su habitación y cogió el libro para retomarlo en el punto exacto donde lo había dejado. Nosotros nos fuimos y estacionamos el Humvee en el parque móvil de la PM. Regresamos a mi despacho. Summer se dirigió a la copia del registro de la puerta principal. Aún estaba pegada a la pared, al lado del mapa.

—Vassell y Coomer —dijo—. Fueron las otras dos personas que abandonaron la base aquella noche.

—Se dirigieron al norte —observé—. Si usted dice que arrojaron el maletín por la ventanilla, ha de admitir que fueron hacia el norte. No a Columbia.

—De acuerdo. Entonces el asesino de Carbone y el de Brubaker no son la misma persona. No hay relación entre una cosa y otra. Hemos desperdiciado un montón de tiempo.

—Bienvenida al mundo real —dije.

El mundo real empeoró cuando veinte minutos después sonó el teléfono. Era la sargento, la del niño pequeño. Me pasó una llamada de Sánchez, desde Fort Jackson.

—Willard ha estado aquí y ya se ha marchado —dijo—. Increíble.

—Ya te lo dije.

—Ha tenido una rabieta tras otra.

—Pero tú eres invulnerable.

—A Dios gracias.

—¿Le has hablado de mi hombre? —pregunté.

Hubo un breve silencio.

—Me dijiste que lo hiciera. ¿He metido la pata?

—Ha sido un fiasco. Al principio pintaba bien, pero al final nada.

—Pues ahora va hacia ahí a hablar contigo. Salió hace dos horas. Va a sentirse muy decepcionado.

—Pues qué bien —dije.

—¿Qué va a hacer? —preguntó Summer.

—¿Qué es Willard en esencia? —dije.

—Un arribista —contestó.

—Exacto.

Técnicamente, el ejército tiene un total de veintiséis rangos. Se comienza como soldado raso E-1, y si no cometes ninguna estupidez, al cabo de un año eres ascendido automáticamente a soldado E-2, y al cabo de otro año a soldado de primera E-3, o incluso algo antes si prometes. El escalafón termina en general de cinco estrellas, aunque no me consta que nadie haya llegado tan lejos salvo George Washington y Eisenhower. Si consideramos el rango de brigada E-9 como tres grados distintos para incluir a los sargentos primero y a los simples sargentos, y si contamos los cuatro grados de suboficiales, entonces un comandante como yo tiene siete rangos por encima y dieciocho por debajo. Lo cual brinda a alguien como yo una notable experiencia en cuestiones de insubordinación, en ambos sentidos, hacia arriba y desde abajo, cometiéndolas y sufriéndolas. Con un millón de personas clasificadas en veintiséis peldaños del escalafón, la insubordinación es una auténtica forma de expresión artística que se libra siempre en un mano a mano.

Así que dije a Summer que se fuera y esperé a Willard solo. Ella puso objeciones. Al final conseguí que aceptara que uno de nosotros debía permanecer bajo el radar. Se marchó a cenar ya tarde. La sargento me trajo un bocadillo. Rosbif y queso suizo, pan blanco, mayonesa y mostaza. La carne era sonrosada. Un buen bocata. Luego me trajo café. Estaba a medio tomar la segunda taza cuando llegó Willard.

Entró directamente y dejó la puerta abierta. No me levanté ni saludé. No dejé de tomarme el café. Él lo toleró, como yo sabía que haría. Willard estaba siendo muy táctico. Él creía que yo tenía un sospechoso que podría quitar el caso Brubaker a la policía de Columbia y romper la conexión entre un coronel de elite y ciertos traficantes de droga en un callejón de mala muerte. De modo que estaba preparado para un inicio amable y amistoso. O acaso estaba buscando alguna vinculación afectiva con un oficial a sus órdenes. Se sentó y empezó a enredar con las perneras de los pantalones. Compuso un semblante de franqueza, como si ambos acabáramos de compartir alguna experiencia.

—Magnífico viaje desde Jackson —dijo—. Espléndidas carreteras.

No dije nada.

—Acabo de comprarme un Pontiac GTO —prosiguió—. Excelente coche. Le he colocado tubos de escape cromados, de calibre grande. Es rápido y elegante.

Seguí callado.

—¿Le gustan los coches preparados?

—No. Prefiero coger el autobús.

—Qué aburrido.

—Muy bien, digámoslo de otro modo. Estoy contento con el tamaño de mi pene. No necesito ninguna clase de compensación.

Palideció. Luego enrojeció. El mismo tono que el Corvette de Trifonov. Me fulminó con la mirada, como si fuera un tipo duro de veras.

—Hábleme de sus progresos en el asunto Brubaker —dijo.

—No es un caso mío.

—Sánchez me dijo que ha encontrado al tipo.

—Falsa alarma.

—¿Seguro?

—Totalmente —aseguré.

—¿A quién estaba investigando?

—A su ex esposa —contesté.

—¿Qué?

—Alguien me dijo que se acostó con la mitad de los coroneles del ejército. Pensé que Brubaker podía estar incluido en la lista. En todo caso, había un cincuenta por ciento de posibilidades.

Me miró fijamente.

—Es broma —señalé—. No era nadie. Un chasco.

Apartó la mirada, furioso. Me puse en pie y cerré la puerta del despacho. Regresé a la mesa. Lo encaré.

—Su insolencia es inaudita —me espetó.

—Pues formule una queja, Willard. Suba por la cadena de mando y explique que he herido sus sentimientos. A ver si alguien le cree. O a ver si alguien cree que usted no sabe resolver algo así por su propia cuenta. Y procure que esa queja no vaya a parar a su expediente. No sé qué impresión causaría en su comisión de ascenso a general de una estrella.

Se removió en la silla. Miró en derredor y fijó la mirada en el mapa de Summer.

—¿Qué es eso? —preguntó.

—Un mapa.

—¿De qué?

—Del Este de Estados Unidos.

—¿Y las chinchetas?

No contesté. Él se levantó y se acercó al mapa. Tocó las chinchetas con los dedos, una tras otra. D.C., Sperryville y Green Valley. Luego Raleigh, Fort Bird, Cabo del Miedo y Columbia.

—¿Qué significa todo esto? —dijo.

—Sólo chinchetas.

Quitó la chincheta de Green Valley (Virginia).

—La señora Kramer —indicó—. Le dije que dejara ese tema en paz.

Quitó las demás chinchetas. Las arrojó al suelo. Luego reparó en la copia del registro de la entrada. La recorrió con la mirada y se paró al llegar a Vassell y Coomer.

—También le dije que se olvidara de esto.

Arrancó la lista de la pared. La cinta adhesiva se llevó consigo trocitos de pintura. Después hizo lo propio con el mapa. Se desprendió más pintura. Las chinchetas dejaron pequeños agujeros en el yeso. Parecían conformar un mapa por sí mismas. O una constelación.

—Ha estropeado la pared —dijo—. No quiero que las propiedades del ejército sean maltratadas así. No es profesional. ¿Qué van a pensar las visitas?

—Que había un mapa en la pared. Ha sido usted quien ha provocado este desaguisado.

Dejó caer al suelo el papel arrugado.

—¿Quiere que vaya al puesto Delta?

—¿Quiere que le rompa el cuello?

Se quedó muy callado.

—Debería pensar en su próximo ascenso —dijo al cabo—. ¿Cree que mientras yo esté aquí va a llegar a teniente coroncl?

—No. La verdad es que no. Pero claro, tampoco espero que usted se quede mucho tiempo.

—Piénselo. Ésta es una buena colocación. El ejército siempre necesitará polis.

—Pero no siempre necesitará capullos incompetentes como usted.

—Está hablando con un oficial superior —me recordó.

Miré alrededor.

—No hay testigos.

No respondió.

—Tiene usted un problema de autoridad —proseguí—. Y será divertido ver cómo lo afronta. Quizá podríamos arreglarlo de hombre a hombre, en el gimnasio. ¿Le interesa?

—¿Tiene un fax seguro? —preguntó.

—Por supuesto. Está fuera. Ha tenido que verlo antes de entrar aquí. ¿Es usted ciego además de estúpido?

—Procure estar cerca del fax mañana a las nueve. Le enviaré órdenes escritas.

Me miró airado por última vez. Luego salió y cerró de un portazo, tan fuerte que la pared vibró y la corriente de aire levantó el mapa y la copia del registro dos centímetros del suelo.

Me quedé en la mesa. Llamé a mi hermano a Washington, pero no contestó. Pensé en llamar a mi madre, pero de pronto comprendí que no tenía nada que decirle. Al margen de lo que habláramos, ella sabría que yo había llamado para preguntar: «¿Todavía estás viva?» Sabría que era eso lo que estaba en mi cabeza.

Así que me puse en pie, cogí el mapa y lo alisé. Volví a pegarlo a la pared. Recogí las siete chinchetas y las clavé otra vez en su sitio. Y coloqué la copia del registro junto al mapa. Luego la arranqué de nuevo. No servía para nada. La arrugué en una bola y la arrojé a la papelera. Dejé sólo el mapa. Entró la sargento con más café. Pensé fugazmente en el padre del niño. ¿Dónde estaba? ¿Había sido un esposo maltratador? En ese caso, seguramente estaría enterrado en alguna ciénaga. O hecho pedazos enterrados en varias ciénagas. Sonó el teléfono y contestó ella. Me pasó el auricular.

—El detective Clark —dijo—. Desde Virginia.

Seguí el recorrido del cable alrededor de la mesa y volví a sentarme.

—Ahora sí hemos avanzado —dijo—. La barra de Sperryville es el arma que buscábamos, sin duda. Tenemos una muestra idéntica de la ferretería y nuestro forense las ha comparado.

—Buen trabajo.

—Así que llamo para decirle que he de pararme. Hemos encontrado lo nuestro, pero ya no podemos seguir buscando lo de ustedes. No podría justificar el presupuesto para horas extra.

—Entiendo —dije—. Ya lo teníamos previsto.

—Ahora seguirá solo con ello, amigo. Lo lamento de veras.

No comenté nada.

—¿Algo por su parte? ¿Aún no tiene un nombre para mí?

Sonreí. «Uno puede olvidarse de un nombre —pensé—. Amigo.» Si no hay *quo*, no hay *quid*. Y es que además nunca hubo ningún nombre.

—Se lo haré saber —dije.

Summer regresó al cabo de media hora y le dije que se tomara libre el resto de la noche. Nos veríamos en el club de oficiales para desayunar, exactamente a las nueve, cuando se esperaban las órdenes de Willard. Calculé que podríamos desayunar tranquilamente y sin prisa, montones de huevos y montones de tazas de café, y que podríamos volver paseando a eso de las diez y cuarto.

—Ha movido el mapa —dijo ella.

—Willard lo arrancó. He vuelto a colocarlo.

—Es un tipo peligroso.

—Quizá —dije—. O quizá no. El tiempo lo dirá.

Regresamos a nuestros respectivos alojamientos. Yo ocupaba una habitación en el sector de los oficiales solteros. Era casi como un motel. Había una calle con el nombre de un antiguo galardonado —fallecido tiempo atrás— con la Medalla de Honor y un sendero que salía de la acera y conducía hasta mi puerta. Cada veinte metros había una farola. La más próxima a mi puerta estaba apagada. Alguien la había roto de una pedrada. Distinguí un trozo de cristal en el camino. Y tres tipos en las sombras. Pasé frente al primero, el sargento delta bronceado y con barba. Dio unos golpecitos en la esfera de su reloj con el índice. El segundo tío hizo lo mismo. El tercero se limitó a sonreír. Entré y cerré la puerta. No les oí marcharse. No dormí bien.

Por la mañana se habían marchado. Llegué al club de oficiales sin novedad. A las nueve el comedor estaba casi vacío, lo que suponía una ventaja. La desventaja era que cualquier comida que quedara habría estado un rato en el aparador. Pero a fin de cuentas pensé que la situación era buena. Yo era más un solitario que un *gourmet*. Summer y yo nos sentamos uno frente al otro en una mesa del centro de la sala. Entre los dos nos acabamos casi todo lo que quedaba. Summer consumió aproximadamente medio kilo de sémola de maíz y tres cuartos de galletas. Era menuda pero comía como una lima. Vaya si no. Nos tomamos nuestro tiempo con el café y a las diez y veinte fuimos andando a mi despacho. Dentro reinaba el caos. Sonaban todos los teléfonos. El cabo de Luisiana parecía abrumado.

—No conteste al teléfono —dijo—. Es el coronel Willard. Quiere confirmación inmediata de que usted ha recibido sus órdenes. Está que se sube por las paredes.

—¿Dónde están las órdenes?

Se inclinó tras la mesa y sacó una hoja de fax. Los teléfonos no paraban. No cogí el papel. Me limité a leerlo por encima del hombro del cabo. Eran dos párrafos de letra apretada. Willard me ordenaba examinar los albaranes de entradas en Intendencia y su registro de distribución. A partir de ahí yo pondría por escrito qué debería haber exactamente en el almacén. A continuación tenía que verificar mis conclusiones mediante una inspección ocular. Después debía confeccionar una lista de todos los artículos que faltaban y sugerir un plan de acción para localizar su actual paradero. Debía ejecutar la orden deprisa y corriendo. Y llamarle para confirmar la recepción de la misma en cuanto la tuviera en mis manos.

Era el típico castigo de las faenas absurdas. En los viejos tiempos le mandaban a uno pintar el carbón de blanco, o llenar sacos con cucharillas o fregar suelos con cepillos de dientes. Éste de ahora era el equivalente para la PM de los nuevos tiempos. Una tarea estúpida que tardaría dos semanas en acabar. Sonreí.

Los teléfonos sonaban sin parar.

—La orden no ha llegado a mis manos —dije—. No estoy aquí.

—¿Dónde está?

—Dígale que alguien tiró un envoltorio de chicle en el arriate delante de la oficina del comandante de la base. Que no permitiré que se maltraten así las propiedades del ejército. Y que estoy en ello desde mucho antes del alba.

Llevé a Summer a la acera, lejos de los frenéticos teléfonos.

—Gilipollas —mascullé.

—Ahora debería usted desaparecer —sugirió ella—. Estará llamando todo el rato.

Miré alrededor. Tiempo frío, edificios grises, cielo encapotado.

—Tomémonos el día libre —propuse—. Vayamos a algún sitio.

—Tenemos cosas que hacer.

Asentí. «Carbone. Kramer. Brubaker.»

—No puedo permanecer aquí —señalé—. Así que no puedo hacer mucho en lo de Carbone.

—¿Quiere ir a Columbia?

—El caso no es nuestro —objeté—. No podemos hacer nada que no esté haciendo Sánchez.

—Hace demasiado frío para ir a la playa —le dijo Summer.

Asentí de nuevo. De pronto lamenté que hiciera demasiado frío para ir a la playa. Me habría gustado ver a Summer en la playa. En biquini. Uno muy pequeño, a ser posible.

—Hemos de trabajar —insistió.

Miré más allá de los edificios. Alcancé a ver los árboles, fríos y sin vida contra el horizonte. Algo más cerca distinguí un pino alto, sombrío y aletargado. Calculé que estaba cerca de donde habíamos hallado a Carbone.

«Carbone.»

—Vamos a Green Valley —dije—. A hacer una visita al detective Clark. Podemos pedirle los datos sobre la barra de hierro. Él empezó por nosotros, así que tal vez podríamos terminarlo. Ahora mismo un viaje de cuatro horas podría ser una buena inversión.

—Y cuatro horas de vuelta.

—Podríamos almorzar. O quizá cenar. O ausentarnos sin permiso.

—Nos encontrarían.

Negué con la cabeza.

—Nadie me encontraría —dije—. Nunca.

Me quedé en la acera esperando y Summer volvió al cabo de cinco minutos con el Chevy verde que habíamos utilizado antes. Lo arrimó al bordillo y bajó la ventanilla antes de que yo hiciera movimiento alguno.

—¿Le parece que esto está bien? —preguntó.

—Bueno, es lo que hay —contesté.

—No; me refiero a que usted va a figurar en el registro de la puerta. Hora de salida, diez y media. Willard podría comprobarlo.

No respondí. Summer sonrió.

—Podría esconderse en el maletero hasta que hayamos cruzado la verja —sugirió.

Meneé la cabeza.

—No voy a esconderme. Y menos por culpa de un capullo como Willard. Si él comprueba el registro, le diré que la búsqueda del tipo que arrojó el envoltorio del chicle de pronto se volvió interestatal. O incluso global. Podríamos ir a Tahití.

Subí al coche, eché el asiento hacia atrás todo lo que pude y me puse a pensar otra vez en biquinis. Ella aceleró por la calle principal. Aminoró la marcha y se paró en la puerta. Salió un PM con una tablilla de pinza. Apuntó la matrícula y le enseñamos las credenciales. Anotó los nombres. Miró en el coche, verificó que el asiento de atrás estaba vacío. Luego hizo una señal a su compañero en la garita y la barrera subió ante nosotros muy despacio. Era una barra gruesa con un contrapeso, a franjas blancas y rojas. Summer esperó a que estuviera totalmente vertical y acto seguido pisó el acelerador, levantando una nube de humo azul pagado con fondos públicos procedente del escape del Chevy.

Hacia el norte, el tiempo iba mejorando. Nos salimos de un techo de nubes bajas y grises para encontrarnos con un luminoso sol de invierno. Era un coche del ejército, así que no tenía radio. Tan sólo un panel liso donde un modelo civil habría llevado AM, FM y una pletina. De modo que de vez en cuando hablamos y el resto del tiempo guardábamos silencio sin más. Sentirse libre es una sensación curiosa. Había pasado casi toda mi vida donde el ejército me había dicho, un día tras otro hasta el último minuto. Ahora me sentía como si hiciera novillos. Ahí fuera había todo un mundo ocupado en sus propios asuntos, caótico, desordenado e indisciplinado, y yo, aunque brevemente, ahora formaba parte de él. Me recosté en el asiento y miré a ese mundo desplegarse, brillante y estroboscópico, imágenes al azar que pasaban destellando como el sol en las aguas de un río.

—¿Biquini o una pieza? —inquirí.

—¿Por qué?

—Sólo por saber —dije—. Estaba pensando en la playa.

—Demasiado frío.

—En agosto será mejor.

—¿Cree que en agosto estará aquí?

—No.

—Lástima —soltó—. Así nunca sabrá lo que llevo.

—Podría mandarme una foto por correo electrónico.

—¿Adónde?

—Seguramente a Fort Leavenworth —señalé—. Al ala de máxima seguridad.

—¿Dónde estará? En serio.

—Ni idea —dije—. Para agosto faltan ocho meses.

—¿Cuál es el mejor sitio en que ha servido?

Sonreí. Le di la misma respuesta que doy a todo aquel que me hace esta pregunta.

—Aquí —dije—. Y ahora.

—¿Aun con Willard encima?

—Willard no es nadie. Se irá antes que yo.

—¿Por qué está él aquí?

Me moví en el asiento.

—Mi hermano cree que están imitando a las sociedades anónimas. Los ignorantes no pertenecen al statu quo y por tanto son buenos para aportar perspectivas nuevas.

—Por eso, un tío preparado para crear algoritmos sobre consumo de combustible termina su primera semana con dos soldados muertos. Y no quiere investigar ninguno de los dos.

—Porque eso sería un enfoque anticuado. Hemos de avanzar. Hemos de anticipar la nueva situación.

Summer sonrió y siguió conduciendo. Tomó el acceso de Green Valley casi sin aminorar.

La comisaría de Green Valley estaba situada al norte de la ciudad. Era un edificio más grande de lo que yo pensaba porque el propio Green Valley era más grande de lo que creía. Abarcaba el bonito centro que ya habíamos visto y luego se extendía hacia el norte a lo largo de un territorio en que, por todo el camino hasta Sperryville, se veían principalmente centros comerciales y pequeñas instalaciones industriales. La comisaría era lo bastante grande para albergar a veinte o treinta polis. Era larga y baja y había ido creciendo desordenadamente, con un núcleo central de una planta y dos alas. Éstas estaban dispuestas en ángulo recto, de modo que el edificio tenía forma de *U*. Las fachadas eran de hormigón, moldeado para que pareciera piedra. Había una extensión de césped en la parte delantera y aparcamientos a ambos lados. Justo en el centro del césped se erguía un mástil. Allá arriba colgaba la bandera norteamericana, deteriorada por la intemperie, fláccida ante la falta de viento. Al pálido sol, el conjunto parecía a la vez solemne y destartalado.

Dejamos el vehículo en el aparcamiento de la derecha, en una plaza entre dos coches patrulla. Salimos y nos dirigimos a las puertas, entramos y preguntamos por el detective Clark. El tipo del mostrador hizo una llamada interna y luego nos indicó el ala de la izquierda. Recorrimos un pasillo desordenado y llegamos a un amplio recinto. Se diría que aquello era como un barracón de detectives. Una balaustrada de madera rodeaba una hilera de cuatro sillas para visitas, y al lado había una puerta cristalera con una mesa de recepcionista. Más allá de la puerta, al fondo de una sala, se veía un despacho de teniente y media docena de escritorios pegados y llenos de teléfonos y papeles. Había archivadores arrimados a las paredes. Las ventanas estaban mugrientas, la mayoría de las persianas, rotas y torcidas.

En la mesa no había ningún recepcionista. En la sala vimos dos detectives, ambos con americanas de tweed y sentados dándonos la espalda. Uno era Clark. Hablaba por teléfono. Llamé al cristal y ambos se volvieron. Clark hizo una breve pausa, sorprendido, y luego nos indicó que entráramos. Cogimos sendas sillas y nos sentamos delante de su mesa. Él siguió hablando. Esperamos. Nos entretuvimos mirando la sala. A partir de un metro del suelo, el despacho del teniente tenía tabiques de vidrio. Dentro vi un escritorio grande, desocupado. Encima había dos escayolas como las de nuestro patólogo. No me levanté para ir a mirarlas. No habría sido educado.

Clark terminó de hablar. Colgó y anotó algo en un bloc amarillo. A continuación suspiró y echó la silla hacia atrás para mirarnos. Sabía que la nuestra no era una visita de cortesía. Aun así, no quiso preguntar de buenas a primeras si ya teníamos un nombre para él. No querría sentirse ridículo si no lo teníamos.

—Sólo pasábamos por aquí —dije.

—Muy bien —dijo.

—Buscando un poco de ayuda —añadí.

—¿Qué clase de ayuda?

—Pensaba que podría darnos sus notas sobre la barra. Ahora que ya no las van a necesitar, puesto que ya han encontrado lo suyo.

—¿Notas?

—Usted hizo una lista de ferreterías. Podríamos ahorrarnos tiempo si seguimos desde donde usted lo dejó.

—Se la podía haber enviado por fax —dijo.

—Seguramente son muchas. No queríamos causarle molestias.

—Yo podía haber estado ausente.

—De todos modos pasábamos por aquí.

—Muy bien —repitió—. Las notas de las barras. —Hizo

girar la silla, se levantó y se dirigió a un archivador. Regresó con una carpeta verde de casi dos centímetros de grosor. La dejó caer sobre la mesa.

—Buena suerte —dijo.

Se sentó de nuevo, y yo indiqué a Summer que cogiera la carpeta. La abrió. Estaba llena de papeles. Hojeó. Torció el gesto. Me la pasó. Era una lista larguísima de lugares que iban desde New Jersey a Carolina del Norte. Incluía nombres, direcciones y números de teléfono. Los primeros noventa o así tenían marcas al lado. Y había unos cuatrocientos que no.

—Han de ir con cuidado —observó Clark—. En unos sitios las llaman barras de hierro y en otros barras de derribo. Deben asegurarse de que les entienden.

—¿Tienen diferentes tamaños?

—Muchos. La nuestra es bastante grande.

—¿Me deja verla? ¿O está en su sala de pruebas?

—No es ninguna prueba —aclaró Clark—. No es la verdadera arma, sino una idéntica que nos ha prestado la tienda de Sperryville. No podemos presentarla ante un tribunal.

—Pero encaja en sus moldes de escayola.

—Como un guante —dijo.

Volvió a levantarse, entró en el despacho del teniente y cogió los moldes de la mesa. Los trajo, uno en cada mano, y los dejó sobre su escritorio. Se parecían mucho a los nuestros. También había un positivo y un negativo. En cuanto al diámetro, la cabeza de la señora Kramer era bastante más pequeña que la de Carbone. Por tanto, la barra había alcanzado menos porción de su circunferencia. En consecuencia, la huella de la herida mortal tenía una longitud más corta que la nuestra. No obstante, era igual de profunda y horrible. Clark la cogió y pasó la yema de un dedo por el surco.

—Un golpe muy violento —señaló—. Estamos buscando a un tipo alto, fuerte y diestro. ¿Ha visto a alguien así?

—Cada vez que me miro en el espejo —repuse.

También el molde de la propia arma era más corto que el nuestro. Pero por lo demás se parecían muchísimo. La misma sección terrosa salpicada aquí y allá por imperfecciones microscópicas del yeso; pero básicamente lisa, recta y brutal.

—¿Me deja ver la barra de verdad? —pregunté.

—Claro —dijo Clark. Se inclinó y abrió un cajón del escritorio. Lo dejó abierto a modo de exhibidor. Me estiré hacia delante y vi la misma cosa curva y negra que había visto la mañana anterior. La misma forma, los mismos contornos, el mismo color, el mismo tamaño, las mismas bocas sacaclavos, la misma sección octogonal, el mismo brillo, la misma precisión. Era idéntica a la que habíamos dejado en la oficina del depósito de cadáveres de Fort Bird.

Recorrimos unos quince kilómetros hasta Sperryville. Repasé la lista de Clark buscando la dirección de la ferretería. Estaba allí mismo, en la quinta línea, pues no se encontraba lejos de Green Valley. Sin embargo, junto al número de teléfono no había ninguna señal. Sólo una anotación a lápiz: «No contestan.» Supuse que el dueño había estado ocupado con un vidriero y una compañía de seguros. Supuse que los hombres de Clark habían llegado a efectuar una segunda llamada pero habían sido adelantados por la investigación de los de Información sobre Crímenes Nacionales.

Sperryville no era un lugar grande, así que circulamos despacio en busca de las señas. En un trecho corto vimos una serie de tiendas, y tras recorrerlo tres veces encontramos el nombre de la calle en una señal verde. Indicaba hacia un callejón estrecho y sin salida. Pasamos entre dos estructuras de madera y luego el callejón se ensanchaba en un pequeño patio, al fondo del cual se encontraba la ferretería. Era como un pequeño establo de una planta, pintado para parecer más urbano que rural. Un sitio de toda la vida. No había indicación alguna de que formara parte de alguna cadena. Era tan sólo una pequeña tienda americana, sola, sobrellevando los triunfos y las derrotas generación tras generación.

Sin embargo, era un lugar excelente para un robo en plena noche. Tranquilo, aislado, invisible para los transeúntes de la calle principal, sin piso habitado encima. En la fachada había un escaparate y una puerta, separados sólo por el marco de esta última. En el cristal del escaparate se apreciaba un agujero en forma de medialuna, provisionalmente tapado con una lámina de contrachapado recortada hábilmente. Supuse que el agujero había sido hecho por la suela de un zapato. Estaba cerca de la puerta. Un tío alto podía introducir el brazo izquierdo hasta el hombro y alcanzar fácilmente el pestillo. Pero primero habría tenido que meterlo todo y luego doblar el codo despacio y con cuidado para no engancharse la ropa. Me lo representé mentalmente con la mejilla izquierda contra el frío cristal, en la oscuridad, respirando afanosamente, buscando a tientas.

Estacionamos justo delante. Bajamos y nos detuvimos ante el escaparate. Estaba lleno de cosas. Quienquiera que las hubiera puesto allí no tenía intención de ofrecer sus servicios al Saks de la Quinta Avenida, y no sólo por sus famosos y festivos escaparates, sino porque aquí tampoco había ni rastro de intención estética. Ni diseño. Ni ofertas tentadoras. Todo estaba austeramente alineado en estantes hechos a mano. Todo llevaba una etiqueta con su precio. Era como si el escaparate dijese: «Esto es lo que hay. Si lo quiere, entre y cómprelo.» En cualquier caso, todo parecía material de calidad. Había algunos artículos raros. Yo no tenía ni idea de para qué servirían. No sabía mucho de herramientas. De hecho, jamás había utilizado ninguna, salvo cuchillos. Sea como fuere, me quedó claro que esa tienda era exigente respecto a sus existencias.

Entramos, haciendo sonar la campanilla de la puerta. Dentro se conservaba la organizada y sencilla pulcritud del escaparate. Había ordenados anaqueles, estantes y compartimentos. Un suelo de madera de tablas anchas. Se apreciaba un ligero olor a aceite lubricante. Era un lugar tranquilo. Sin clientes. Tras el mostrador, un tipo de unos sesenta años, acaso setenta. Alertado por la campanilla, nos estaba mirando. Era de estatura media, delgado y algo cargado de espaldas. Llevaba gafas redondas y un jersey gris de punto. Así parecía inteligente, pero también que no estaba acostumbrado a manejar nada más grande que un destornillador. Parecía que vender herramientas era su sucedáneo de ir a la universidad y dictar un curso sobre diseño, historia y evolución de las herramientas manuales.

—¿En qué puedo ayudarles? —dijo.

—Hemos venido por lo de la barra de derribo robada —respondí—. O barra de hierro sin más, si usted prefiere.

Asintió.

—Barra de hierro —confirmó—. A mi juicio, barra de derribo suena un poco vulgar.

—Muy bien, pues la barra de hierro robada.

Esbozó una fugaz sonrisa.

—Ustedes son del ejército. ¿Se ha implantado la ley marcial?

—Llevamos a cabo una investigación paralela —puntualizó Summer.

—¿Son de la Policía Militar?

—Sí —repuso Summer, y añadió nuestro nombre y rango respectivos.

Él hizo lo propio con su nombre, que se correspondía con el letrero de encima de la puerta.

—Queremos cierta información —expliqué—. Sobre el mercado de barras de hierro.

Puso cara de interés, aunque sin desbordar entusiasmo. Era como preguntar a un forense sobre huellas dactilares y no sobre ADN. Me pareció que la evolución de las barras de hierro había concluido mucho tiempo atrás.

—¿Por dónde empiezo? —preguntó.

—¿De cuántas clases hay?

—Montones. Hay al menos seis fabricantes con los que me interesa hacer negocios. Y muchos más con los que no.

Eché un vistazo a la tienda.

—Porque usted sólo tiene material de primera.

—Exacto —dijo—. No puedo competir en precios con las grandes cadenas, así que he de ofrecer la mejor calidad y el mejor servicio.

—Mercado altamente especializado —dije.

El hombre asintió.

—Las barras de la gama baja vienen de China —explicó—. Producción en masa, hierro fundido, hierro forjado, acero forjado de poca calidad. No me interesa.

—Entonces ¿qué trae?

—De Europa importo algunas barras de titanio —especificó—. Muy caras pero muy resistentes. Y lo más importante, muy livianas. Concebidas para la policía y los bomberos. O para trabajar bajo el agua, donde por lo demás la corrosión del hierro supondría un problema. O para quienquiera que necesite algo pequeño y duradero y de manejo fácil.

—Pero la que robaron no era de ésas.

Meneó la cabeza.

—No, las barras de titanio son para especialistas. Las otras que vendo son más corrientes.

—¿Y cuáles son?

—Ésta es una tienda pequeña —dijo—. Tengo que elegir los encargos con mucho cuidado, lo que en cierto modo es una pesadez, pero también un placer, pues la elección es muy gratificante. Son decisiones mías y sólo mías. Así, es evidente que para una barra de hierro escogería acerocromo al carbono. Pero, preguntarán ustedes, ¿con temple sencillo o doble? Sinceramente, prefiero temple doble, por la dureza. Y para mayor eficacia, con bocas sacaclavos muy delgadas, y por tanto, para más seguridad, cementadas. En algunas situaciones son un elemento de seguridad imprescindible. Imaginemos a un hombre encaramado a una viga de un techo alto al que se le rompiera el sacaclavos. Se caería.

—No me cabe duda —dije—. Así, acero de doble temple con sacaclavos cementados. ¿Cuál eligió?

—Bueno, de hecho he transigido con uno de los artículos que vendo. Mi fabricante preferido no hace nada inferior a cuarenta y cinco centímetros. Pero yo necesitaba treinta, como es lógico.

Seguramente me quedé mirando sin entender.

—Para tachuelas y viguetas —aclaró él—. Si uno trabaja en espacios de cuarenta centímetros, no puede utilizar una barra de cuarenta y cinco, ¿verdad?

—Supongo que no —dije.

—Entonces cojo una de treinta centímetros con un grosor de algo más de uno, aunque sólo tenga temple sencillo. De todos modos, creo que puede valer. Me refiero a la solidez. Con sólo treinta centímetros de apalancamiento, la fuerza generada por una persona no va a doblarla.

—Muy bien —dije.

—Aparte de este artículo concreto y de las especialidades en titanio, hago pedidos exclusivamente a una antigua empresa de Pittsburgh, Fortis. Fabrican dos modelos para mí. Una barra de cuarenta y cinco centímetros y otra de noventa. Ambas con un grosor de casi dos centímetros. Acerocromo al carbono de doble temple, bocas sacaclavos cementadas, pintura de muy buena calidad.

—Y la robada era la de noventa centímetros —señalé.

El hombre me miró como si yo fuera clarividente.

—El detective Clark nos ha enseñado la muestra que usted le prestó —añadí.

—Entiendo —dijo.

—Así pues, ¿la Fortis de noventa centímetros y grosor de dos es un artículo raro?

El tipo torció el gesto con cierta amargura.

—Vendo una al año —repuso—. Con mucha suerte, dos. Son caras. Y por desgracia, cada vez se valora menos la calidad. Es echar margaritas a los cerdos, como suelo decir.

—¿Pasa lo mismo en todas partes?

—¿En todas partes? —repitió.

—En otras tiendas. En la región. Lo de las barras Fortis.

—Lo siento —dijo—. Quizá no lo he dejado claro. Las fabrican para mí. Con mi propio diseño. Con mis propias y exactas especificaciones. Se hacen por encargo.

Lo miré fijamente.

—¿Son exclusivas de esta tienda?

Asintió.

—El privilegio de ser independiente.

—¿En el verdadero sentido de la palabra «exclusivo»?

Asintió de nuevo.

—Únicas en el mundo.

—¿Cuándo vendió la última?

—Hace unos nueve meses.

—¿Salta la pintura?

—Sé lo que está preguntando —dijo—. Y la respuesta es sí, desde luego. Si encuentra una que parezca nueva, es la que robaron en Nochevieja.

Para que pudiéramos hacer comparaciones, nos prestó una idéntica, como había hecho con el detective Clark. Estaba rociada de lubricante, y el mango iba envuelto con papel de seda. La dejamos en el asiento de atrás del Chevy a modo de trofeo. Luego comimos algo en el coche. Unas hamburguesas adquiridas en un establecimiento situado a unos cien metros de la tienda de herramientas.

—Dígame tres hechos nuevos —pedí.

—Uno, la señora Kramer y Carbone fueron asesinados con la misma arma. Dos, nos vamos a volver majaras tratando de encontrar una relación entre ellos.

—¿Y tres?

—No sé.

—Tres, el malo conocía Sperryville muy bien. ¿Habría encontrado usted esta tienda en la oscuridad y con prisas a menos que conociera la ciudad?

Miramos por el parabrisas. La entrada del callejón era apenas visible. Pero claro, nosotros sabíamos que estaba allí. Y estábamos a plena luz del día.

Summer cerró los ojos.

—Centrémonos en el arma —sugirió—. Dejemos a un lado todo lo demás. Visualicémosla. La barra de hierro fabricada por encargo. Única en el mundo. Salió de este callejón, de ahí mismo. Luego estuvo en Green Valley a las dos de la madrugada del uno de enero. Y después dentro de Fort Bird a las nueve de la noche del día cuatro. Hizo un viaje. Sabemos dónde empezó y dónde acabó. No estamos seguros de dónde estuvo durante ese tiempo, pero sí sabemos con seguridad que pasó por un punto concreto: la entrada de Fort Bird. Pero no sabemos cuándo.

Abrió los ojos.

—Hemos de regresar a la base —dijo—. Hemos de volver a mirar los libros de registro. Lo más pronto que pudo haber cruzado es a las seis de la mañana del uno de enero, pues Bird se halla a cuatro horas de Green Valley. Lo más tarde sería, pongamos, las ocho de la tarde del día cuatro. En medio quedan ochenta y seis horas. Hemos de revisar los registros y ver quién entró durante ese intervalo. Porque sabemos con seguridad que la barra entró y también que no lo hizo por su propio pie.

No dije nada.

—Lo siento —añadió ella—. Serán un montón de nombres.

La sensación de estar haciendo novillos había desaparecido del todo. Regresamos a la carretera y pusimos rumbo al este, en busca de la I-95. La tomamos y giramos al sur, en dirección a Fort Bird. Hacia Willard al teléfono. Hacia el enfadado cuartel Delta. Nos deslizamos bajo un techo de nubes grises justo antes de llegar a la frontera de Carolina del Norte. El cielo se oscureció. Summer encendió los faros. Pasamos por delante del edificio de la policía estatal, en el arcén del otro lado. Dejamos atrás el lugar donde había sido encontrado el maletín de Kramer. Un par de kilómetros después pasamos por el área de descanso. Tomamos el ramal de la autopista este-oeste y nos salimos en el cruce en trébol que había junto al motel de Kramer. Seguimos adelante y recorrimos los cincuenta kilómetros finales hasta Fort Bird. Los PM de la puerta anotaron nuestra entrada exactamente a las 19.30. Les dije que hicieran una copia de los registros desde las 6.00 del 1 de enero hasta las 20.00 del 4. Y que quería ese fragmento de vida de ochenta y seis horas en mi despacho inmediatamente.

Mi oficina estaba tranquila. El caos de la mañana había acabado hacía rato. Volvía a estar de servicio la sargento del niño pequeño. Parecía cansada. Me di cuenta de que no había dormido mucho. Trabajaba toda la noche y seguramente durante el día se ocupaba de su chaval. Una vida dura. Estaba preparando café. Supuse que el café le interesaba tanto como a mí. O quizá más.

—Los delta están nerviosos —dijo—. Saben que usted detuvo al búlgaro.

—No lo detuve. Sólo le hice unas preguntas.

—Parece que ellos no hacen distinciones. Han venido unas cuantas veces a preguntar por usted.

—¿Iban armados?

—No les hace falta. A ésos al menos no. Debería recluirles en sus dependencias. Puede hacerlo. Ahora está actuando como oficial al mando de la PM.

Meneé la cabeza.

—¿Algo más?

—Ha de llamar al coronel Willard antes de medianoche; si no, redactará un informe declarándolo ausente sin autorización. Dijo que lo prometía.

Asentí. Era el lógico movimiento que iba a hacer Willard a continuación. Una acusación de ASA iría en descrédito de un oficial al mando. Daría la impresión de que había perdido el control de la situación. Sobre el que huía caía siempre una acusación de ASA con todas las de la ley.

—¿Algo más? —repetí.

—Sánchez quiere un diez-dieciséis —explicó—. En Fort Jackson. Y ha vuelto a llamar su hermano.

—¿Algún mensaje?

—No.

—Muy bien —dije.

Entré en el despacho y cogí el teléfono. Summer se acercó al mapa y pasó los dedos por las chinchetas, de D.C. a Sperryville, de Sperryville a Green Valley, de Green Valley a Fort Bird. Marqué el número de Joe. Respondió al segundo tono.

—He llamado a mamá —dijo—. Aún aguanta.

—Dijo pronto, Joe. Eso no significa que tengamos que velarla a diario.

—Seguramente será más pronto de lo que pensamos. Y de lo que deseamos.

—¿Cómo estaba?

—La voz le sonaba temblorosa.

—¿Cómo estás tú?

—Tirando —dijo—. ¿Y tú?

—De momento no está siendo un gran año.

—La próxima vez deberías llamarla tú —señaló.

—Lo haré —prometí—. Dentro de unos días.

—Hazlo mañana —dijo, y colgó.

Me quedé sentado unos instantes. Luego di unos golpecitos en la horquilla del teléfono para despejar la línea y le pedí a la sargento que me pusiera con Sánchez, en Jackson. Mantuve el auricular pegado al oído. Summer me miraba fijamente.

—¿Velarla a diario? —dijo.

—No ve la hora de que le quiten la escayola —expliqué—. Dice que se siente muerta en vida.

Summer me observó con recelo y acto seguido se volvió hacia el mapa. Conecté el altavoz del teléfono y dejé el auricular sobre la mesa. En la línea se oyó un clic y a continuación la voz de Sánchez.

—He estado incordiando a la policía de Columbia sobre el coche de Brubaker —dijo.

—¿Aún no lo han encontrado? —pregunté.

—No. Y no estaban haciendo ningún esfuerzo al respecto. Lo que me parecía inconcebible. Así que seguí dándoles la lata.

—¿Qué más?

—Perdieron el otro zapato.

—¿Y eso qué significa?

—Que Brubaker no fue asesinado en Columbia —dijo—. Aquí sólo se deshicieron del cuerpo.

17

Sánchez nos explicó que los forenses de Columbia habían observado en el cadáver patrones de lividez confusos que, a su juicio, indicaban que llevaba muerto unas tres horas antes de ser arrojado al callejón. La lividez es lo que le pasa a la sangre de una persona después de morir. Se para el corazón, la presión sanguínea baja en picado, la sangre se escurre, desciende y se asienta en las partes inferiores del cuerpo simplemente por la acción de la gravedad. Se queda allí y durante un cierto intervalo tiñe la piel de un color púrpura parecido al del hígado. Entre tres y seis horas después el color queda fijado de manera permanente, como una foto revelada. Un tío que cae muerto de espaldas tendrá un pecho pálido y una espalda púrpura. Y al revés para uno que caiga de bruces. Pero Brubaker presentaba lividez por todas partes. Los forenses conjeturaron que había sido asesinado, después había permanecido tendido de espaldas unas tres horas, y luego lo habían arrojado al callejón cayendo boca abajo. Estaban bastante seguros de la estimación de tres horas, pues a partir de ese lapso las manchas comienzan a fijarse. Según ellos, el cadáver exhibía signos de lividez temprana en la espalda y de otra más importante en el pecho. Decían también que había una franja ancha en mitad de la espalda donde la carne muerta estaba cocida en parte.

—Iba en el maletero de un coche —señalé.

—Justo encima del silenciador —dijo Sánchez—. Un trayecto de tres horas, mucha temperatura.

—Esto cambia muchas cosas.

—Y explica por qué no encuentran su Chevy en Columbia.

—Ni ningún testigo —añadí—. Ni los casquillos, ni las balas.

—Entonces ¿ahora hacia dónde apuntamos?

—¿Tres horas en un coche? —solté—. ¿De noche y con las carreteras vacías? Cualquier punto situado en un radio de más de trescientos kilómetros.

—Un círculo grandecito —dijo Sánchez.

—Unos trescientos mil kilómetros cuadrados —dije—. Más o menos. Pi multiplicado por el radio al cuadrado. ¿Qué va a hacer la policía de Columbia al respecto?

—Soltar la patata caliente. Ahora es un caso del FBI.

—¿Y qué opina el Bureau sobre la droga?

—Se muestran un tanto escépticos. Creen que lo nuestro no es la heroína. Que nos van más las anfetaminas y la marihuana.

—Ojalá —dije—. Ahora mismo me tomaría un poco de todo.

—Por otro lado, saben que los tíos de Delta viajan por todo el mundo. Pakistán, Sudamérica. De donde viene la heroína. Así que investigarán un poco, sin esforzarse demasiado.

—Están perdiendo el tiempo. ¿Heroína? ¿Un tipo como Brubaker? Antes muerto.

—Quizá piensan que fue eso. —Y colgó.

Apagué el altavoz y devolví el auricular a su sitio.

—Probablemente sucedió en el norte —señaló Summer—. Brubaker salió de Raleigh. Deberíamos buscar su coche por allí.

—No es un caso nuestro —observé.

—Muy bien, pues el FBI debería hacerlo.

—Seguro que ya andan por allí.

Llamaron a la puerta. Entró un cabo de la PM con unos papeles bajo el brazo. Saludó con elegancia, dio un paso al frente y los dejó en mi escritorio. Dio el mismo paso hacia atrás y volvió a saludar.

—Las fotocopias del registro de la puerta, señor —dijo—. Del uno al cuatro de este mes, las horas solicitadas.

Giró sobre sus talones y salió de la habitación. Cerró la puerta. Miré los papeles. Unas siete hojas. «No era para tanto.»

—A trabajar —dije.

La operación Causa Justa volvió a ayudarnos. El aumento en el grado de DefCon, situación de defensa, había provocado la cancelación de muchos permisos. Por ninguna razón de peso, pues lo de Panamá no era gran cosa, pero así funcionaban los militares. No tenía sentido tener niveles de DefCon si no se podían subir y bajar, y no tenía sentido modificarlos si no había causas visibles. Así pues, tampoco tenía sentido poner en escena pequeños numeritos en el extranjero a menos que la totalidad de la institución notara una emoción indirecta y lejana.

También era absurdo anular permisos sin dar a la gente algo para llenar el tiempo. Por tanto, había sesiones adicionales de instrucción y ejercicios diarios de acción inmediata. La mayoría eran duros y comenzaban temprano. Así pues, para nosotros la principal ventaja era que casi todos los quc habían salido para celebrar la Nochevieja habían regresado a la base relativamente pronto. Seguramente habían vuelto todos entre las tres y las cinco de la madrugada, pues a partir de las seis se apreciaba muy poca actividad en los registros.

Las personas que entraron durante las dieciocho horas que revisamos del día de Año Nuevo sumaban diecinueve. Summer y yo estábamos incluidos, pues habíamos regresado de Green Valley y D.C. tras el viaje a casa de la viuda y la visita al Walter Reed. Nos tachamos de la lista.

Aparte de nosotros, los que entraron el 2 de enero eran

dieciséis. El 3, doce. Y el 4, antes de las ocho de la noche, diecisiete. En total, sesenta y dos nombres durante el intervalo de ochenta y seis horas. Nueve eran conductores civiles de furgonetas de reparto. Los tachamos. Once estaban repetidos: habían entrado, salido y vuelto a entrar. Como los que van y vienen cada día de casa al trabajo. Por ejemplo, la sargento del turno de noche. La tachamos porque era una mujer, y de poca estatura. En los demás casos, borramos la segunda anotación y cualquier otra posterior.

Al final nos quedaron cuarenta y un individuos, catalogados por el apellido, la inicial del nombre y el rango. No había forma de saber si eran hombres o mujeres. Ni de saber qué hombres eran altos, fuertes y diestros.

—Yo investigaré los géneros —dijo Summer—. Aún tengo las listas de efectivos, donde sale el nombre completo.

Asentí. Cogí el teléfono, localicé al forense y le pedí que nos viésemos inmediatamente en el depósito de cadáveres.

Conduje nuestro Chevy hasta su oficina porque no quería que me vieran andando por ahí con una barra de hierro. Aparqué frente a la puerta del depósito y esperé. El tío apareció al cabo de cinco minutos, caminando desde el club de oficiales. Seguramente le interrumpí en el postre. O acaso estaba aún en el primer plato. Bajé y cogí la barra del asiento trasero. Él le echó una mirada. Me invitó a pasar. Pareció entender lo que yo quería. Abrió la puerta de su despacho, encendió la luz y abrió el cajón. Sacó la barra que había matado a Carbone y la dejó sobre la mesa. Yo coloqué al lado la prestada. Le quité el papel de seda y la moví hasta que formó el mismo ángulo. Eran idénticas.

—En las barras de hierro ¿hay diferencias de anchura? —preguntó el patólogo.

—Más de las que usted se imagina —contesté—. Acaban de darme una conferencia sobre el tema.

—Estas dos parecen la misma.

—Son la misma, como dos gotas de agua. De eso puede estar seguro. Se fabrican por encargo. Son únicas en el mundo.

—¿Conoció usted a Carbone?

—Sólo lo vi una vez —repuse.

—¿Qué postura adoptaba?

—¿En qué sentido?

—¿Era cargado de espaldas?

Rememoré el oscuro interior del aquel bar. Y la luz dura del aparcamiento. Meneé la cabeza.

—No era lo bastante alto para encorvarse —dije—. Era un tipo fibroso, robusto, se ponía bastante derecho. Como si se apoyara en los talones. Parecía atlético.

—Muy bien.

—¿Por qué?

—Fue un golpe de arriba abajo. Pero no brusco, sino con un recorrido casi horizontal que se hundió al hacer impacto. Carbone medía uno setenta y cinco. La herida se produjo a uno sesenta y algo del suelo, suponiendo que él no se encorvara. Pero fue propinado desde arriba. Por tanto, el agresor era alto.

—Esto ya nos lo contó el otro día —señalé.

—No; estoy diciendo alto de verdad —aclaró—. He estado haciendo cálculos. El agresor mide entre uno noventa y uno noventa y tres.

—Como yo —dije.

—Y también fuerte como usted. No es fácil partir un cráneo así.

Recordé el escenario del crimen. Estaba salpicado de pequeños montículos de hierba seca y aquí y allá había ramas gruesas como una muñeca, pero en esencia era un terreno liso. No era posible que uno estuviera en un lugar más elevado que el otro.

—Uno noventa o así —dije—. ¿Está usted dispuesto a sostener esa afirmación?

—¿Ante un tribunal?

—Fue un accidente durante unas maniobras —advertí—. No vamos a ir a juicio. Es sólo entre usted y yo. ¿Estoy perdiendo el tiempo si busco gente que mida menos de metro noventa?

El médico inspiró y espiró.

—Metro ochenta y ocho —dijo—. Para concedernos un margen de error. Sostengo lo de metro ochenta y ocho. No le quepa duda.

—Muy bien —dije.

Me acompañó hasta la puerta, apagó la luz y cerró.

Cuando regresé, Summer se hallaba sentada a mi escritorio, sin hacer nada. Había terminado con su indagación respecto al género. No había tardado mucho. Las listas eran exhaustivas y precisas y los nombres estaban por orden alfabético, como casi todos los papeles del ejército.

—Treinta y tres hombres —dijo—. Veintitrés soldados y diez oficiales.

—¿Quiénes son?

—Hay un poco de todo. A los delta y los rangers les habían anulado los permisos, pero disfrutaban de pases nocturnos. El día uno el propio Carbone entró y salió.

—Podemos tacharlo.

—Bien, pues treinta y dos hombres. El forense entre ellos.

—Táchelo.

—Treinta y uno entonces —dijo—. Y Vassell y Coomer siguen aquí. Entran y salen el día uno y vuelven a entrar el cuatro a las siete.

—Táchelos. Estaban cenando. Pescado y filete.

—Veintinueve —dijo ella—. Veintidós soldados, siete oficiales.

—Muy bien. Ahora vaya al cuartel y consiga los historiales médicos.

—¿Para qué?

—Para averiguar su estatura.

—No podré hacerlo en el caso del chófer de Vassell y Coomer el día de Año Nuevo, el comandante Marshall. Era un visitante. Aquí no tenemos su historial.

—El día que murió Carbone tampoco estaba aquí —señalé—. Así que también táchelo.

—Veintiocho —dijo Summer.

—Pues consiga los veintiocho historiales.

Me tendió un trozo de papel. Lo cogí. Era donde yo había escrito «973». Nuestra lista inicial de sospechosos.

—Estamos avanzando —dijo.

Asentí. Ella sonrió y se puso en pie. Se dirigió a la puerta. Yo ocupé mi sitio tras la mesa. Su cuerpo había dejado la silla caliente. Saboreé la sensación hasta que se esfumó. Luego cogí el teléfono. Pedí a la sargento que me pusiera con el intendente de la base. Tardó unos minutos en localizarlo. Supuse que había tenido que sacarlo del comedor. Y que yo le había estropeado la cena, como había sucedido con el forense. Bueno, yo tampoco había comido nada todavía.

—¿Señor? —dijo el tipo. Sonaba algo fastidiado.

—Tengo que hacerle una pregunta, jefe —dije—. Algo que sólo sabrá usted.

—¿El qué?

—La estatura y el peso promedio de un soldado varón del ejército de Estados Unidos.

El hombre no respondió de inmediato, pero noté que su fastidio se desvanecía. El Cuerpo de Intendencia compra cada año millones de uniformes, y el doble de botas, con cargo al presupuesto, por lo que sin duda allí les consta hasta el último centímetro y el último gramo. Es su obligación. Y les encanta exhibir sus conocimientos especializados.

—Desde luego —dijo—. En promedio, los hombres

adultos americanos de edades comprendidas entre veinte y cincuenta años miden metro setenta y tres y pesan ochenta kilos. En comparación con el conjunto de la población, nosotros tenemos más hispanos, por lo que la estatura media baja un par de centímetros, hasta uno setenta y uno. Y hacemos una instrucción dura, con lo que el peso promedio sube casi un kilo y medio, siendo el músculo generalmente más fibroso que graso.

—¿Estas cifras son de este año?

—Del anterior —puntualizó—. Éste acaba de empezar.

—¿Cuál es la gama de estaturas?

—¿Qué quiere saber?

—Cuántos tíos medimos metro ochenta y ocho o más.

—Uno de cada diez —contestó—. En el conjunto del ejército, quizá noventa mil. Como un estadio lleno en la Superbowl. En una base de estas dimensiones, tal vez unos ciento veinte. Un avión medio vacío.

—Muy bien, jefe —dije—. Gracias.

Colgué. «Uno de cada diez.» Summer iba a aparecer con veintiocho historiales médicos. Nueve de cada diez iban a corresponder a tipos demasiado bajos. De modo que, de veintiocho, si teníamos suerte, sólo deberíamos prestar atención a dos. Sin tanta suerte, a tres. De novecientos setenta y tres, dos o tres. «Estamos avanzando.» Miré el reloj. Las 20.30. Sonreí para mis adentros. «Cosas que pasan, Willard», pensé.

Cosas que pasan, desde luego, pero a nosotros, no a Willard. Los valores medios y los promedios nos gastaron su pequeña broma aritmética y Summer apareció con veintiocho historiales de tíos bajos. El más alto medía uno ochenta y tres, pesaba unos míseros setenta y dos kilos y además era capellán.

De niño viví durante un mes en un bungaló cerca de una base militar. No había mesa de comedor. Mi madre pidió que le trajeran una. Llegó en una caja de cartón. Intenté ayudar a montarla. Allí estaban todas las piezas. Un tablero de madera contrachapada, cuatro patas cromadas y cuatro tornillos grandes de acero. Lo dejamos todo en el suelo, en el rincón de comer. El tablero, cuatro patas, cuatro tornillos. Pero no había modo de ensamblarlo. Imposible. Era una especie de diseño inexplicable. Nada encajaba. Nos arrodillamos uno junto a otro y nos concentramos en ello. Luego nos sentamos en el suelo con las piernas cruzadas. El cromo liso era frío en mis manos. Los bordes, ásperos donde el contrachapado tomaba forma en las esquinas. No podíamos armarla. Llegó Joe, lo intentó y tampoco pudo. Lo intentó mi padre, también en vano. Durante un mes comimos en la cocina. Cuando nos trasladamos aún seguíamos tratando de montar aquella mesa. Ahora yo notaba que volvía a forcejear como entonces. Nada se acoplaba. Al principio el motor parecía ir bien, pero luego se calaba y dejaba de funcionar.

—La barra de hierro no entró sola —dijo Summer—. La metió dentro uno de estos veintiocho nombres. Es evidente. No pudo haber llegado aquí de otra manera.

Guardé silencio.

—¿Quiere cenar algo? —preguntó.

—Pienso mejor cuando tengo hambre —dije.

—Nos hemos quedado sin cosas en que pensar.

Asentí. Recogí los veintiocho historiales médicos y los apilé con cuidado. Coloqué encima la lista inicial de treinta y tres nombres. Treinta y tres, menos Carbone, porque él no llevaba la barra para suicidarse con ella. Menos el forense, porque no era un sospechoso convincente y porque era bajito, y porque su ejercicio con la barra había revelado sus limitaciones. Menos Vassell y Coomer y su chófer Marshall, porque tenían coartadas demasiado buenas. Vassell y Coomer se estuvieron dando un atracón, y Marshall ni siquiera había aparecido.

—¿Por qué no estaba Marshall? —pregunté.

Summer meneó la cabeza.

—Eso siempre me ha intrigado —dijo—. Es como si Vassell y Coomer hubiesen querido ocultarle algo.

—Lo único que hicieron fue cenar —objeté.

—Sin embargo, seguramente estuvo con ellos en el funeral de Kramer. Así que debieron de decirle expresamente que no les trajera aquí. Una orden formal de bajar del coche y quedarte en casa.

Hice un gesto de asentimiento. Me imaginé la larga hilera de sedanes oficiales negros en el Cementerio Nacional de Arlington, bajo un plúmbeo cielo de enero. Me imaginé la ceremonia, el plegado de la bandera, las salvas de los fusileros. El lento desfile de regreso a los vehículos, hombres con la cabeza descubierta y el mentón hundido en el cuello, contra el frío, tal vez nieve. Me imaginé a Marshall sujetando las puertas del Mercury, primero para Vassell, luego para Coomer. Los llevaría de vuelta al aparcamiento del Pentágono, y luego vería cómo Coomer se sentaba en el asiento del acompañante y Vassell al volante.

—Deberíamos hablar con él —sugerí—. Averiguar qué le dijeron exactamente. Qué razones le dieron. Debió de ser un momento embarazoso. Un favorito como él se sentiría algo excluido.

Cogí el teléfono y le pedí a la sargento que buscase el número del comandante Marshall. Le dije que pertenecía al Estado Mayor del XII Cuerpo, con base en el Pentágono. Contestó que enseguida me lo pasaba. Summer y yo nos quedamos en silencio y esperamos. Observé el mapa de la pared. Pensé que sería lógico quitar la chincheta de Columbia. Desvirtuaba la imagen. Brubaker no había sido asesinado allí, sino en otro sitio. Al norte, al sur, al este, al oeste.

—¿Va a llamar a Willard? —me preguntó Summer.

—Seguramente. Quizá mañana.

—¿No antes de medianoche?

—No quiero darle ese gusto.

—Es un riesgo —observó.
—Soy invulnerable.
—Quizá no lo sea para siempre.
—Da igual. Los de Delta Force pronto vendrán por mí. En comparación, todo lo demás parecerá intrascendente.
—Llame a Willard esta noche —dijo Summer—. Éste sería mi consejo.
La miré.
—Como amiga —añadió—. La ausencia sin autorización no es ninguna broma. Es absurdo empeorar las cosas.
—Tiene razón —dije.
—Hágalo ahora —insistió—. ¿Por qué no?
—De acuerdo. —Alargué la mano para coger el teléfono, pero en ese instante la sargento se asomó por la puerta.
Nos explicó que el comandante Marshall ya no se hallaba en Estados Unidos. Su misión temporal había finalizado antes de tiempo. Lo habían hecho volver a Alemania. Había salido de la base aérea de Andrews a última hora de la mañana del 5 de enero.
—¿De quién recibió la orden? —le pregunté.
—Del general Vassell.
—Muy bien —dije.
La sargento cerró la puerta.
—El cinco de enero —señaló Summer.
—Al día siguiente de la muerte de Carbone y Brubaker.
—Marshall sabe algo.
—Ni siquiera estaba aquí —observé.
—¿Por qué, si no, lo sacarían de la circulación?
—Es una coincidencia.
—A usted no le gustan las coincidencias —me recordó.
Asentí.
—Muy bien —dije—. Pues vamos a Alemania.

18

En modo alguno iba Willard a autorizar una expedición al extranjero, así que me dirigí a la oficina del jefe de la Policía Militar y cogí un montón de vales de viaje. Me los llevé al despacho y los firmé con mi nombre en el renglón de «oficial al mando» y con muy dignas falsificaciones de la rúbrica de Leon Garber en el de «autorizado por».

—Vamos a infringir la ley —constató Summer.

—Esto es la batalla de Kursk —observé—. Ahora no vamos a volvernos atrás.

Summer vaciló.

—Usted decide —dije—. Sí o no, sin presiones por mi parte.

Se quedó callada.

—Estos comprobantes no regresarán aquí hasta dentro de un mes o dos —expliqué—. Para entonces se habrá ido Willard o nos habremos ido nosotros. No tenemos nada que perder.

—De acuerdo —dijo.

—Haga las maletas. Para tres días.

Summer se fue y le pedí a la sargento que averiguara quién me sucedía en el escalafón para ejercer de oficial al mando en funciones. Al rato apareció con un nombre que reconocí como la mujer capitán que había visto en el comedor del club de oficiales. La del brazo en cabestrillo. Le escribí una nota explicándole que estaría tres días fuera y que ella quedaba como responsable. Luego llamé a Joe.

—Voy a Alemania —le dije.

—Perfecto —replicó—. Pues pásatelo bien. Que tengas buen viaje.

—No puedo ir a Alemania sin detenerme en París a la vuelta. En fin, dadas las circunstancias.

Joe hizo un pausa.

—Claro —dijo—. Supongo.

—No hacerlo no estaría bien —proseguí—. Pero mamá no debería pensar que me preocupo por ella más que tú. Eso tampoco sería correcto. Así que también tendrías que venir.

—¿Cuándo?

—Toma el vuelo nocturno dentro de dos días. Quedamos en el Roissy-Charles de Gaulle. Después vamos a verla juntos.

Summer se reunió conmigo en la acera y llevamos las bolsas al Chevy. Vestíamos uniforme de campaña pues pensamos que lo que más nos convenía era un viaje nocturno desde la base Andrews. Era demasiado tarde para un avión civil de última hora y no queríamos esperar toda la noche a los vuelos con desayuno. Subimos al coche y salimos por la puerta principal. Conducía Summer, naturalmente. Pisó a fondo el acelerador y luego se estabilizó en una velocidad crucero de unos quince kilómetros por hora más rápida que los demás coches.

Me recliné en el asiento y contemplé la carretera. Observé los arcenes, las áreas comerciales y el tráfico. Recorrimos unos cincuenta kilómetros hacia el norte y pasamos junto al motel de Kramer. Llegamos al cruce en trébol y doblamos hacia el este por la I-95. Luego pusimos rumbo al norte. Dejamos atrás el área de descanso. Y también el lugar, kilómetro y medio después, donde había sido descubierto el maletín. Cerré los ojos.

Dormí durante todo el trayecto a Andrews. Llegamos allí bastante después de medianoche. Dejamos el coche en un aparcamiento reservado y canjeamos dos de nuestros vales de viaje por dos plazas en un C-130 del Cuerpo de Transporte que salía para Francfort a las tres de la mañana. Aguardamos en una sala que tenía luces fluorescentes y bancos de vinilo y rebosaba del habitual movimiento variopinto de transeúntes. Los militares siempre están de acá para allá. Siempre hay gente que va a algún sitio, a cualquier hora del día o la noche. Nadie hablaba. Era la costumbre. Tan sólo nos sentamos, rígidos, cansados e incómodos.

Nos llamaron treinta minutos antes del despegue. Salimos y anduvimos en fila por la pista, subimos por la rampa y entramos en la panza del avión. En el espacio central había una larga hilera de palés de carga. Tomamos asiento en sendos traspuntines con cinchas y apoyamos la espalda contra el fuselaje. Llegué a la conclusión de que prefería la primera clase de Air France. El Cuerpo de Transporte no tiene azafatas y no prepara café durante el vuelo.

Despegamos un poco tarde, hacia el oeste, contra el viento. Después giramos lentamente ciento ochenta grados hacia D.C. y pusimos rumbo al este. Noté el movimiento. No había ventanas, pero supe que sobrevolábamos la ciudad de Washington. Joe se hallaba por ahí abajo, durmiendo.

El fuselaje era muy frío, por lo que todos nos inclinábamos hacia delante con los codos sobre las rodillas. El ruido impedía hablar. Observé con atención un palé de munición para tanques hasta que la visión se me hizo borrosa y me dormí. No estaba cómodo, pero una cosa que se aprende en el ejército es a dormir en cualquier sitio. Me desperté unas diez veces y pasé la mayor parte del viaje en un estado de animación suspendida. El estruendo de los motores y las hélices ayudaban a ello. Era relativamente apacible. Equivalía a estar en la cama en un sesenta por ciento.

Estuvimos en el aire casi ocho horas antes de iniciar el descenso. No hubo comunicación por interfono, ni mensaje jovial del piloto, sólo un cambio en el tono del motor y un movimiento a sacudidas hacia abajo y una intensa presión en los oídos. A mi alrededor la gente se levantaba y desperezaba. Summer tenía la espalda pegada a un cajón de embalaje y se frotaba como un gato. Tenía buen aspecto. Llevaba el pelo demasiado corto para que se le desordenara y le brillaban los ojos. Parecía resuelta, como si supiera que se dirigía a la gloria o al desastre y estuviera resignada a no saber cuál de los dos sería su destino.

Volvimos a sentarnos y nos ajustamos bien los cinturones para el aterrizaje. Las ruedas tocaron la pista, la propulsión hacia atrás aulló y los frenos chirriaron. Los palés sufrieron una sacudida hacia delante contra sus correas. A continuación los motores redujeron la marcha y rodamos un rato por la pista hasta pararnos. La rampa fue bajada y por el agujero asomó el cielo oscuro del anochecer. En Alemania eran las cinco de la tarde, seis horas más que en la costa Este, una más que en el país de los zulúes. Estaba famélico. No había comido nada desde la hamburguesa de Sperryville del día anterior. Summer y yo nos levantamos, cogimos las bolsas y nos pusimos en la fila. Bajamos lentamente por la rampa con los demás y llegamos a la pista de asfalto. Hacía frío, más o menos como en Carolina del Norte.

Nos encontrábamos lejos, en la esquina del aeropuerto de Francfort reservada a los militares. Cogimos un vehículo de transporte de tropas que nos llevó a la terminal. A partir de ahí nos espabilamos solos. Algunos tenían quien les esperara con algún vehículo, pero nosotros no.

Nos incorporamos a un grupo de civiles en la cola de la parada de taxis. Fuimos avanzando despacio, paso a paso. Cuando llegó nuestro turno le dimos al conductor un vale de viaje y le dijimos que nos llevara a la sede del XII Cuerpo. El hombre se alegró. Podría canjear el vale por divisa fuerte en cualquier puesto norteamericano y sin duda podría recoger a un par de tipos del XII Cuerpo que quisieran ir a Francfort a pasar la noche en la ciudad. No era volver a cocheras. No era una carrera en vano. El taxista vivía del ejército norteamericano, lo mismo que habían hecho muchísimos alemanes desde hacía cuatro décadas y media. Conducía un Mercedes-Benz.

Tardamos media hora. Atravesamos barrios residenciales típicos de Alemania Occidental. Eran amplias zonas de edificios de color miel pálido construidos allá por los cincuenta. Los nuevos barrios se extendían de oeste a este formando curvas aleatorias, siguiendo las rutas seguidas antes por los bombarderos. Jamás ningún país perdió una guerra del modo en que la perdió Alemania. Como todo el mundo, yo había visto las fotos tomadas en 1945. «Derrota» no era la palabra. Mejor «Armagedón». Todo el país había sido aplastado y reducido a escombros por una fuerza irresistible. Las pruebas de ello estarían allí siempre, reflejadas en la arquitectura. Y debajo de la arquitectura. Cada vez que la compañía de teléfonos abría una zanja para tirar cable, encontraba cráneos, huesos, tazas de té, obuses y *panzerfausts* oxidados. Cada vez que se horadaba la tierra para poner cimientos nuevos, había un sacerdote atento antes de que las excavadoras dieran el primer mordisco. Yo había nacido en Berlín, rodeado de americanos, rodeado de kilómetros y kilómetros cuadrados de devastación remendada. «Empezaron ellos», solíamos decir.

Las calles estaban limpias y cuidadas. Había tiendas sencillas con pisos encima. Los escaparates, llenos de artículos brillantes. Los rótulos callejeros, en blanco y negro, tenían una letra arcaica que dificultaba su lectura. También había aquí y allá pequeñas señales de tráfico del ejército norteamericano. No se podía ir muy lejos sin ver alguna. Seguimos las flechas del XII Cuerpo. Abandonamos las zonas edificadas y recorrimos un par de kilómetros de tierras de cultivo. Era como un foso. Como un aislamiento protector. Frente a nosotros, el oscuro cielo del este.

El XII Cuerpo tenía su cuartel general en una instalación típica de los días de esplendor. Allá por la década de 1930, cierto industrial nazi había construido en mitad del campo una fábrica de quinientas hectáreas. Constaba de un impresionante edificio de oficinas y filas de naves metálicas de poca altura que se extendían cientos de metros por detrás. Las naves habían sido bombardeadas repetidamente hasta quedar reducidas a fragmentos retorcidos. El edificio de oficinas había resultado dañado sólo en parte. En 1945, algunas divisiones blindadas fatigadas instalaron allí su campamento. Trajeron a delgadas mujeres de Francfort con pañuelos en la cabeza y vestidos raídos para que amontonaran los escombros a cambio de comida. Trabajaban con palas y carretillas. Después, el Cuerpo de Ingenieros arregló el edificio y se llevó los escombros con excavadoras. El Pentágono realizó de manera sucesiva enormes inversiones. En 1953, el lugar era una instalación insignia. Había ladrillo limpio y pintura blanca brillante y una sólida valla en todo el perímetro. Había astas de banderas y garitas de centinelas y habitáculos para la guardia. Había comedores, una clínica y un economato. Barracones, talleres y almacenes. Y sobre todo había quinientas hectáreas de tierra llana que hacia 1953 estaba llena de tanques americanos. Todos alineados, mirando hacia el este, preparados para echarse a rodar y luchar por el Corredor de Fulda.

Cuando llegamos allí treinta y siete años después, estaba demasiado oscuro para ver algo. Sin embargo, yo sabía que esencialmente no había cambiado nada. Los tanques serían distintos, pero nada más. Los Sherman M4 que habían ganado la Segunda Guerra Mundial ya no estaban hacía tiempo, salvo dos magníficos ejemplares que se conservaban frente a la puerta principal, uno a cada lado, a modo de símbolos. Colocados en rampas de hormigón ajardinadas, morros hacia arriba, colas hacia abajo, como si estuvieran aún en movimiento, a punto de coronar una cuesta. Estaban vistosamente iluminados y bellamente pintados de verde brillante, con luminosas estrellas blancas en los costados. Tenían mucho mejor aspecto que los originales. Tras ellos había un largo camino de entrada con bordillos blancos y la fachada iluminada del edificio de oficinas, que ahora albergaba el cuartel general de la base. Y detrás habría el parque de vehículos blindados, con los M1A1 Abrams alineados uno junto a otro, cientos, a casi un millón de pavos cada uno.

Bajamos del taxi y por la acera nos dirigimos al puesto de guardia de la puerta principal. Mi distintivo de unidad especial nos permitió pasar. Nos habría permitido cruzar cualquier control del ejército norteamericano salvo el del círculo más próximo a los capitostes del Pentágono. Acarreamos las bolsas por el camino de entrada.

—¿Había estado aquí antes? —me preguntó Summer.

Negué con la cabeza mientras andaba.

—Estuve en Heidelberg con la Infantería —dije—. Muchas veces.

—¿Está cerca?

—No muy lejos —repuse.

Una ancha escalinata de piedra conducía a la puerta. El conjunto recordaba a un edificio de la cámara legislativa de cualquier estado de nuestro país. Estaba perfectamente conservado. Subimos y entramos. Justo después de la puerta había un soldado sentado a una mesa. No era PM. Sólo un oficinista del XII Cuerpo. Nos identificamos.

—¿Hay sitio para nosotros en el Cuartel de Oficiales de Visita? —inquirí.

—Por supuesto, señor.

—Dos habitaciones —precisé—. Una noche.

—Ahora mismo llamo —dijo—. Sigan las señales.

Nos indicó la parte trasera del vestíbulo. Allí había más puertas que conducían a distintas dependencias del complejo. Miré el reloj. Exactamente mediodía. Aún estaba puesto a la hora de la costa Este. En Alemania eran las seis de la tarde. Ya había oscurecido.

—Tengo que ver al oficial al mando de la PM —dije—. ¿Está aún en su oficina?

El hombre cogió el teléfono y obtuvo respuesta. Hizo un gesto hacia una ancha escalera que nos llevaría a la segunda planta.

—A la derecha —añadió.

Subimos las escaleras y doblamos a la derecha. Un pasillo largo con oficinas a ambos lados, con puertas de madera maciza y vidrio serigrafiado. Encontramos la que buscábamos y entramos. En la antesala había un sargento sentado a una mesa. Casi idéntico a Fort Bird. La misma pintura, el mismo suelo, los mismos muebles, la misma temperatura, el mismo olor. El mismo café en la misma cafetera típica. El sargento también era como tantos otros que yo había conocido. Tranquilo, eficiente, estoico, dispuesto a creerse que llevaba todo aquello él solo, lo cual seguramente era cierto. Desde su escritorio nos miró. Tardó medio segundo en ubicarnos.

—Supongo que buscan al comandante —dijo.

Asentí. El hombre llamó por el interfono al despacho interior.

—Pasen —dijo.

Cruzamos la puerta y en un escritorio vi a Swan. Conocía muy bien a Swan. La última vez que lo había visto había sido en Filipinas, tres meses atrás, cuando él estaba iniciando una gira de misiones programada para un año.

—No me lo digas —sonreí—. Llegaste aquí el veintinueve de diciembre.

—A congelarme el culo —soltó—. Sólo tenía ropa del Pacífico. El XII Cuerpo tardó tres días en encontrar un uniforme de invierno para mí.

No me extrañó. Swan era de corta estatura y ancho. Casi cúbico. Seguramente un uno por ciento de los pedidos de intendencia correspondía a él solito.

—¿Está aquí tu jefe de la PM? —pregunté.

Negó con la cabeza.

—Trasladado temporalmente.

—¿Tus órdenes las firmó Garber?

—Al parecer.

—¿Has averiguado el motivo?

—Ni mucho menos.

—Yo tampoco —dije.

Él se encogió de hombros, como diciendo «bueno, es el ejército, ¿qué quieres?».

—Te presento a la teniente Summer —dije.

—¿Unidad especial? —preguntó Swan.

Summer meneó la cabeza.

—Pero es muy buena —señalé.

Swan extendió un corto brazo por encima de la mesa y ambos se estrecharon la mano.

—Tengo que ver a un tío llamado Marshall —expliqué—. Un comandante. Por lo visto pertenece al Estado Mayor del XII Cuerpo.

—¿Está en algún apuro?

—Alguien lo está. Espero que Marshall me ayude a averiguar quién. ¿Le conoces?

—No he oído hablar de él —respondió Swan—. Acabo de llegar.

—Lo sé —dije—. El veintinueve de diciembre.

Sonrió y me dedicó otro encogimiento de hombros. Cogió el teléfono y pidió a su sargento que localizara a Marshall y le dijera que yo quería verle. Miré alrededor mientras aguardamos la respuesta. El despacho de Swan parecía prestado y temporal, como el mío de Carolina del

Norte. En la pared había el mismo reloj. Eléctrico, sin segundero. No hacía tictac. Eran las 18.10.

—¿Pasan cosas por aquí? —pregunté.

—No demasiadas —contestó Swan—. Un tipo de Helicópteros fue a Heidelberg de compras y lo atropellaron. Y murió Kramer, claro. Esto ha removido las cosas por arriba.

—¿Quién es el siguiente en el escalafón?

—Vassell, supongo.

—Lo conocí —dije—. No me causó muy buena impresión.

—Esto es un cáliz emponzoñado. Todo está cambiando. Tendrías que oír hablar a estos tíos. Son de veras deprimentes.

—El statu quo no es una opción —señalé—. Es lo que he oído.

Sonó el teléfono. Swan escuchó y luego colgó.

—Marshall no se halla en la base —explicó—. Está en unos ejercicios nocturnos en el campo. Regresará por la mañana.

Summer me echó una mirada. Me encogí de hombros.

—Cenad conmigo —dijo Swan—. Con toda esta gente de Blindados aquí estoy solo. ¿En el club de oficiales dentro de una hora?

Llevamos el equipaje al Cuartel de Oficiales de Visita y encontramos las habitaciones. La mía se parecía bastante a aquella en que había muerto Kramer, aunque estaba más limpia. Era un diseño estándar de motel americano. Seguramente tiempo atrás alguna cadena de hoteles había pujado por el contrato con el gobierno. Luego habían transportado por avión todos los muebles y accesorios, incluidos lavabos, toalleros y papeleras.

Me afeité, me duché y me puse un uniforme de campaña limpio. Transcurridos cincuenta y cinco minutos de la hora de Swan, llamé a la puerta de Summer. Abrió. Limpia y con buen semblante. Su habitación era como la mía, salvo que olía como la de una mujer. En el aire flotaba una agradable fragancia a colonia.

Localizamos el club de oficiales sin ninguna dificultad. Ocupaba la mitad de un ala de la planta baja del edificio principal. Era un espacio espléndido, con techos altos y primorosas molduras de yeso. Había un salón, un bar y un comedor. Vimos a Swan en el bar. Estaba con un teniente coronel que lucía uniforme clase A con distintivo de Infantería de combate en la chaqueta. En una base de Blindados era algo curioso de ver. Leí el nombre de la placa: «Simon». Se presentó él mismo. Tuve la sensación de que iba a acompañarnos en la cena. Nos explicó que era oficial de enlace, y que trabajaba para Infantería. Nos dijo que en Heidelberg había un tipo de Blindados haciendo lo mismo a la inversa.

—¿Lleva aquí mucho tiempo? —le pregunté.

—Dos años —contestó.

Eso me alegró. Necesitaba información, y Swan sabía menos que yo. Entonces reparé en que no había sido casualidad que Simon cenara con nosotros. Swan se imaginaría lo que yo quería y lo organizó todo sin que nadie se lo pidiera. Era de esa clase de personas.

—Encantado de conocerle, coronel —dije, y acto seguido dirigí a Swan un gesto de asentimiento, dándole las gracias.

Tomamos cerveza americana fría en altas copas heladas y luego entramos en el comedor. Swan había hecho una reserva. El camarero nos instaló en una mesa del rincón. Me senté en un sitio desde el que podía ver toda la estancia. No vi a nadie conocido. Vassell no estaba. Coomer tampoco.

El menú era absolutamente corriente. Podíamos haber estado en cualquier club del mundo. Los clubes de oficiales no están para iniciar a uno en la cocina local, sino para hacer que la gente se sienta como en casa, en algún lugar de las honduras de la propia interpretación que de América hace el ejército. Se podía escoger filete o pescado. Éste probablemente era europeo, pero la carne habría cruzado el Atlántico por el aire. Gracias a sus influencias, algún político de uno de los estados ganaderos había conseguido un jugoso contrato con el Pentágono.

Charlamos un rato sobre asuntos triviales. Nos quejamos de las pagas y las prestaciones. Hablamos de gente que conocíamos. Nos referimos a la operación Causa Justa de Panamá. El teniente coronel Simon contó que dos días antes había estado en Berlín y había conseguido un trocito de hormigón del Muro. Nos dijo que pensaba ponerlo en una urna de plástico para que pasara de una generación a otra, como si fuera una reliquia de familia.

—¿Conoce usted al comandante Marshall? —pregunté.

—Bastante —contestó.

—¿Quién es exactamente?

—¿Esto es oficial?

—De hecho no.

—Es un planificador. En esencia, un estratega. Uno de estos tipos con futuro. Parece que al general Kramer le caía bien. Siempre lo mantuvo cerca, lo convirtió en su oficial de contraespionaje.

—¿Tiene antecedentes en contraespionaje?

—Oficialmente no. Pero seguro que habrá hecho rotaciones.

—Así que forma parte del equipo dirigente. He oído que Kramer, Vassell y Coomer estaban en la misma categoría, pero no así Marshall.

—Está en el equipo —dijo Simon—. De eso no cabe duda. Pero ya sabe cómo son los oficiales de alto rango. Necesitan a alguien, pero no van a reconocerlo. Así que abusan un poco de él. Los va a buscar, los lleva y los pasea por ahí, pero en último caso recaban su opinión.

—¿Va a ascender, ahora que ha muerto Kramer? ¿Quizás a ocupar el lugar de Coomer?

Simon torció el gesto.

—Así debería ser. Es un fanático de Blindados hasta la médula, como los demás. Pero nadie sabe realmente qué puñetas va a pasar. Puede que la muerte de Kramer se haya producido en el peor momento para ellos.

—El mundo está cambiando —dije.

—Y vaya mundo era —soltó Simon—. Básicamente el de Kramer, que empieza a tocar a su fin. El hombre se graduó en West Point en el cincuenta y dos, y al año siguiente los sitios como éste estaban en alerta y preparados, y han sido el centro del universo durante casi cuarenta años. Es inaudito lo atrincherados que están en sitios como éste. ¿Sabe quién ha hecho más en este país?

—¿Quién?

—Ni los Blindados ni la Infantería. Este escenario de operaciones es cosa del Cuerpo de Ingenieros. Hace tiempo, los tanques Sherman pesaban treinta y ocho toneladas y medían dos setenta de ancho. Ahora hemos llegado hasta el M1A1 Abrams, que pesa setenta toneladas y mide tres metros treinta centímetros de anchura. Durante cuarenta años, el Cuerpo de Ingenieros siempre ha tenido trabajo. Han ensanchado carreteras, centenares de kilómetros, por toda Alemania Occidental, y han reforzado puentes. Han *construido* carreteras y puentes, demonios. Docenas. Si quieren que una riada de tanques de setenta toneladas avance hacia el este a combatir, mejor hacer bien seguros los puentes y las carreteras que hay que seguir.

—Ajá —dije.

—Miles de millones de dólares —dijo Simon—. Y claro, ellos sabían muy bien qué carreteras y puentes interesaban. Sabían desde dónde partíamos y adónde íbamos. Hablaron con los entusiastas de la guerra, miraron los mapas, y se entretuvieron con el hormigón y el reforzamiento de estructuras. Construyeron apeaderos allá donde hicieran falta. Depósitos permanentes de combustible de acero templado, arsenales, talleres de reparación, cientos, todos exclusivamente a lo largo de rutas preestablecidas. Así que aquí estamos literalmente atrincherados. Los campos de batalla de la guerra fría están literalmente engastados en piedra, Reacher.

—La gente dirá que hicimos una inversión y ganamos.

Simon asintió.

—Y tendrá razón. Pero ¿y luego qué?

—Más inversión —dije.

—Exacto —confirmó—. Como en la Armada, cuando los grandes acorazados fueron desbancados por los portaaviones. El final de una era, el inicio de otra. Los Abrams son como los acorazados. Son imponentes, pero han quedado anticuados. Ya casi sólo podemos utilizarlos en carreteras hechas por encargo para objetivos que ya hayamos planificado tomar.

—Son transportables —señaló Summer—. Como todos los tanques.

—No tan transportables —objetó Simon—. ¿Cuál será el próximo conflicto?

Me encogí de hombros. Ojalá Joe hubiera estado presente. Era muy bueno en todo ese rollo geopolítico.

—¿Oriente Medio? —sugerí—. Quizás Irán, o Irak. Ambos han sacado cabeza, y en el Pentágono estarán pensando cuál será su próximo movimiento.

—O los Balcanes —indicó Swan—. Cuando los soviéticos se hundan definitivamente, hay ahí una olla a presión de cuarenta y cinco años que estallará.

—Muy bien —dijo Simon—. Fijémonos en los Balcanes. En Yugoslavia. Será el primer lugar en el que suceda algo, sin duda. Ahora mismo están esperando el pistoletazo de salida. ¿Qué hacemos?

—Enviar una división aerotransportada —propuso Swan.

—Muy bien —repitió Simon—. Mandamos la 82 y la

101. Podemos tener tres batallones ligeros allí en una semana. Pero ¿qué haremos una vez que hayamos llegado? Somos una simple avanzadilla, nada más. Hemos de esperar a las unidades pesadas. Y aquí surge la primera dificultad. Un tanque Abrams pesa setenta toneladas. No se puede llevar por el aire. Hay que subirlo a un tren, y luego a un barco. Y ésta es la buena noticia. Porque no sólo embarcamos el tanque. Por cada tonelada de tanque hemos de embarcar cuatro toneladas de combustible y material diverso. Estos chupones tragan casi cinco litros por kilómetro. Y hacen falta motores de repuesto, munición, grandes equipos de mantenimiento. La comitiva de logística mide un kilómetro. Es como mover una montaña de hierro. Embarcar suficientes brigadas de blindados para que el esfuerzo valga la pena conlleva unos preparativos de seis meses trabajando las veinticuatro horas.

—Tiempo durante el cual las tropas aerotransportadas están hasta el cuello de mierda —solté.

—Dígamelo a mí —repuso Simon—. Y ésos son mis hombres, y me preocupan. Unos paracaidistas ligeramente armados contra unidades blindadas extranjeras acaban masacrados. Serían seis meses llenos de inquietud. Pero las cosas empeoran. Porque, ¿qué pasa cuando por fin llegan las brigadas pesadas? Pasa que los tanques bajan de los barcos y quedan atascados. Las carreteras no son lo bastante anchas, los puentes no son lo bastante resistentes, y no pueden salir de la zona portuaria. Están allí, varados, viendo cómo a lo lejos la infantería es aniquilada.

Hubo un silencio.

—O veamos lo de Oriente Medio —continuó Simon—. Todos sabemos que Irak quiere recuperar Kuwait. Supongamos que lo hacen. A largo plazo, para nosotros será una victoria fácil, pues para los tanques el desierto viene a ser como las estepas europeas, sólo que allí hace más calor y hay más polvo. De todos modos, los planes de guerra de que disponemos son correctos. Ahora bien, ¿llegaremos tan lejos? Tenemos allí a la infantería, como pequeñas tachuelas en la calzada, durante seis meses enteros. ¿No cabe la posibilidad de que los iraquíes los aplasten en las primeras dos semanas?

—Fuego aéreo —sugirió Summer—. Ataque con helicópteros.

—Ojalá —dijo Simon—. Los aviones y los helicópteros son muy chulos, pero no ganan nada ellos solos. Nunca lo han hecho y nunca lo harán. Se gana pisando el terreno.

Sonreí. En parte eso respondía al orgullo de la Infantería de combate, pero también era verdad en parte.

—Así pues, ¿qué va a ocurrir? —pregunté.

—Lo mismo que le ocurrió a la Armada en 1941 —contestó Simon—. De la noche a la mañana los acorazados pasaron a la historia, y lo nuevo fueron los portaaviones. Ahora a nosotros nos sucede lo mismo; hemos de integrar. Hemos de entender que nuestras unidades ligeras son demasiado vulnerables y las pesadas demasiado lentas. Hemos de resolver la escisión ligero-pesado. Hemos de integrar brigadas de respuesta rápida con vehículos blindados de menos de veinte toneladas y cuyo tamaño les permita alojarse en la panza de un C-130. Hemos de llegar a los sitios más deprisa y luchar con más astucia. Basta de planear batallas de laboratorio entre manadas de dinosaurios. —Sonrió—. En dos palabras, tendremos que poner la Infantería al frente.

—¿Ha hablado alguna vez con gente como Marshall sobre esto?

—¿Sus planificadores? De ninguna manera.

—¿Qué piensan ellos del futuro?

—No tengo ni idea. Y tampoco me importa. El futuro pertenece a la Infantería.

De postre había pastel de manzana, y luego tomamos café. Excelente, como de costumbre. Regresamos del futuro a la charla insustancial del presente. Los camareros iban de un lado a otro en silencio. Sólo otra velada en otro club de oficiales a seis mil kilómetros del anterior.

—Marshall volverá al alba —me dijo Swan—. Busca un vehículo de reconocimiento en la parte de atrás de la primera columna que llegue.

Asentí. Supuse que en Francfort, en enero, amanecería aproximadamente a las siete. Puse el despertador mental a las seis. El teniente coronel Simon nos deseó buenas noches y se marchó. Summer inclinó la silla hacia atrás y se repantigó sobre dos patas todo lo que una persona menuda puede repantigarse. Swan apoyó los codos en la mesa.

—¿Crees que entra mucha droga en esta base? —le pregunté.

—¿Quieres un poco? —dijo.

—Heroína *brown sugar* —contesté—. No para consumo personal.

Swan movió la cabeza.

—Por lo visto, en Alemania hay trabajadores turcos que pueden conseguirla. Seguro que algún camello podría traerla.

—¿Has conocido a un tipo llamado Willard? —le pregunté.

—¿El nuevo jefe? Recibí el informe. No le conozco. Pero algunos de aquí sí. Un grumete del servicio de información, algo que ver con Blindados.

—Ideaba algoritmos —dije.

—¿Para qué?

—Creo que para averiguar el consumo de combustible del T-80 soviético. Nos explicó qué clase de instrucción hacían.

—Y ahora está dirigiendo la 110.

Asentí.

—Sí, ya sé —dije—. Es curioso.

—¿Cómo lo consiguió?

—Obviamente caía bien a alguien.

—Deberíamos descubrir a quién —dijo Swan—. Y empezar a mandarle cartas con insultos y amenazas.

Asentí de nuevo. Casi un millón de personas en el ejército, cientos de miles de millones de dólares, y al final todo consistía en quién caía bien a quién. «Eh, qué quieres.»

—Me voy a la cama —dije.

Mi habitación en el Cuartel de Oficiales de Visita era tan impersonal que al cabo de un minuto de haber cerrado la puerta había perdido ya la noción de dónde estaba. Colgué el uniforme en el armario y me deslicé entre las sábanas. Olían al mismo detergente que el ejército utiliza en todas partes. Pensé en mi madre en París, y en Joe en Washington. Mi madre ya se habría acostado. Joe aún estaría trabajando, en lo que tuviera entre manos en ese momento. Dije «seis de la mañana» para mis adentros y cerré los ojos.

Amaneció a las 6.50, hora a la que me encontraba de pie junto a Summer en la entrada este del XII Cuerpo. Sosteníamos sendos tazones de café. El suelo estaba helado y había niebla. El cielo era gris y el paisaje tenía un tono verde pastel. Era bajo, ondulado e insulso, como buena parte de Europa. Aquí y allá se veían grupos de árboles pequeños y aseados. La aletargada tierra despedía fríos olores orgánicos. Estaba todo muy tranquilo.

Más allá de la entrada, la carretera giraba y se dirigía al este y un poco al norte, en dirección a Rusia. Era ancha y recta, de hormigón reforzado. La piedra del bordillo presentaba marcas y muescas de las orugas de los tanques. No es fácil manejar un tanque.

Aguardamos. Todo seguía tranquilo.

De pronto los oímos.

¿Cuál es la sintonía del siglo XX? Podríamos celebrar un debate sobre ello. Unos acaso dirían que es el sereno zumbido del motor de un avión. Quizás el de un solitario caza deslizándose por un cielo azul en la década de 1940. O el aullido de un reactor volando bajo, haciendo temblar la tierra. O el *bop bop bop* de un helicóptero. O el bramido de un avión de carga 747 al despegar. O las explosiones de las bombas que caen sobre una ciudad. Todos cumplirían los requisitos. Son ruidos exclusivos del siglo XX. Nunca se habían oído antes. Jamás en la historia. Algunos optimistas insensatos tal vez votarían por una canción de los Beatles. Un coro de *ye, ye, ye* apagándose bajo los chillidos del público. Me gustaría esa opción. Pero una canción y unos gritos no reúnen los requisitos. La música y el deseo han estado entre nosotros desde el origen de los tiempos. No se inventaron a partir de 1900.

No, la cortina musical del siglo XX es el chirrido y el estrépito de las orugas de los tanques en una calzada pavimentada. Ese sonido se oyó en Varsovia y en Rotterdam, en Stalingrado y en Berlín. Y se volvió a oír en Budapest, en Praga, en Seúl y en Saigón. Es un sonido terrible. Es el sonido del miedo. Habla de una fuerza abrumadora. Y habla de indiferencia lejana e impersonal. Las bandas de rodadura del tanque chirrían y traquetean, y el propio ruido que producen nos revela que no pueden detenerse. Nos comunica que somos débiles e impotentes contra la máquina. De repente, una oruga se para y la otra sigue y el tanque da media vuelta y avanza tambaleándose hacia nosotros, rugiendo y chirriando. Éste es el verdadero sonido del siglo XX.

Oímos la columna de Abrams mucho antes de verla. El ruido llegaba a través de la niebla. Oíamos las orugas y el gemido de las turbinas. Oíamos el trabajo de los engranajes y percibíamos el tamborileo grave vibrando a través de las suelas de nuestros zapatos cada vez que un tramo del rodamiento se salía de la rueda dentada y golpeaba el suelo recuperando la posición. Oíamos cómo su peso aplastaba la arenisca y la piedra.

Entonces los vimos. El que encabezaba la comitiva asomó entre la niebla. Se desplazaba rápido, cabeceando un poco, el motor zumbando. Detrás apareció otro, y otro. Iban en fila, como un convoy surgido del infierno. Era una imagen imponente. El M1A1 Abrams es como un tiburón evolucionado hasta su punto de perfección total. Es el rey indiscutible de la selva. Ningún otro tanque en el mundo puede siquiera empezar a dañarlo. Lo envuelve un blindaje hecho con uranio empobrecido comprimido entre láminas de acero arrollado. Un blindaje denso e invulnerable. Contra él rebotan los obuses y misiles y los artefactos cinéticos. Sin embargo, su baza principal es que puede mantenerse tan lejos que los cohetes y proyectiles ni siquiera pueden alcanzarlo. Se queda donde está y ve los disparos del enemigo quedarse cortos. Luego apunta con su poderoso cañón, dispara, y un segundo después y a más de dos kilómetros de distancia su agresor revienta envuelto en llamas. La ventaja injusta final.

El tanque que iba en cabeza pasó frente a nosotros. Tres metros treinta centímetros de ancho, siete ochenta de largo, casi tres de alto. Setenta toneladas. Su motor bramaba y su peso hacía estremecer la tierra. Las orugas chirriaban y traqueteaban por el hormigón. Luego pasó el segundo. Y el tercero, el cuarto y el quinto. El ruido era ensordecedor. La enorme masa de insólito metal sacudía el aire. Los cañones se balanceaban. El humo de los tubos de escape se arremolinaba.

Era un total de veinte tanques. Cruzaron la entrada y los ruidos y vibraciones se fueron desvaneciendo a nuestra espalda, luego hubo un breve intervalo y de pronto surgió de la niebla un vehículo de reconocimiento. Era un Humvee de acción rápida provisto de un lanzamisiles anticarro TOW-2. Dentro iban dos tipos. Me interpuse en su camino con audacia y levanté la mano. Yo no conocía a Marshall y lo había visto sólo una vez, en el interior oscuro del Grand Marquis que aguardaba en Fort Bird. Pero aun así estaba bastante seguro de que no era ninguno de estos dos. Recordaba que Marshall era corpulento y moreno, y estos tíos eran pequeños, lo cual es frecuente entre la gente de Blindados. Lo que no hay dentro de un Abrams es espacio.

El Humvee se paró justo delante de mí y yo me acerqué a la ventanilla del conductor. Summer se situó en el lado del acompañante, en posición de descanso. El conductor bajó el cristal. Me miró fijamente.

—Busco al comandante Marshall —dije.

El tipo era capitán, igual que el acompañante. Ambos llevaban uniformes de Blindados Nomex, pasamontañas y cascos Kevlar con auriculares incorporados. El acompañante tenía los bolsillos de las mangas a rebosar de bolígrafos. Y carpetas de pinzas en el regazo, llenas de signos, como puntuaciones.

—Marshall no está aquí —dijo el conductor.

—¿Dónde está entonces?

—¿Quién lo pregunta?

—Usted mismo puede leerlo —observé. Lucía el uniforme de campaña de la noche anterior, que tenía hojas de roble en el cuello y «Reacher» estarcido en una chapa.

—¿Unidad? —preguntó.

—No tiene por qué saberlo.

—Marshall fue a California —dijo—. Despliegue de emergencia en Fort Irwin.

—¿Cuándo?

—No estoy seguro.

—Haga un esfuerzo.

—En algún momento de la noche pasada.

—No es muy concreto.

—No estoy seguro.

—¿Qué clase de emergencia tenían en Irwin?

—Tampoco estoy seguro de eso.

Asentí y di un paso atrás.

—Puede seguir —dije.

El Humvee abandonó el espacio que me separaba de Summer, que se reunió conmigo en medio de la carretera. El aire olía a diesel y humo de turbinas y el hormigón había quedado marcado con trazas tras el paso de las orugas.

—Un viaje en balde —dijo Summer.

—Tal vez no —repliqué—. Depende de cuándo se marchó exactamente. Si fue después de la llamada de Swan, eso significa algo.

En nuestro intento de averiguar a qué hora exacta había abandonado Marshall el XII Cuerpo nos mandaron de una oficina a otra. Acabamos en unas instalaciones de dos plantas que albergaban la oficina del general Vassell. Éste no estaba. Hablamos con otro capitán, que parecía estar al frente de una gestoría.

—El comandante Marshall embarcó en un vuelo civil a las veintitrés horas —dijo—. De Francfort al aeropuerto Dulles. Escala de siete horas hasta coger el enlace a Los Ángeles desde el National. Yo mismo le facilité los vales.

—¿Cuándo?

—Cuando se marchaba.

—¿Y eso cuándo fue?

—Salió de aquí tres horas antes de la hora del vuelo.

—¿A las ocho?

El capitán asintió.

—En punto.

—Me dijeron que tenía programadas maniobras nocturnas.

—Y así era. Hubo cambio de planes.

—¿Por qué?

—No estoy seguro.

«No estoy seguro» parecía una respuesta normal y corriente del XII Cuerpo a cualquier pregunta.

—¿Cuál era la emergencia en Irwin? —pregunté.

—No estoy seguro.

Esbocé una breve sonrisa.

—¿Cuándo recibió Marshall las órdenes?

—A las siete.

—¿Por escrito?

—De palabra.

—¿Quién las dio?

—El general Vassell.

—¿El general Vassell refrendó los vales de viaje?

—Sí —contestó—. Así es.

—He de hablar con él —dije.

—Se marchó a Londres.

—¿A Londres?

—A una reunión convocada con poca antelación. Con el ministro de Defensa británico.

—¿Cuándo se marchó?

—Fue al aeropuerto con el comandante Marshall —dijo.

—¿Dónde está el coronel Coomer?

—En Berlín. Comprando *souvenirs*.

—Y fue al aeropuerto con Vassell y Marshall, ¿verdad?

—No —corrigió el capitán—. Cogió el tren.

—Fantástico —solté.

Fuimos al club de oficiales a desayunar. Nos instalamos en la misma mesa de la noche anterior. Nos sentamos uno al lado del otro, de cara a la estancia.

—Muy bien —dije—. La oficina de Swan preguntó por el paradero de Marshall a las 18.10 y cincuenta minutos después éste recibió la orden de viajar a Fort Irwin. Una hora más tarde había salido de la base.

—Y Vassell se largó a Londres —añadió Summer—. Y Coomer se subió a un tren rumbo a Berlín.

—Un tren nocturno —señalé—. ¿A quién se le ocurre coger un tren nocturno sólo por gusto?

—Todo el mundo tiene algo que ocultar —observó ella.

—Menos yo y mi mono.

—¿Qué?

—Los Beatles —precisé—. Uno de los sonidos del siglo.

Summer se quedó mirándome.

—¿Qué están ocultando? —preguntó.

—Dígamelo usted.

Puso las manos sobre la mesa, las palmas hacia abajo. Tomó aire.

—Veo una parte —dijo.

—Yo también.

—El orden del día —prosiguió—. Es el otro lado de la moneda de lo que el coronel Simon decía anoche. Simon salivaba al afirmar que la Infantería les bajaría los humos a los de Blindados. Kramer seguramente lo vio venir. Los generales de dos estrellas no son estúpidos. Así que la reunión de Fort Irwin el día de Año Nuevo era para ver cómo defender lo suyo. No quieren renunciar a lo que tienen.

—Significaría renunciar a un montón de cosas —señalé.

—Ya lo creo —asintió ella—. Como antaño los comandantes de acorazados.

—Entonces ¿qué había en el orden del día?

—En parte defensa y en parte ataque —repuso—. Es la forma lógica de hacerlo. Argumentos contra las unidades integradas, burlas a los vehículos blindados ligeros, defensa de su propia pericia especializada.

—Coincido con usted. Pero eso no basta. A partir de ahora, el Pentágono va a acabar hasta el techo de informes como ése llenos de gilipolleces. A favor, en contra, sí, pero, no obstante... para aburrirse como una ostra. De todos modos, en el orden del día había algo más, lo que explicaría su apuro por recuperar la copia de Kramer. ¿Qué era?

—No lo sé.

—Yo tampoco —dije.

—¿Y por qué huyeron anoche? —preguntó Summer—. Ahora ya habrán destruido la copia de Kramer y cualquier otra. Así que podían haber mentido descaradamente sobre su contenido, para que usted se quedara tranquilo. Incluso podían haberle dado un documento falso. Podían haber dicho «aquí tiene, era esto, compruébelo».

—Huyeron por lo de la señora Kramer —señalé.

Summer asintió.

—Yo aún creo que la mataron Vassell y Coomer. Kramer estira la pata, la pelota está en su tejado, dadas las circunstancias saben que es responsabilidad suya recuperar los papeles perdidos. La señora Kramer entra en la categoría de daños colaterales.

—Eso tiene mucho sentido —dije—. Sólo que ninguno de los dos me pareció especialmente alto y fuerte.

—Ambos son mucho más altos y fuertes de lo que era la señora Kramer. Además, ya sabe, en un momento de excitación, movidos por la urgencia, quizá valoramos resultados forenses ambiguos. Y en todo caso no sabemos hasta qué punto son competentes los de Green Valley. Tal vez había un médico de cabecera haciendo una práctica como forense de esos que establecen las causas de la defunción. ¿Qué demonios iba a saber entonces?

—Tal vez —dije—. Pero aún no entiendo cómo pudo suceder. Si resta el tiempo necesario para conducir desde D.C. y diez minutos para encontrar la tienda y robar la barra, habrían dispuesto sólo de diez minutos. Y no tenían coche ni pidieron ninguno.

—Quizá cogieron un taxi. O una limusina, directamente desde la puerta del hotel. Nunca lo encontraríamos. Nochevieja, la noche más ajetreada del año.

—Hubiera sido una carrera larga —dije—. Y cara. Al chófer no se le olvidaría.

—Nochevieja —repitió ella—. Los taxis y las limusinas de Washington D.C. van de un lado a otro por tres estados. Toda clase de destinos raros. Es una posibilidad.

—No lo creo —señalé—. Uno no coge un taxi para ir a robar a una ferretería y allanar una casa.

—El taxista no tenía por qué enterarse. Vassell o Coomer, o ambos, tal vez acudieron a la ferretería a pie. Y regresaron al cabo de cinco minutos con la barra oculta en el abrigo. Y en casa de la señora Kramer igual. El taxi pudo haberlos esperado en el camino de entrada. Toda la acción se produjo en la parte de atrás.

—Demasiado riesgo. Un taxista de D.C. lee los periódicos como todo el mundo. Con el tráfico que hay, acaso más. Si ve la historia de Green Valley, se acuerda de sus dos pasajeros.

—Ellos no lo consideraron un riesgo. Creían que la señora Kramer no se encontraría en casa, que estaría en el hospital. Y estimaron que un par de vulgares robos en Sperryville y Green Valley nunca saldrían en los periódicos de D.C.

Asentí. Recordé algo que había dicho el detective Clark días atrás. «He mandado algunos hombres calle arriba y abajo a sondear, había algunos coches.»

—Quizá —dije—. Quizá deberíamos comprobar lo de los taxis.

—La peor noche del año —observó Summer—. Ofrece las coartadas perfectas.

—Sería insólito, ¿verdad? —comenté—. Coger un taxi para hacer algo así.

—Nervios de acero.

—Si tienen nervios de acero, ¿por qué escaparon anoche?

Summer reflexionó.

—Realmente no tiene lógica —dijo—. Porque no

pueden estar siempre huyendo. Eso han de saberlo. Han de saber que tarde o temprano tendrán que pararse.

—Exacto. Y deberían haberlo hecho aquí mismo. Ahora. Éste es su territorio. No entiendo su conducta.

—Pues si se paran se defenderán con uñas y dientes. La vida profesional de ambos corre peligro. Debería usted ir con cuidado.

—Usted también —dije.

—La mejor defensa es el ataque.

—Estoy de acuerdo —dije.

—Así pues, ¿vamos por ellos?

—Por supuesto.

—¿Primero cuál?

—Marshall —contesté—. Ése es el que quiero yo.

—¿Por qué?

—Es una regla empírica —expliqué—. Ir a la caza del que mandan más lejos porque lo consideran el eslabón más débil.

—¿Ahora? —preguntó.

Negué con la cabeza.

—Ahora vamos a París —dije—. Tengo que ver a mi mamá.

19

Volvimos a hacer el equipaje, abandonamos nuestro alojamiento e hicimos una visita final de cortesía a Swan en su despacho. Tenía una noticia que darnos.

—Debería deteneros a los dos —dijo.

—¿Por qué? —pregunté.

—Porque sois ASA. Willard ha transmitido una orden.

—¿Adónde? ¿A todo el planeta?

Swan meneó la cabeza.

—Sólo a esta base. Encontraron vuestro coche en Andrews, y Willard habló con el Cuerpo de Transporte. Por tanto, supo que os dirigíais hacia aquí.

—¿Cuándo has recibido el télex?

—Hace una hora.

—¿Cuándo nos marchamos de aquí?

—Una hora antes.

—¿Adónde fuimos?

—Ni idea. No dijisteis nada. Supuse que regresabais a casa.

—Gracias —dije.

—Prefiero no saber adónde vais.

—A París —dije—. Un asunto personal.

—¿Qué está pasando?

—Ojalá lo supiera.

—¿Llamo un taxi?

—Estupendo.

Al cabo de diez minutos nos hallábamos en otro Mercedes Benz, desandando el camino por el que habíamos llegado.

Para ir de Francfort del Main a París había dos alternativas: Lufthansa y Air France. Me decidí por ésta. Supuse que el café sería mejor, y también que si Willard indagaba en los aviones civiles miraría primero en Lufthansa. Me lo imaginé así de simplón.

Canjeamos otros dos vales falsificados por dos asientos en clase turista para el vuelo de las diez. Esperamos en la sala de embarque. Llevábamos uniforme de campaña, pero en realidad no destacábamos. Se veían uniformes americanos por todo el aeropuerto. Distinguí algunos PM del XII Cuerpo, rondando por parejas. Pero eso no me preocupaba. No era más que la rutinaria cooperación con la policía civil. No nos miraban. Tuve la sensación de que el télex de Willard iba a quedarse en la mesa de Swan una o dos horas.

Embarcamos puntualmente y guardamos las bolsas en los compartimientos encima del asiento. Nos abrochamos el cinturón y nos pusimos cómodos. En el avión iba una docena de militares. París era siempre un atractivo destino R&R, de relax y recuperación, para la gente estacionada en Alemania. Aún había niebla. Pero no tanta que justificara alguna demora. Despegamos a la hora señalada, ascendimos sobre la ciudad gris y pusimos rumbo al suroeste por encima de campos de tonos pastel y enormes extensiones de bosques. A continuación tomamos altura entre las nubes en dirección al sol y ya no vimos más tierra.

Fue un viaje corto. Iniciamos el descenso durante mi segunda taza de café. Summer bebía zumo. Parecía nerviosa, en parte excitada y en parte inquieta. Supuse que nunca había estado en París, y tampoco ausente sin autorización. Reparé en que esto la angustiaba. La verdad es que a mí también me angustiaba un poco. Era un factor que complicaba las cosas y podía habérmelas arreglado sin él. Pero no me sorprendía. Siempre había sido el previsible paso siguiente que daría Willard. Imaginé que ahora nos iban a perseguir por todo el mundo con mensajes de *alerta*. O bien un boletín dirigido al público en general hablaría pestes de nosotros.

Aterrizamos en el Roissy-Charles de Gaulle y a las once y media de la mañana ya habíamos abandonado el avión y cruzábamos la pista. El aeropuerto estaba abarrotado. La cola del taxi era un fárrago, igual que cuando llegamos Joe y yo. Así que desistimos y nos dirigimos a la parada de la *navette*. Nos pusimos en la fila y subimos al pequeño autobús. Iba lleno hasta los topes y se estaba incómodo, pero en París hacía mejor tiempo que en Francfort. Brillaba un sol tímido, y supe que la ciudad iba a tener un aspecto magnífico.

—¿Había estado aquí antes? —pregunté.

—No.

—No mire las primeras veinte diapositivas —señalé—. Aguarde a que estemos dentro del Périphérique.

—¿Y eso qué es?

—Una especie de carretera de circunvalación. Como la Beltway. Ahí empieza lo bueno.

—¿Su mamá vive ahí?

Asentí.

—En una de las avenidas más bonitas de la ciudad. Donde están todas las embajadas. Cerca de la torre Eiffel.

—¿Vamos hacia allí directamente?

—Mañana —dije—. Primero un poco de turismo.

—¿Por qué?

—He de esperar a que llegue mi hermano. No puedo ir solo. Hemos de hacerlo juntos.

Summer no respondió. Sólo me echó una mirada. El autobús arrancó. Summer miró todo el rato por la ventanilla. Por el reflejo de su rostro en el cristal deduje que estaba de acuerdo conmigo. Las mejores vistas las ofrecía el Périphérique.

Bajamos en la Place de l'Opéra, permanecimos de pie en la acera y dejamos que los demás pasajeros se alejaran en masa. Pensé que antes de hacer nada debíamos buscar un hotel y dejar allí el equipaje.

Caminamos hacia el sur por la Rue de la Paix, cruzamos la Place Vendôme y seguimos hasta las Tullerías. Torcimos a la derecha y anduvimos por los Campos Elíseos. Seguramente había sitios mejores para pasear con una mujer bonita en un día perezoso bajo un desvaído sol de invierno, pero en ese instante no se me ocurrió ninguno. Giramos a la izquierda por la Rue Marbeuf y llegamos a la Avenue George V, más o menos enfrente del hotel George V.

—¿Le parece bien? —dije.

—¿Nos dejarán entrar? —preguntó Summer.

—Sólo hay un modo de averiguarlo.

Cruzamos la avenida y un tipo con sombrero de copa nos abrió la puerta. La chica de recepción llevaba en la solapa un puñado de banderitas, una por cada idioma que hablaba. Utilicé el francés, cosa que le gustó. Le di dos vales y pedí dos habitaciones. La mujer no vaciló. Nos entregó inmediatamente las llaves como si yo hubiera pagado con oro en lingotes o con tarjeta de crédito. El George V era un sitio especial. No había nada que no hubieran visto ya. Y si lo había, no iban a reconocerlo delante de nadie.

Las habitaciones que nos dio la chica políglota estaban orientadas hacia el sur y ambas ofrecían una vista parcial de la torre Eiffel. Una estaba decorada con tonos azul pálido y tenía una sala de estar y un cuarto de baño del tamaño de una pista de tenis. La otra se hallaba tres puertas más allá. Estaba pintada de amarillo pergamino y tenía un balcón de hierro estilo Julieta.

—Elija usted —dije.

—Me quedo la del balcón —dijo ella.

Dejamos el equipaje, nos aseamos y nos reunimos en el vestíbulo al cabo de quince minutos. A mí me había entrado hambre, pero Summer tenía otros planes.

—Quiero comprarme ropa —dijo—. Los turistas no llevan uniforme de campaña.

—Tiene razón —repliqué.

—Pues a romper esquemas —soltó—. A vivir un poco. ¿Adónde vamos?

Me encogí de hombros. En París es imposible caminar veinte metros sin ver al menos tres tiendas de ropa. Aunque la mayoría de ellas piden un mes de paga por una sola prenda.

—Podríamos mirar en Bon Marché —sugerí.

—¿Qué es eso?

—Unos grandes almacenes —repuse—. Significa literalmente «barato».

—¿Unos grandes almacenes que se llaman Barato?

—Mi sitio preferido —precisé.

—¿No hay nada más?

—Samaritaine —contesté—. En el río, junto al Pont Neuf. Arriba hay una terraza con una buena vista.

—Pues vamos.

Fue un largo paseo a lo largo del río, hasta el extremo de la Cité. Tardamos una hora porque nos parábamos todo el rato a mirar cosas. Pasamos frente al Louvre. Curioseamos en los puestecitos verdes instalados contra el murete del río.

—¿Qué significa Pont Neuf? —me preguntó Summer.

—Puente Nuevo.

Miró al frente, a la antigua estructura de piedra.

—Es el puente más viejo de París —añadí.

—Entonces ¿por qué lo llaman nuevo?

—Porque hubo un tiempo en que fue nuevo.

Entramos en el calor de la tienda. Como ocurre en todos esos lugares, primero estaban los cosméticos, que llenaban el aire con su aroma. Summer me condujo a la primera planta, la de ropa de mujer. Me senté en una cómoda silla y dejé que ella fuera mirando. Estuvo por ahí una buena media hora. Regresó con un nuevo atuendo completo. Zapatos negros, falda negra de tubo, jersey Breton gris y blanco, chaqueta de lana gris. Y una boina. Estaba guapísima. En la mano llevaba una bolsa con su uniforme de campaña y las botas.

—Ahora usted —dijo.

Me llevó a la sección de hombres. Los únicos pantalones de mi talla eran una imitación argelina de tejanos azules americanos. Elegí también una sudadera azul claro y una cazadora de aviador de algodón negro. No sustituí las botas militares. Hacían juego con los tejanos y la cazadora.

—Cómprese una boina —dijo Summer, y me compré una boina. Negra con un ribete de piel.

Pagué todo con dólares americanos a una buena tasa de cambio. Me puse la ropa en un probador. Metí el uniforme en la bolsa de plástico. Me miré en el espejo y me puse la boina ladeada para ofrecer un aire desenfadado y salí.

Summer no comentó nada.

—Ahora a comer —dije.

Subimos al café de la novena planta. Hacía demasiado frío para estar en la terraza, pero nos sentamos junto a una ventana que ofrecía más o menos la misma vista. Al este la catedral de Notre-Dame y al sur la torre de Montparnasse. Aún hacía sol. Era una ciudad fabulosa.

—¿Cómo es que Willard encontró nuestro coche? —preguntó Summer—. ¿Cómo podía siquiera saber dónde buscar? Estados Unidos es un país grandecito.

—No lo encontró —señalé—. Al menos no hasta que alguien le dijo dónde estaba.

—¿Quién?

—Vassell —contesté—. O Coomer. El sargento de Swan pronunció mi nombre al llamar por teléfono, allá en el XII Cuerpo. Así, al mismo tiempo que sacaban a Marshall de la base llamaban a Willard a Rock Creek y le decían que yo estaba en Alemania incordiándolos otra vez. Le preguntarían por qué demonios me había dejado emprender el viaje. Y le dirían que me hiciera volver.

—Ellos no pueden determinar adónde va un investigador de una unidad especial.

—Ahora sí, gracias a Willard. Son viejos camaradas. Lo he entendido hace poco. Swan prácticamente nos lo dijo, pero entonces no caí en la cuenta. Willard tiene lazos con Blindados desde la época que pasó en el servicio de información. ¿Con quién hablaba esos años sobre el rollazo del combustible soviético? Con Blindados, está claro. Ahí hay una conexión. Por eso se acaloró tanto con lo de Kramer. No estaba preocupado por el posible escándalo en general, sino por el escándalo para los de Blindados en particular.

—Porque es su gente.

—Exacto. Y por eso huyeron anoche Vassell y Coomer. No huyeron en el sentido estricto. Sólo dieron a Willard tiempo y espacio para ocuparse de nosotros.

—Willard sabe que no firmó los bonos de viaje.

Asentí.

—Eso seguro.

—Pues en menudo apuro estamos. ASA y viajando con bonos robados.

—Todo acabará bien.

—¿Cuándo será eso exactamente?

—Cuando obtengamos algún resultado.

—¿Lo obtendremos?

No contesté.

Después de comer cruzamos el río y de vuelta al hotel dimos un largo rodeo. Con nuestra ropa informal y las bolsas de Samaritaine parecíamos unos simples turistas. Sólo nos faltaba una cámara fotográfica. Miramos escaparates por el Boulevard Saint Germain y pasamos por los jardines de Luxemburgo. Vimos Les Invalides y la École Militaire. A continuación subimos por la Avenue Bosquet, con lo que estuvimos a menos de cincuenta metros de la parte trasera del bloque de pisos de mi madre. No se lo dije a Summer. Ella me habría hecho subir para así conocerla. Cruzamos nuevamente el Sena en el Pont de l'Alma y tomamos café en un *bistro* de la Avenue New-York. Luego subimos la cuesta hasta el hotel.

—Hora de la siesta —dijo Summer—. Y después a cenar.

Tenía ganas de echar un sueñecito. Estaba bastante cansado. Me tumbé en la cama de la habitación azul pálido y en cuestión de minutos me quedé dormido.

Summer me despertó dos horas después a través del teléfono de su habitación. Me preguntó si sabía de algún restaurante. París está lleno de restaurantes, pero yo iba vestido como un idiota y no tenía ni treinta pavos en el bolsillo. De modo que elegí un lugar que conocía de la Rue Vernet. Supuse que podría entrar con vaqueros y sudadera sin llamar la atención ni pagar una fortuna. Y como estaba cerca se podía ir andando. Nos ahorrábamos el taxi.

Nos reunimos en el vestíbulo. Summer seguía estupenda. La falda y la chaqueta parecían servir tanto para la tarde como para la noche. No se había puesto la gorra. Yo seguía con la mía encasquetada. Subimos hacia los Campos Elíseos. A mitad de camino, Summer hizo algo extraño. Me cogió de la mano. Anochecía y estábamos rodeados de parejas que paseaban, y presumí que para ella eso era natural. Para mí también lo era. Tardé un minuto en darme cuenta de lo que Summer había hecho. Mejor dicho, tardé un minuto en darme cuenta de sus implicaciones. Ella tardó el mismo minuto. Al final se puso nerviosa, alzó los ojos hacia mí y me soltó.

—Lo siento —dijo.

—No lo sienta —dije—. Ha estado muy bien.

—Ha pasado y ya está —dijo.

Seguimos andando y doblamos por la Rue Vernet. Llegamos al restaurante. Era primera hora de la noche de un día de enero, y el dueño nos encontró una mesa enseguida. En un rincón. Con flores y una vela encendida. Pedimos agua y una jarrita de vino tinto mientras decidíamos los platos.

—Ahora está usted en casa —me dijo Summer.

—No exactamente —repliqué—. Yo no estoy en casa en ninguna parte.

—Habla francés muy bien.

—Y también inglés. Y eso no significa que en Carolina del Norte me sienta en casa, por ejemplo.

—Pero algunos sitios le gustan más que otros.

Asentí.

—Éste está bien.

—¿Ha pensado en algo a largo plazo?

—Se parece usted a mi hermano —dije—. Quiere que me trace planes.

—Todo va a cambiar.

—Siempre van a necesitar polis —observé.

—¿Polis que se ausentan sin autorización?

—Sólo necesitamos un resultado. La señora Kramer o Carbone. O quizá Brubaker. Tenemos la manzana mordida por tres sitios. Tres posibilidades.

Summer no respondió.

—Tranquilícese —aconsejé—. Estaremos fuera del mundo durante cuarenta y ocho horas. Disfrutemos. Preocuparnos no servirá de nada. Estamos en París.

Ella asintió. La miré a la cara. Vi cómo intentaba serenarse. A la luz de la vela, sus ojos eran expresivos. Era como si Summer tuviera una serie de problemas delante, quizás organizados en montones, como cajas de cartón apiladas. Y la vi abrirse paso a empujones, hasta el sitio tranquilo del fondo de su habitáculo.

—Bébase el vino —dije—. Diviértase.

Yo tenía la mano sobre la mesa. Ella alargó la suya, apretó la mía y cogió la copa.

—Siempre nos quedará Carolina del Norte —dijo.

Pedimos tres platos cada uno del menú de precio fijo. Luego tardamos tres horas en acabárnoslos. Conversamos sobre nuestro trabajo y de cosas personales. Ella me preguntó por mi familia. Yo le hablé un poco de Joe y no mucho de mi madre. Ella me habló de los suyos, de sus hermanos y hermanas, y de tantos primos que perdí la noción de quién era quién. Pero sobre todo contemplé su rostro a la luz de la vela. Tenía la piel de variados tonos cobrizos bajo una capa de ébano puro. Sus ojos eran como el carbón. La mandíbula delicada, como porcelana fina. Parecía extremadamente dulce y pequeña para ser militar. Pero luego recordé sus distintivos como tiradora. Tenía más que yo.

—¿Voy a conocer a su mamá? —dijo.

—Si usted quiere. Pero está muy enferma.

—¿No es sólo una pierna rota?

Negué con la cabeza.

—Tiene cáncer —precisé.

—¿Malo?

—Peor imposible.

Summer asintió.

—Imaginé que tenía que ser algo así. Desde que vino aquí la otra vez se le ha visto a usted afectado.

—¿Ah sí?

—Es normal que le preocupe.

Asentí a mi vez.

—Más de lo que yo creía.

—¿No la quiere?

—Mucho. Pero bueno, nadie vive para siempre. Desde un punto de vista conceptual, estas cosas no suceden por sorpresa.

—Creo que debería quedarme al margen. No sería apropiado que fuera. Debe ir usted con Joe. Los dos solos.

—A ella le gusta conocer gente.

—Quizá no se encuentre bien.

—Deberíamos esperar a ver —dije—. Tal vez quiera salir a almorzar fuera.

—¿Cuál es su aspecto?

—Fatal —contesté.

—Entonces no querrá conocer gente nueva.

Nos quedamos un rato en silencio. El camarero trajo la cuenta. Contamos nuestro efectivo, pagamos a medias y dejamos una propina generosa. Todo el camino de vuelta al hotel fuimos cogidos de la mano. Yo tenía ganas de hacer lo normal en un caso así. Estábamos juntos y solos en medio de un mar de dificultades, unas compartidas, otras personales. El tipo del sombrero de copa nos abrió la puerta y nos deseó *bonne nuit*. Subimos en el ascensor, sin tocarnos. Cuando llegamos a nuestra planta Summer tenía que ir a la izquierda y yo a la derecha. Fue un momento embarazoso. No hablamos. Percibí que ella quería venir conmigo y yo me moría de ganas de ir con ella. Me imaginé su habitación. Las paredes amarillas, el aire perfumado. La cama. Me imaginé quitándole el jersey por la cabeza. Bajarle la cremallera de la falda nueva y oírla caer al suelo. Imaginé que llevaba ropa interior de seda. Que hacía frufrú.

Yo sabía que no estaría bien. Pero ya nos encontrábamos en situación ASA, con la mierda hasta el cuello. Sería un modo de consolarnos, aparte de quién sabe qué más.

—¿A qué hora por la mañana? —preguntó ella.

—Yo, temprano —contesté—. He de estar en el aeropuerto a las seis.

—Iré con usted. Le haré compañía.

—Gracias.

—No hay de qué —dijo.

Nos quedamos allí de pie.

—Tenemos que levantarnos a eso de las cuatro —dijo.

—Supongo —dije—. A eso de las cuatro.

Seguimos allí de pie.

—Entonces buenas noches, supongo —dijo.

—Que descanse —dije yo.

Giré a la derecha. No miré atrás. Oí su puerta abrirse y cerrarse un segundo después de la mía.

Eran las once. Me había acostado, pero no dormía. Tan sólo permanecí allí tumbado durante una hora mirando el techo. Por la ventana entraba luz de la ciudad. Fría, amarilla y neblinosa. Alcanzaba a ver las luces intermitentes de la torre Eiffel. Eran destellos dorados, entre rápidos, lentos e incesantes. Cada segundo alteraban el dibujo del yeso sobre mi cabeza. Oí el chirrido de unos frenos en una calle lejana, el ladrido de un perrito, unos pasos solitarios bajo mi ventana, el pitido de un claxon. De pronto la ciudad se calló y me envolvió el silencio, que aullaba a mi alrededor como una sirena. Levanté la muñeca. Miré la hora. Medianoche. Dejé caer de nuevo el brazo sobre la cama y me invadió una soledad tan abrumadora que se me cortó la respiración.

Encendí la luz y rodé hasta el teléfono. En una pequeña placa, bajo los botones de marcar, había unas instrucciones impresas. «Para llamar a otro huésped, pulse tres y luego el número de la habitación.» Pulsé tres y luego el número. Contestó ella al primer tono de la señal.

—¿Estás despierta? —pregunté.

—Sí —contestó.

—¿Quieres compañía?

—Sí —contestó.

Me puse los tejanos y la sudadera y salí al pasillo descalzo. Llamé a su puerta. Summer abrió, extendió la mano y me hizo entrar. Aún estaba vestida con la falda y el jersey. Me besó con ímpetu, y yo la besé a mi vez, con más ímpetu aún. La puerta se cerró a mi espalda. Oí el siseo del movimiento y el ruidito del picaporte. Nos dirigimos a la cama.

Ella llevaba ropa interior rojo oscuro. De seda, o satén. Olía su perfume por todas partes. En la habitación y en su cuerpo. Era menuda y delicada, y rápida y fuerte. Por la ventana entraban las mismas luces de la ciudad. Ahora me bañaban en calor. Me daban vigor. Veía las luces de la torre Eiffel en el techo. Acompasamos nuestro ritmo al de los destellos, lento, rápido, incesante. Después les dimos la espalda y nos tumbamos como dos cucharas encajadas, exhaustos y sin aliento, sin hablar, como si no estuviéramos muy seguros de lo que habíamos hecho.

Dormí una hora y me desperté en la misma posición, con una intensa sensación de algo perdido y algo conseguido, pero no fui capaz de explicarla. Summer seguía dormida, perfectamente acurrucada contra la curva de mi cuerpo. Olía bien. Estaba caliente. Se notaba flexible, fuerte y tranquila. Respiraba despacio. Yo tenía el brazo izquierdo bajo sus hombros y el derecho sobre su cintura. Ella tenía la mano ahuecada en la mía, medio abierta, los dedos medio doblados.

Volví la cabeza y observé el juego de luces en el techo. Oí el lejano ruido de una motocicleta, quizás al otro lado del Arco del Triunfo. Oí a un perro ladrar. Aparte de eso, la ciudad estaba en silencio. Dos millones de personas dormían. Joe estaba volando, describiendo un arco de círculo máximo, aproximándose quizás a Islandia. No pude imaginarme a mi madre. Cerré los ojos. Intenté dormirme otra vez.

Mi despertador mental sonó a las cuatro. Summer aún dormía. Saqué con cuidado el brazo de debajo de ella, me masajeé un poco el hombro para recuperar la circulación, me levanté de la cama y caminé por la moqueta hasta el baño sin hacer ruido. Después me puse los pantalones y la sudadera y desperté a Summer con un beso.

—En pie, teniente, paso ligero —dije.

Ella extendió los brazos hacia arriba y arqueó la espalda. La sábana le cayó por debajo de la cintura.

—Buenos días —dijo.

La besé otra vez.

—Me gusta París —dijo—. Me lo estoy pasando bien aquí.

—Yo también.

—Pero que muy bien.

—En el vestíbulo dentro de media hora.

Regresé a mi cuarto y llamé al servicio de habitaciones para que me trajeran café. Antes de que llegara ya me había duchado y afeitado. Cogí la bandeja en la puerta cubierto tan sólo con una toalla. Luego me puse un uniforme de campaña limpio, tomé mi primera taza de café y miré el reloj. Las 4.20 en París, o sea, las 22.20 en la costa Este, bastante después de la hora de cierre de los bancos. Y las 19.20 en la costa oeste, esto es, lo bastante temprano para que algún tipo trabajador estuviera todavía sentado a su escritorio. Miré otra vez las instrucciones del teléfono y pulsé el nueve para tener línea. Marqué el único número que había memorizado jamás, el de la centralita de Rock Creek, en Virginia. Respondió un telefonista al primer tono.

—Soy Reacher —dije—. Necesito el número del oficial al mando de la PM de Fort Irwin.

—Señor, el coronel Willard ha dado la orden de que usted regrese a la base inmediatamente.

—Estaré ahí lo antes posible. Pero primero me hace falta este número.

—¿Dónde está usted ahora, señor?

—En una casa de putas de Sidney, Australia. Deme ese número.

Me lo dio. Me lo repetí mentalmente, pulsé otra vez el nueve y lo marqué. Al segundo tono, respondió el sargento de Calvin Franz.

—He de hablar con Franz —dije.

Se oyó un clic, luego un silencio, y cuando ya me ponía cómodo para una larga espera apareció Franz al otro lado.

—Tienes que hacerme un favor —dije.

—¿Cuál?

—Ahí tienes a un tío del XII Cuerpo llamado Marshall. ¿Le conoces?

—No.

—Necesito que permanezca ahí hasta que llegue yo. Es muy importante.

—No puedo impedir que nadie abandone el puesto a menos que lo detenga.

—Dile tan sólo que he llamado desde Berlín. Eso servirá. Mientras crea que estoy en Alemania se quedará en California.

—¿Por qué?

—Porque eso le han dicho que haga.

—¿Él te conoce?

—Personalmente no.

—Así pues, la conversación que deberé mantener será un poco forzada. No puedo acercarme sin más a alguien que no conozco y decirle «eh, noticia de última hora, ha llamado un tal Reacher al que no has visto en tu vida para que sepas que se ha quedado atascado en Berlín».

—Puedes ser más sutil —dije—. Dile que te he pedido que le hagas una pregunta de mi parte porque no hay modo de que yo pueda hacérsela en persona.

—¿Qué pregunta?

—Pregúntale por el día del funeral de Kramer. ¿Estaba él en Arlington? ¿Qué hizo el resto del día? ¿Por qué no acompañó a sus jefes a Carolina del Norte? ¿Cómo justificaron que quisieran ir solos?

—Son cuatro preguntas.

—Sea como fuere, que parezca que le estás preguntando en mi nombre porque California no está en mi itinerario.

—¿Adónde puedo llamarte yo?

Miré el teléfono y le di el número del George V.

—Estás en Francia —señaló—. No en Alemania.

—Marshall no tiene por qué saberlo —dije—. Estaré aquí más tarde.

—¿Cuándo vendrás a California?

—Espero que en menos de cuarenta y ocho horas.

—Muy bien —dijo—. ¿Algo más?

—Sí. Llama de mi parte a Fort Bird y dile a mi sargento que consiga los historiales del general Vassell y el coronel Coomer. En concreto quiero saber si alguno de ellos tiene relación con una ciudad llamada Sperryville, Virginia. Si nacieron, crecieron o tienen familia ahí, cualquier cosa que pueda revelar su conocimiento exhaustivo de la ciudad. Y dile que se siente sobre la respuesta hasta que yo me ponga en contacto con ella.

—Muy bien —dijo—. ¿Es todo?

—No. Dile también que llame al detective Clark, en Green Valley, y que le pida por fax sus sondeos callejeros en Nochevieja. Ella ya lo entenderá.

—Pues qué bien que alguien lo entienda —soltó Franz. Hizo una pausa. Estaba tomando nota—. Entonces, ¿nada más? —preguntó.

—De momento —repuse.

Colgué y bajé al vestíbulo cinco minutos después de

Summer, que me estaba esperando. Había ido mucho más deprisa que yo. Pero claro, no había tenido que afeitarse ni habría hecho ninguna llamada ni habría perdido tiempo tomando café. Volvía a llevar el uniforme de campaña, como yo. Por alguna razón se había lustrado las botas, o había pedido que se las lustraran. Relucían.

No teníamos dinero para coger un taxi al aeropuerto. Así que anduvimos por la oscuridad previa al alba hasta la Place de l'Opéra y tomamos el autobús. Iba menos lleno que la anterior vez, pero era igual de incómodo. Vislumbramos fugaces imágenes de la ciudad dormida, superamos el Périphérique y cruzamos lentamente los tristes barrios de las afueras.

Llegamos al Roissy-Charles de Gaulle justo antes de las seis. Ya había ajetreo. Tuve la impresión de que los aeropuertos funcionan por su cuenta en franjas horarias flotantes. Estaba más concurrido a las seis de la mañana de lo que lo estaría a media tarde. Había gente por todas partes. Coches y autobuses cargando y descargando, viajeros con cara de sueño saliendo y entrando y forcejeando con el equipaje. Era como si el mundo entero estuviera viajando.

El panel de llegadas decía que el avión de Joe ya había aterrizado. Fuimos hasta la puerta de salida de la zona de aduanas. Tomamos posición entre una multitud que esperaba o saludaba. Supuse que Joe sería uno de los primeros en aparecer. Se habría apresurado desde el avión y no llevaría equipaje que declarar. Nada de demoras.

Vimos algunos rezagados del vuelo anterior. Sobre todo familias con niños pequeños o personas con equipaje poco corriente. Los que aguardaban se volvían expectantes hacia ellos y acto seguido desviaban la vista al darse cuenta de que no eran quienes buscaban. Los observé un rato. Era una dinámica física curiosa. Sutiles cambios de postura bastaban para mostrar interés, e inmediatamente falta de interés. Bienvenida y luego rechazo. Media vuelta hacia dentro y media vuelta hacia fuera. A veces consistía tan sólo en trasladar el peso del cuerpo de un pie al otro.

Los últimos rezagados se mezclaron con los primeros del vuelo de Joe. Hombres de negocios que iban a toda prisa, cargando con maletines y portatrajes. Mujeres jóvenes con tacones altos y gafas oscuras y ropa cara; ¿modelos? ¿actrices? *¿call-girls?* También funcionarios del gobierno, americanos y franceses; podía distinguirlos por el aspecto; elegantes y serios, muchas gafas, pero los zapatos, los trajes y los abrigos no eran de la mejor calidad. Seguramente diplomáticos de bajo nivel. Al fin y al cabo, el avión venía de D.C.

Joe era aproximadamente el duodécimo de la fila. Llevaba el mismo abrigo que la vez anterior, pero otro traje y otra corbata. Tenía buena pinta. Andaba deprisa y acarreaba una bolsa de viaje de cuero negro. Les sacaba un palmo a todos. Salió por la puerta, se paró en seco y miró alrededor.

—Es igual que tú —dijo Summer.

—Pero yo soy más buena persona —precisé.

Joe me vio enseguida, pues yo también les sacaba un palmo a todos. Indiqué un punto fuera de la avalancha de gente. Él se abrió paso a través de la multitud hasta llegar al sitio. Nosotros dimos la vuelta por detrás y nos reunimos con él.

—Teniente Summer —dijo—. Encantado de conocerla.

Yo no le había visto mirar la placa de la chaqueta de ella, donde ponía «Summer, ejército de EE.UU.». Ni las franjas de teniente del cuello. Se acordaría del nombre y el rango de cuando habíamos hablado de ella.

—¿Como estás? —le pregunté.

—Cansado.

—¿Quieres desayunar?

—Sí, en la ciudad.

La cola del taxi medía un kilómetro y se movía a paso de tortuga. La ignoramos. Fuimos directamente hacia la *navette*. Perdimos una y luego nos quedamos los primeros de la fila para la siguiente. Llegó en menos de diez minutos. Joe dedicó el rato de espera a preguntar a Summer sobre su visita a París. Ella se explayó con pelos y señales, pero no mencionó los hechos de anoche. Yo me quedé sobre el bordillo de espaldas a la calzada, observando el cielo sobre el tejado de la terminal. Amanecía deprisa. Sería otro día soleado. Estábamos a 10 de enero, y hacía el mejor tiempo que yo había visto en lo que llevábamos de nueva década.

Subimos a la lanzadera y nos sentamos en tres asientos seguidos, al otro lado del estante de los equipajes. Summer se colocó en medio. Joe delante de ella y yo detrás. Eran asientos pequeños e incómodos, de plástico duro y sin espacio para las piernas. Joe llevaba las rodillas junto a las orejas, y su cabeza se bamboleaba con el movimiento. Estaba pálido. Seguramente meterlo en un autobús no fue la mejor forma de darle la bienvenida después de que cruzara el Atlántico en avión. Eso me remordió un poco. Pero bueno, yo era del mismo tamaño y tenía el mismo problema de acomodo. Y además no había dormido casi nada. Y estaba sin blanca. Y además pensé que a él le convenía más estar en movimiento que quedarse quieto en la parada de taxis.

Tras cruzar el Périphérique y entrar en el esplendor urbano de Haussmann, se animó un poco. Para entonces el sol ya alto bañaba la ciudad de oro y miel. Los cafés se veían llenos, y las aceras atestadas de personas que se desplazaban a un ritmo acompasado llevando periódicos y *baguettes*. Por ley, los parisinos tienen una jornada semanal de treinta y cinco horas, y pasan la mayor parte de las ciento treinta y tres restantes deleitándose en no hacer gran cosa. Sólo con mirarlos uno ya se relaja.

Bajamos en la consabida Place de l'Opéra y seguimos el mismo trayecto de la semana anterior, atravesando el río por el Pont de la Concorde, girando al oeste en el Quai d'Orsay, y luego al sur para tomar la Avenue Rapp. Llegamos a la Rue de l'Université, desde donde es visible la torre Eiffel, y entonces Summer se detuvo.

—Yo voy a ver la torre, chicos —dijo—. Vosotros seguid. A ver cómo está vuestra mamá.

Joe me miró. «¿Ella lo sabe?» Asentí. «Ella lo sabe.»

—Gracias, teniente —dijo él—. Iremos a ver cómo se encuentra. Si ella tiene ganas, quizá podamos almorzar todos juntos.

—Llamadme al hotel —dijo.

—¿Sabes cómo encontrarlo? —pregunté.

Summer se volvió y señaló a lo largo de la avenida.

—Se cruza el puente, se sube la cuesta, se dobla a la izquierda y luego recto.

Sonreí. Summer tenía un buen sentido de la orientación. Joe parecía algo confuso. Había visto la dirección que había señalado ella y sabía qué había allí.

—¿El George V? —dijo.

—¿Por qué no? —repuse.

—¿A cuenta del ejército?

—Más o menos.

—Vaya.

Summer se puso de puntillas, me dio un beso en la mejilla y estrechó la mano de Joe. Nos quedamos allí con el débil sol en los hombros, viéndola andar hacia la torre. Ya había un incipiente desfile de turistas con el mismo objetivo. Los vendedores de *souvenirs* sacaban su mercancía. Seguimos mirándola, viendo cómo se empequeñecía.

—Es muy bonita —dijo Joe—. ¿Dónde la conociste?

—Está en Fort Bird.

—¿Aún no has averiguado qué está pasando allí?

—He dado algunos pasos —dije.

—Espero que así sea. Llevas allí casi dos semanas.

—¿Recuerdas a Willard, aquel tío por quien preguntaste? Pasó un tiempo en Blindados, ¿verdad?

Joe asintió.

—Estoy seguro de que les informó directamente —dije—. Pasó la información a la oficina de sus ex colegas. ¿Recuerdas algún otro nombre?

—¿De la División de Blindados? Pues no. Nunca presté mucha atención a Willard. La suya era una actividad más bien secundaria.

—¿Has oído hablar de un tal Marshall?

—No me suena —contestó Joe, y se volvió para mirar avenida abajo. Se ciñó un poco el abrigo y levantó el rostro hacia el sol—. Vamos —dijo.

—¿Cuándo la has llamado por última vez?

—Anteayer. Te tocaba a ti.

Nos pusimos en marcha, uno al lado del otro, ajustando el paso al caminar pausado de la gente a nuestro alrededor.

—¿Quieres desayunar primero? —sugerí—. No estaría bien despertarla.

—Nos abrirá la enfermera.

Pasamos frente a una oficina de correos. Había un coche abandonado medio subido en la acera, con un guardabarros abollado y un neumático reventado. Bajamos a la calzada para rodearlo. Delante, a cuarenta metros, vimos un gran vehículo negro aparcado en doble fila.

Lo miramos fijamente.

—Un *corbillard* —dijo Joe.

Un coche fúnebre.

Nos quedamos mirando. Traté de calcular delante de qué edificio estaba. Intenté medir la distancia. La perspectiva de frente no ayudaba. Alcé la vista hacia el perfil de los tejados. Primero había una fachada de piedra caliza *belle époque* de siete plantas. Luego un descenso hasta el de seis de mi madre. Bajé la mirada verticalmente por la pared. Hasta la calle. Hasta el coche fúnebre. Sí, estaba delante de la puerta del edificio de mi madre.

Echamos a correr.

En la acera había un hombre con una chistera negra. El portal estaba abierto. Echamos una mirada al de la chistera y entramos al patio central. La portera estaba en su umbral. Tenía un pañuelo en la mano y lágrimas en los ojos. No se fijó en nosotros. Nos dirigimos al ascensor. Subimos a la quinta planta. Era desesperante lo despacio que iba.

La puerta del piso estaba abierta. Dentro había tres hombres enfundados en abrigos negros. Entramos. Los hombres retrocedieron, en silencio. De la cocina salió la chica de los ojos luminosos. Estaba pálida. Al vernos se detuvo, y luego atravesó lentamente la habitación para recibirnos.

—¿Qué? —dijo Joe.

Ella no contestó.

—¿Cuándo? —pregunté.

—Anoche —repuso—. Fue todo muy tranquilo.

Los hombres de los abrigos repararon en quiénes éramos y salieron al pasillo con discreción. Muy callados. No hicieron ningún ruido. Joe dio un paso inseguro y se sentó en el sofá. Yo me quedé inmóvil.

—¿Cuándo? —repetí.

—A medianoche —contestó la chica—. Mientras dormía.

Cerré los ojos. Volví a abrirlos al cabo de un minuto. La joven seguía allí. Sus ojos clavados en los míos.

—¿Estuvo usted con ella? —pregunté.

Asintió con la cabeza.

—Todo el rato —precisó.

—¿Había aquí algún médico?

—Ella lo despachó.

—¿Qué pasó?

—Dijo que se encontraba bien. Se acostó a las once. Durmió una hora, y de pronto dejó de respirar.

Alcé los ojos al techo.

—¿Tenía dolores?

—Al final no.

—Pero ella dijo que se encontraba bien.

—Había llegado su hora. Lo he visto otras veces.

La miré y acto seguido aparté la vista.

—¿Quieren verla? —preguntó la chica.

—Joe —dije.

Él meneó la cabeza y no se movió del sofá. Yo me dirigí al dormitorio. Junto a la cama había un ataúd de caoba colocado sobre unos caballetes acolchados con terciopelo. Estaba forrado de seda blanca. Aún vacío. Mi madre seguía en la cama, tapada con las sábanas. La cabeza apoyada delicadamente en la almohada y los brazos cruzados sobre el pecho por encima de la colcha. Los ojos cerrados. Estaba casi irreconocible.

Summer me había preguntado si me afectaba ver gente muerta.

«No», había dicho yo. «¿Cómo es eso?», había dicho ella. «No lo sé», había dicho yo.

Nunca vi el cadáver de mi padre. Cuando murió yo estaba fuera. Había sido algo del corazón. En un hospital de veteranos hicieron lo que pudieron, pero estuvo desahuciado desde el principio. Fui en avión por la mañana al funeral y regresé la misma noche.

«Funeral», pensé.

Joe se encargaría de eso.

Permanecí cinco largos minutos junto a la cama de mi madre, los ojos abiertos, secos. Luego volví a la sala. Estaba nuevamente llena. Habían regresado los *croquesmorts*, los portadores del féretro. Y en el sofá, al lado de mi hermano, había un hombre mayor. Sentado con fría formalidad. Junto a él, dos bastones apoyados. Tenía el pelo cano y llevaba un grueso traje oscuro con una medalla que colgaba de una cinta diminuta roja, blanca y azul en la solapa. Tal vez la Cruz de Guerra, o la Medalla de la Resistencia. Sobre sus huesudas rodillas sostenía una pequeña caja de cartón atada con un cordel rojo descolorido.

—Es monsieur Lamonnier —dijo Joe—. Amigo de la familia.

El anciano cogió los bastones e hizo ademán de levantarse para estrecharme la mano pero yo le indiqué que se sentara y me acerqué. Tendría unos setenta y cinco u ochenta años. Estaba muy delgado y para ser francés era relativamente alto.

—Usted es al que ella llamaba Reacher —dijo.

—Sí, soy yo —dije—. Perdone pero no le recuerdo.

—No nos hemos visto nunca. Pero yo conocía a su madre desde hacía mucho tiempo.

—Gracias por pasarse por aquí.

—Gracias a usted también —dijo.

Touché, pensé.

—¿Qué hay en la caja? —inquirí.

—Cosas que ella no quería guardar aquí —explicó el viejo—. Pero que, en un momento como éste, creí que sus hijos debían tener.

Me entregó la caja como si fuera un objeto sagrado. La cogí y me la coloqué bajo el brazo. No pesaba ni mucho ni poco. Supuse que contendría un libro; quizás un viejo diario encuadernado en piel, y acaso también otras cosas.

—Joe —dije—. Vamos a desayunar.

Caminábamos deprisa y sin rumbo. Tomamos la rue Saint Dominique y en la parte alta de la Rue de l'Exposition pasamos frente a dos cafés sin detenernos. Cruzamos la Avenue Bosquet en rojo y luego giramos arbitrariamente hacia la Rue Jean Nicot. Joe se paró en un *tabac* y compró cigarrillos. Yo habría sonreído si hubiera sido capaz de ello. La calle llevaba el nombre del que descubrió la nicotina.

Encendimos sendos cigarrillos en la acera y a continuación nos metimos en el primer café que vimos. Ya estábamos cansados de andar. Estábamos listos para hablar.

—No deberías haberme esperado —dijo—. Podías haberla visto una última vez.

—Noté que ocurría —dije—. La medianoche pasada, sentí algo.

—Podías haber estado con ella.

—Ahora es demasiado tarde.

—A mí me habría parecido bien.

—A ella no —dije.

—Hace una semana teníamos que habernos quedado.

—Ella no quería que nos quedáramos, Joe. Su plan no era ése. Era una persona con derecho a su intimidad. También una madre, pero no sólo eso.

Se quedó callado. El camarero nos sirvió café y una cestita de paja llena de cruasanes. Pareció percibir nuestro estado de ánimo. Lo dejó todo con cuidado en la mesa y se alejó.

—¿Te ocuparás del funeral? —pregunté.

Asintió.

—Tardará cuatro días. ¿Puedes quedarte?

—No —repuse—. Pero volveré.

—Muy bien —dijo—. Yo me quedaré una semana o así. Seguramente habrá que vender el piso. A menos que lo quieras tú.

—No lo quiero. ¿Y tú?

—No veo cómo podría utilizarlo.

—No habría estado bien que yo hubiera ido solo —dije.

Joe no replicó.

—La vimos la semana pasada —señalé—. Estuvimos juntos. Lo pasamos bien.

—¿Tú crees?

—Fue entretenido. Es lo que ella quería. Por eso hizo el esfuerzo. Por eso propuso ir al Polidor, aunque sabía que no comería nada.

Joe se limitó a encogerse de hombros. Tomamos el café en silencio. Probé un cruasán. Estaba bueno, pero yo no tenía hambre. Lo dejé en la cesta.

—La vida —soltó Joe—. Qué cosa tan rara. Una persona vive sesenta años, hace montones de cosas, sabe montones de cosas, siente montones de cosas, y de pronto se acaba todo. Como si no hubiera pasado nada.

—La recordaremos siempre.

—No; recordaremos partes de ella. Las partes que ella decidió compartir. La punta del iceberg. El resto sólo lo conocía ella. Por tanto, el resto ya no existe.

Nos fumamos otro cigarrillo cada uno, en silencio. Luego regresamos, despacio, algo exhaustos, imbuidos de una especie de paz.

Cuando llegamos al edificio, el ataúd ya estaba en el *corbillard*. Probablemente lo habían bajado vertical en el ascensor. La portera se hallaba en la acera, de pie junto al anciano de la cinta y la medalla. Él se apoyaba en los bastones. También estaba la enfermera, un poco aparte. Los portadores del féretro tenían las manos cogidas y la vista en el suelo.

—La van a llevar al *dépôt mortuaire* —dijo la enfermera.

—Muy bien —dijo Joe.

No me quedé. Me despedí de la enfermera y la portera y di la mano al viejo. Después hice a Joe un gesto con la cabeza y eché a andar por la avenida. No miré atrás. Crucé el Sena por el Pont de l'Alma y fui por la Avenue George V hasta el hotel. Subí en el ascensor y entré en mi habitación. Aún llevaba bajo el brazo la caja del anciano. La dejé sobre la cama y me quedé inmóvil, sin tener ni idea de qué hacer a continuación.

Me hallaba todavía allí al cabo de veinte minutos cuando sonó el teléfono. Era Calvin Franz, desde Fort Irwin (California). Tuvo que repetir su nombre. La primera vez no recordé quién era.

—He hablado con Marshall —anunció.

—¿Quién?

—Tu hombre del XII Cuerpo.

No dije nada.

—¿Estás bien?

—Perdona —dije—. Sí, estoy bien. Has hablado con Marshall.

—Fue al funeral de Kramer. Llevó allí a Vassell y Coomer y los trajo de vuelta. El resto del día no los llevó a ninguna otra parte porque él tuvo importantes reuniones en el Pentágono toda la tarde.

—¿Pero?

—No le he creído. Es un recadero servil. Si Vassell y Coomer hubieran querido que les llevara, él lo habría hecho, con reuniones o sin ellas.

—¿Y?

—Y como sabía que si no lo comprobaba me pegarías la bronca, lo he comprobado.

—¿Y?

—Esas reuniones habrán sido consigo mismo en el retrete, porque nadie le vio por ninguna parte.

—Entonces ¿qué estuvo haciendo?

—Ni idea. Pero seguro que algo estuvo haciendo. Su modo de responder fue demasiado tranquilo. Porque a ver, esto sucedió hace seis días. ¿Quién demonios recuerda qué reuniones tuvo hace seis días? Pues este tío sí.

—¿Le has dicho que yo estaba en Alemania?

—Parecía saberlo ya.

—¿Le has dicho que me quedaba allí?

—Pareció dar por sentado que no aparecerías pronto por California.

—Estos tíos son viejos colegas de Willard —dije—.

Les ha prometido mantenerme alejado de ellos. Está dirigiendo la 110 como si fuera su ejército privado de Blindados.

—Por cierto, como despertaste mi curiosidad he comprobado las historias de Vassell y Coomer por mi cuenta. Nada indica que alguno de ellos oyera hablar alguna vez de un lugar llamado Sperryville.

—¿Estás seguro?

—Del todo. Vassell es de Misisipí y Coomer de Illinois. Ni uno ni otro ha vivido ni prestado servicio jamás en ningún sitio próximo a Sperryville.

Reflexioné.

—¿Están casados? —pregunté.

—¿Casados? Sí, también aparecían esposas y niños. Pero eran chicas de la zona. Nada de parientes políticos en Sperryville.

—Muy bien —dije.

—Entonces ¿qué vas a hacer?

—Voy a California.

Colgué y fui hasta la puerta de Summer. Llamé y esperé. Ya había regresado de hacer turismo.

—Murió anoche —dije.

—Ya lo sé —dijo ella—. Tu hermano acaba de llamar desde el piso. Quería asegurarse de que estabas bien.

—Estoy bien —confirmé.

—Lo siento mucho.

Me encogí de hombros.

—Desde un punto de vista conceptual, estas cosas no suceden por sorpresa.

—¿Cuándo fue?

—A medianoche. Se marchó sin aspavientos.

—Me siento mal. Tenías que haber ido a verla ayer en vez de pasar el día conmigo. No teníamos que haber hecho aquellas ridículas compras.

—La vi la semana pasada. Lo pasamos bien. Mejor que ésa fuese la última vez.

—Yo habría querido verla hasta el último momento.

—Siempre iba a ser un momento arbitrario —señalé—. Sí, quizá podía haber ido ayer por la tarde. Y ahora estaría lamentando no haberme quedado hasta la noche. Y si hubiera estado allí hasta la hora en que se acostó, lamentaría no haberme quedado hasta medianoche.

—A medianoche estabas aquí conmigo. También me siento mal por eso.

—No —dije—. Yo no me siento mal. Y mi madre tampoco se habría sentido mal. Al fin y al cabo era francesa. Si ella hubiera conocido mis opciones, habría avalado mi decisión.

—Eso no puedes saberlo.

—Bueno, supongo que no era de talante muy liberal. Pero siempre deseó todo aquello que nos hiciera felices.

—¿Abandonó porque se había quedado sola?

Negué con la cabeza.

—Quería que la dejaran sola para poder abandonar.

Summer no dijo nada.

—Nos vamos —dije—. Tomamos un vuelo nocturno de vuelta.

—¿A California?

—Primero a la costa Este —precisé—. He de comprobar algunas cosas.

—¿Qué cosas? —preguntó.

No se lo dije. Se habría reído, y en ese momento no estaba yo para risas.

Summer hizo el equipaje y vino conmigo a mi habitación. Me senté en la cama y jugueteé con el cordón de la caja de monsieur Lamonnier.

—¿Qué es eso? —preguntó.

—Lo ha traído un viejo. Son cosas que pertenecían a mi madre.

—¿Qué cosas?

—No sé.

—Pues ábrela.

La empujé por encima del cubrecama.

—Ábrela tú.

Observé sus pequeños y finos dedos aplicarse con el apretado y viejo nudo. Su transparente esmalte de uñas destellaba a la luz. Desató el cordel y levantó la tapa. Era una caja poco profunda hecha de un cartón grueso y resistente ya no muy común. Contenía tres cosas. Una caja más pequeña, una especie de joyero. Era de cartón recubierto de un papel azul oscuro con filigranas. Un libro. Y un cuchillo para cortar queso, un simple trozo de alambre con un asa en cada extremo. Las asas eran de oscura madera vieja torneada. Se podían ver en cualquier *épicerie*, en cualquier tienda de ultramarinos de Francia. Pero a ése le habían cambiado el alambre. Para queso era demasiado grueso. Parecía una cuerda de piano. Estaba rizada y corroída, como si la hubieran tenido guardada mucho tiempo.

—¿Qué es? —preguntó Summer.

—Un cuchillo de cortar queso manipulado.

—El libro está en francés —dijo—. No sé qué pone.

Me lo pasó. Tenía una fina sobrecubierta. No era una novela sino una especie de biografía. Las esquinas de las páginas se veían manchadas y sucias por el paso del tiempo. Olía a moho. El título tenía algo que ver con líneas férreas. Abrí y eché un vistazo. Después de la página del título había un mapa de la década de 1930 de la red francesa de ferrocarriles. El primer capítulo parecía tratar sobre cómo todas las líneas del norte se apretaban a través de París y luego se abrían nuevamente en abanico hacia el sur. No se podía ir a ningún sitio sin pasar por la capital. Para mí eso tenía sentido. Francia era un país relativamente pequeño con una capital muy grande. La mayoría de los países hacía lo mismo. La capital era siempre el centro de la telaraña.

Hojeé el libro hasta el final. La solapa derecha de la sobrecubierta incluía una foto del autor. De un monsieur Lamonnier cuarenta años más joven. Lo reconocí fácilmente. El texto decía que había perdido ambas piernas en las batallas de mayo de 1940. Recordé la rigidez con que se había sentado en el sofá de mi madre, y los bastones. Seguramente llevaba prótesis. Piernas de madera. Lo que yo había tomado por rodillas huesudas serían complicadas articulaciones mecánicas. Más abajo, el texto mencionaba que Lamonnier había construido *le Chemin de Fer Humain*, la vía férrea humana. El presidente Charles de Gaulle le había concedido la Medalla de la Resistencia, los británicos la Cruz de San Jorge, y los americanos la Medalla por Servicios Distinguidos.

—¿Qué lees?

—Parece que acabo de conocer a un viejo héroe de la Resistencia —dije.

—¿Qué tiene que ver con tu mamá?

—Quizá tiempo atrás fueron novios.

—¿Y ahora quiere mostraros a ti y a Joe el gran tipo que fue? ¿En un momento como éste? Es un poco egocéntrico, ¿no?

Leí un poco del primer capítulo. Como la mayoría de los libros franceses, utilizaba una conjugación extraña denominada tiempo histórico pasado, reservada sólo para el lenguaje escrito. A quien no tuviera el francés como lengua materna le resultaba difícil. Y la primera parte de la historia no era demasiado apasionante. Explicaba muy farragosamente que los trenes que llegaban del norte descargaban sus pasajeros en la Gare du Nord, y que si esos pasajeros querían viajar al sur debían cruzar París a pie, en coche, en metro o en taxi hasta la Gare d'Austerlitz o la de Lyon.

—Es sobre algo llamado la vía férrea humana —dije—. Sólo que hasta ahora no han aparecido muchos seres humanos.

Le pasé el libro a Summer, que volvió a hojearlo.

—Está dedicado —señaló.

Me enseñó la primera página en blanco. Contenía una vieja y descolorida dedicatoria. Tinta azul, pulcra caligrafía. Alguien había escrito: *Béatrice, de Pierre*.

—¿Tu madre se llamaba Béatrice?

—No —repuse—. Se llamaba Josephine Moutier, y después Josephine Reacher.

Me devolvió el libro.

—Creo que he oído hablar de la vía férrea humana —dijo—. Era algo de la Segunda Guerra Mundial. Tenía que ver con el rescate de tripulantes de bombarderos derribados en Bélgica y Holanda. Las células de la Resistencia local los recogían y los hacían pasar a lo largo de la cadena hasta la frontera española. Después, podían regresar a casa y al combate. Fue importante, pues las tripulaciones bien preparadas eran muy valiosas. Y además evitaba que la gente pasara años en campos de prisioneros de guerra.

—Eso explicaría las medallas de Lamonnier —dije—. Una de cada país aliado.

Dejé el libro sobre la cama y me ocupé de mi equipaje. Decidí tirar los tejanos, la sudadera y la cazadora de la Samaritaine. No los necesitaba. No los quería. De pronto reparé en que el libro tenía unas páginas con borde diferente. Lo cogí, lo abrí y vi algunas fotos a media tinta. La mayoría eran retratos de estudio, seis por página, de cabeza y hombros. Las otras eran fotos de acción clandestina, de aviadores aliados ocultos en sótanos iluminados por velas colocadas sobre barriles, de pequeños grupos de hombres furtivos vestidos con ropa campesina por caminos rurales y de guías pirenaicos en terrenos montañosos y nevados. En una de ellas aparecían dos hombres flanqueando a una chica, apenas más que una niña. Cogía de la mano a los dos hombres, sonriendo alegre, guiándolos por la calle de una ciudad. París, con toda probabilidad. El pie de la foto rezaba: «*Béatrice de service à ses travaux.*» Béatrice de servicio, haciendo su trabajo. Béatrice parecía tener unos trece años.

Estaba casi seguro de que Béatrice era mi madre.

Volví a las páginas de los retratos de estudio y la encontré. Era una especie de foto de la escuela. Aparentaba unos dieciséis años. El pie ponía «*Béatrice en 1947*». Luego leí más texto. La vía férrea humana presentaba dos problemas tácticos importantes. Localizar a los aviadores caídos no era uno de ellos. Caían literalmente del cielo, sobre los Países Bajos, docenas cada noche sin luna. Si la Resistencia llegaba hasta ellos primero, tenían posibilidades. Pero no si llegaba primero la Wehrmacht. Era simplemente cuestión de suerte. Si la tenían y la Resistencia los localizaba antes que los alemanes, podían esconderse y sustituir el uniforme por algún disfraz convincente, conseguían documentos falsos y billetes de tren, y un guía los acompañaba en un tren con destino a París, camino de casa.

Tal vez.

La primera dificultad táctica era la posibilidad de un registro en el propio tren durante las primeras etapas del viaje. Ahí estaban esos chicarrones americanos rubios bien alimentados, o esos británicos pelirrojos de Escocia, o cualquier otro que no pareciera un francés moreno y con mala cara viviendo tiempos de guerra. No hablaban el idioma y recurrían a diversos subterfugios. Fingían estar dormidos o enfermos, o ser mudos o sordos. Los guías hablaban por ellos.

La segunda dificultad era cruzar París. La ciudad hervía de alemanes. Por todas partes había controles. A los extranjeros extraviados y torpes se les veía de lejos. Los coches particulares habían desaparecido casi por completo. Era difícil encontrar un taxi. Casi no había gasolina.

Dos hombres que caminasen juntos se convertían en objetivos. Por tanto, se utilizaba a mujeres como guías. Y uno de los trucos que se le ocurrió a Lamonnier fue utilizar a una chica que él conocía. Ella se reunía con los aviadores en la Gare du Nord y los llevaba por las calles hasta la Gare du Lyon. Reía y saltaba y les cogía de la mano y los hacía pasar por hermanos mayores o tíos de visita. Su comportamiento era desenfadado y desarmaba a cualquiera. Conseguía que sus acompañantes cruzaran los controles tranquilamente. Tenía trece años.

En la cadena, todos tenían nombre de guerra. El de ella era Béatrice. El de Lamonnier, Pierre.

Saqué de la caja el joyero de cartón azul. Lo abrí. Contenía una medalla. La Medalla de la Resistencia. Tenía una vistosa cinta azul, blanca y roja, y la medalla era de oro. Le di la vuelta. En el reverso se leía un nombre cuidadosamente grabado: «Josephine Moutier.» Mi madre.

—¿No te lo dijo nunca?

Negué con la cabeza.

—Ni una palabra. Jamás.

Volví a mirar la caja. ¿Para qué servía aquel cuchillo?

—Llama a Joe —dije—. Dile que vamos para allá. Y que Lamonnier esté allí con él.

Al cabo de quince minutos estábamos en el piso. Lamonnier ya había llegado. Tal vez ni siquiera se había marchado. Le di la caja a Joe y le dije que mirara dentro. Fue más rápido que yo porque comenzó por la medalla. El nombre del reverso le dio una pista. Echó un vistazo al libro y alzó la vista hacia Lamonnier al reconocerle en la foto. Luego leyó un poco por encima. Miró las imágenes. Me miró a mí.

—¿Alguna vez te mencionó esto? —preguntó.

—Nunca. ¿Y a ti?

—Tampoco —repuso.

Observé a Lamonnier.

—¿Para qué era este cuchillo?

Lamonnier no contestó.

—Cuéntenoslo —dije.

—La descubrieron —dijo él—. Un chico de su escuela, de su misma edad. Un joven antipático, hijo de colaboracionistas. La fastidiaba y la atormentaba diciéndole que la iba a denunciar.

—¿Y qué hizo?

—Al principio nada. A vuestra madre aquello le causó un tremendo desasosiego. Después, el muchacho le exigió que se prestara a ciertas vejaciones como precio para seguir guardando silencio. Naturalmente, vuestra madre se negó. El muchacho le dijo que la denunciaría. Entonces ella fingió ceder. Quedaron en encontrarse bajo el Pont des Invalides a la una de la noche. Ella tenía que escabullirse de casa. Pero primero cogió de la cocina el cuchillo para cortar queso. Sustituyó el alambre por una cuerda del piano de su padre. Creo que era el *sol* de la octava más grave. Años después aún faltaba. Se reunió con el chico y lo estranguló.

—¿Que ella *qué*? —soltó Joe.

—Lo estranguló.

—Pero tenía trece años...

Lamonnier asintió.

—A esa edad, las diferencias físicas entre chicos y chicas no constituyen un obstáculo significativo.

—¿Con trece años mató a un hombre?

—Era una situación desesperada.

—¿Qué pasó exactamente? —pregunté.

—Se valió del cuchillo, tal como había planeado. Es un instrumento fácil de utilizar. Sólo hace falta coraje y decisión. Luego ató un peso al cinturón del muchacho y lo arrojó al Sena. Él había desaparecido y ella estaba a salvo. La vía férrea humana estaba a salvo.

Joe lo miraba fijamente.

—¿Usted permitió que ella lo hiciera?

Lamonnier se encogió de hombros. Un encogimiento de hombros muy francés, como los de mi madre.

—Yo no sabía nada —dijo—. Ella no me lo contó hasta que hubo pasado todo. Supongo que yo se lo habría prohibido por mero instinto. Sin embargo, no podía solucionar el asunto por mi cuenta. No tenía piernas. No habría podido ir bajo el puente y ocuparme del chico. Tenía a un hombre contratado para los trabajos sucios, pero estaba en Bélgica, me parece. Y no podía correr el riesgo de esperar a su regreso. Así que, bien mirado, creo que le habría dicho que adelante. Eran tiempos difíciles y estábamos haciendo una labor importante.

—¿Sucedió así de veras? —dijo Joe, incrédulo.

—Me consta que sí —respondió Lamonnier—. Los peces se comieron el cinturón del chico. Al cabo de unos días, el cadáver apareció flotando río abajo. Pasamos una semana con temor. Pero al final todo quedó en nada.

—¿Cuánto tiempo colaboró ella con ustedes? —inquirí.

—Durante todo 1943. Era muy eficiente. Pero acabaron conociéndola demasiado. Al principio su cara era su protección. Tan joven y tan inocente. ¿Cómo iba alguien a sospechar de una cara así? Pero con el tiempo se convirtió en un inconveniente. A *les boches* les acabó resultando familiar. ¿Cuántos hermanos, primos y tíos podía tener esa chica? Por tanto, tuve que retirarla.

—¿Usted la reclutó?

—Ella se presentó voluntaria. Me importunó hasta que le permití colaborar.

—¿A cuántas personas salvó?

—A ochenta hombres. Era mi mejor correo de París. Un fenómeno. Da miedo sólo de pensar en las consecuencias si la descubrían. Ella vivió durante un año con la peor clase de miedo, pero no me falló ni una sola vez.

Guardamos silencio.

—¿Cómo empezó usted? —pregunté al cabo.

—Yo era un lisiado de guerra. Uno de tantos. Desde el punto de vista médico, para los alemanes éramos una carga y no nos querían ni como prisioneros. No servíamos para trabajos forzados. Así que nos dejaron en París. Pero yo quería hacer algo. No era físicamente capaz de combatir, pero podía organizar. Para eso no hacen falta aptitudes físicas. Yo sabía que los pilotos de los bombarderos valían su peso en oro. De modo que decidí devolverlos a casa.

—¿Y por qué mi madre nunca contó nada?

Lamonnier volvió a encogerse de hombros. Cansado, inseguro, aún perplejo tantos años después.

—Supongo que por muchas razones —dijo—. En 1945 Francia era un país dividido. Muchos habían resistido, muchos habían colaborado, muchos no habían hecho nada. La mayoría se inclinó por hacer borrón y cuenta nueva. Y creo que ella se avergonzaba de haber matado a aquel muchacho. Sentía un gran cargo de conciencia. Le dije que no había tenido elección, que no había sido una acción gratuita. En fin, que había hecho lo que debía. Sin embargo, ella prefirió olvidarlo todo. Tuve que suplicarle que aceptara la medalla.

Joe, Summer y yo guardamos silencio.

—Pero yo quería que sus hijos lo supieran —añadió Lamonnier.

Summer y yo regresamos al hotel. Sin hablar. Yo me sentía como alguien que de pronto se entera de que es hijo adoptado. «No eres el hombre que creías ser.» Toda mi vida había dado por sentado que yo era lo que era gracias a mi padre, el marine de carrera. Ahora notaba que se rebullían genes distintos. Mi padre no había matado a un enemigo a los trece años, pero mi madre sí. Ella había vivido tiempos difíciles, se había esforzado y había hecho lo que era necesario. En ese momento empecé a echarla de menos más de lo que hubiera imaginado. En ese momento supe que siempre la echaría en falta. Me sentía vacío. Había perdido algo que jamás supe que tenía.

Bajamos las bolsas al vestíbulo y fuimos al mostrador a pagar. Devolvimos las llaves y la chica políglota nos confeccionó una factura larga y detallada. Tuve que firmarla. En cuanto la vi supe que tendría problemas. Aquel hotel era escandalosamente caro. Imaginé que el ejército pasaría por alto los vales falsos a cambio de algún resultado. Pero ahora ya no estaba tan seguro. Supuse que los precios del George V modificarían su punto de vista. Era llover sobre mojado. Habíamos estado una noche, pero nos cobraban dos porque abandonamos las habitaciones después de la diez de la mañana. Mi café en la habitación costaba tanto como una cena en un *bistro*. La llamada a Rock Creek, tanto como una comida de tres platos en el mejor restaurante de la ciudad. La llamada a California, una cena de cinco platos. La que hizo Summer a Joe al piso de mi madre fue facturada como inferior a dos minutos y costaba tanto como el servicio de café de la habitación. Nos cobraban también por llamadas recibidas, la que me hizo Franz y la de Joe a Summer. En conjunto, era la peor factura de hotel que yo había visto en mi vida.

La muchacha políglota imprimió dos copias. Le devolví una firmada y ella dobló la otra, la metió en un sobre que ponía George V estampado en relieve y me lo dio. «Para sus archivos», dijo. «Para mi consejo de guerra», pensé. La guardé en el bolsillo interior de la chaqueta. Volví a sacarla unas seis horas después, cuando por fin me di cuenta de quién había hecho qué, y a quién, y por qué y cómo.

20

Hicimos la consabida caminata hasta la Place de l'Opéra y tomamos el autobús al aeropuerto. Era la sexta vez que me montaba en ese autobús en una semana. No fue más cómoda que las cinco anteriores, pero fue la incomodidad lo que me hizo empezar a pensar.

Bajamos en salidas internacionales y encontramos el mostrador de Air France. Canjeamos dos vales por dos plazas a Dulles en el vuelo nocturno de las once. Eso suponía una larga espera. Cargamos con las bolsas a través del vestíbulo y pusimos rumbo a un bar. Summer no estaba muy habladora, supongo que no se le ocurría nada que decir. Pero lo cierto es que yo me estaba recuperando. La vida se mostraba tal como es para todo el mundo. Tarde o temprano uno acaba siendo un huérfano. No es posible librarse de ello. Ha pasado así durante mil generaciones. Es absurdo preocuparse.

Tomamos unas cervezas y buscamos un sitio para comer. Yo no había desayunado ni almorzado, y supuse que ella tampoco. Pasamos frente a las pequeñas *boutiques* libres de impuestos y vimos un local montado de tal forma que parecía un *bistro* en plena calle. Reunimos los pocos dólares que nos quedaban y vimos que podíamos permitirnos un plato cada uno, un zumo para ella, un café para mí y una propina para el camarero. Pedimos *steak frites*, lo que resultó ser un aceptable trozo de carne con patatas y mayonesa. En Francia se podía comer bien en cualquier parte. Incluso en un aeropuerto.

Al cabo de una hora nos dirigimos a la sala de embarque. Aún era pronto y estaba casi desierta. Sólo algunos pasajeros en tránsito, todos arruinados o sin blanca como nosotros. Nos sentamos lejos de ellos, con la mirada perdida.

—Vuelven las malas sensaciones —dijo Summer—. Cuando uno está lejos puede olvidarse del apuro en que se halla.

—Sólo necesitamos un resultado —dije.

—No vamos a conseguir ninguno. Han pasado diez días y no hemos llegado a ninguna parte.

Asentí. Diez días desde la muerte de la señora Kramer, seis desde la de Carbone. Cinco desde que los delta me habían dado una semana para probar mi inocencia.

—No tenemos nada —añadió—. Ni siquiera lo más fácil. Ni siquiera hemos encontrado a la mujer del motel de Kramer. Esto no tenía que haber sido tan difícil.

Asentí de nuevo. Tenía razón. No tenía por qué haberlo sido.

La sala se llenó de viajeros y embarcamos cuarenta minutos antes de iniciar el vuelo. Summer y yo nos sentamos detrás de una pareja mayor que iba en una fila junto a una puerta. Ojalá hubiéramos podido cambiarnos el sitio. Me habría encantado tener más espacio. Despegamos puntualmente, y pasé la primera hora sintiéndome cada vez más apretado e incómodo. La azafata nos sirvió una cena que yo no habría podido comer aunque hubiera querido, pues no tenía suficiente espacio para mover los codos y manejar los cubiertos.

Una idea condujo a otra.

Pensé en Joe en el avión la noche anterior. Sin duda había viajado en clase turista, como corresponde a un funcionario en un viaje personal. Se habría sentido apretujado e incómodo toda la noche, algo más que yo porque era un par de centímetros más alto. Así que volvió a remorderme el haberle metido en el autobús hasta la ciudad. Recordé los duros asientos de plástico y su postura apretujada y las sacudidas de su cabeza por el movimiento. Yo tenía que haber ido desde la ciudad en taxi y que éste aguardara junto al bordillo. Tenía que haber encontrado el modo de conseguir algo de efectivo.

Una idea llevó a otra.

Me imaginé a Kramer, Vassell y Coomer volando desde Francfort en Nochevieja. American Airlines. Un Boeing, en el que no hay más espacio que en otros reactores. Una salida a primera hora desde el XII Cuerpo. Un largo vuelo a Dulles. Me los imaginé andando por el pasillo del avión, entumecidos, faltos de aire, deshidratados, incómodos.

Una idea llevó a otra.

Saqué del bolsillo el sobre del George V. Lo abrí. Leí la factura de cabo a rabo. Analicé cada línea y cada concepto.

La factura del hotel, el avión, el autobús a la ciudad.

El autobús a la ciudad, el avión, la factura del hotel.

Cerré los ojos.

Pensé en las cosas que Sánchez y el administrativo de Delta y el detective Clark y Andrea Norton y la propia Summer me habían dicho. Pensé en la multitud de personas que esperaban y saludaban en el vestíbulo de llegadas del Roissy-Charles de Gaulle. Pensé en Sperryville (Virginia). Pensé en la casa de la señora Kramer en Green Valley.

Al final las fichas de dominó caían de cualquier manera y nadie salía bien parado. Yo el que menos, pues había cometido muchos errores, sobre todo uno muy gordo que con seguridad se volvería contra mí y me mordería el culo.

Me quedé tan absorto meditando sobre mis fallos que permití que mis preocupaciones me llevaran a cometer otro más. Pasé todo el rato pensando en el pasado y ni un instante en el futuro, en contramedidas, en qué nos estaría aguardando en Dulles. Tomamos tierra a las dos de la mañana, salimos por el vestíbulo de aduanas y caímos directamente en la trampa que nos había tendido Willard.

De pie en el mismo sitio que seis días atrás estaban los mismos suboficiales de la oficina del jefe de la policía militar. Dos W3 y un W4. Los vi. Nos vieron. Dediqué un segundo a preguntarme cómo diablos lo había hecho Willard. ¿Tenía hombres en todos los aeropuertos del país día y noche? ¿Detectó el rastro que dejaban por Europa nuestros bonos de viaje? ¿Podía hacer eso él solo? ¿Estaba implicado el FBI? ¿El Departamento de Defensa? ¿El Departamento de Estado? ¿La Interpol? ¿La OTAN? No tenía ni idea. Tomé la absurda nota mental de que algún día intentaría averiguarlo.

Luego dediqué otro segundo a decidir qué hacer.

La táctica dilatoria no era una opción. Ahora no. Estando en manos de Willard, no. Yo necesitaba libertad de movimientos y de acción durante veinticuatro o cuarenta y ocho horas más. Después iría a ver a Willard, y lo haría contento. Porque en ese momento estaría en condiciones de abofetearle y detenerle.

Se nos acercó el W4 con los W3 detrás.

—Tengo órdenes de esposarles a ambos —dijo.

—Haga caso omiso de sus órdenes —repuse.

—No puedo —replicó.

—Inténtelo.

—No puedo —repitió.

Asentí.

—Muy bien, negociemos —dije—. Si usted intenta ponerme las esposas, yo le rompo los brazos. Si ustedes se dirigen al coche, nosotros los acompañaremos tranquilamente.

El tipo pensó un momento. Él iba armado. Sus hombres también. Nosotros no. Pero nadie quiere disparar en medio de un aeropuerto, y menos a gente desarmada de la misma unidad. Esto provocaría mala conciencia. Y papeleo. Y él no quería una pelea a puñetazos. Tres contra dos, no. Yo era demasiado grande y Summer demasiado pequeña; no habría sido juego limpio.

—¿Me puedo fiar? —dijo.

—Desde luego —mentí.

—Pues vamos.

La otra vez el tipo había caminado delante de mí y sus acólitos W3 se habían colocado uno a cada lado. Esperaba sinceramente que repitieran el esquema. Imaginé que los W3 se consideraban a sí mismos unos verdaderos hijos de puta y pensé que eso no estaba lejos de la verdad, pero el que más me preocupaba era el W4. Parecía de pura cepa. Pero no tenía ojos en la nuca. Esperé, por tanto, que se pusiera delante.

Así lo hizo. Summer y yo permanecimos juntos sosteniendo el equipaje y los W3 nos flanquearon un paso atrás, dibujando una punta de flecha. El W4 abría camino. Salimos por las puertas al frío nocturno. Doblamos hacia la zona de acceso restringido donde ellos habían estacionado la otra vez. Eran más de las dos de la madrugada y las vías de acceso al aeropuerto estaban desiertas. Se apreciaban solitarios charcos de luz amarillenta procedentes de los focos de los postes. Había estado lloviendo. El suelo estaba mojado.

Cruzamos la fila de furgonetas públicas y a continuación la mediana donde se hallaban las paradas de autobús. Nos encaminamos a la oscuridad. Alcancé a ver un enorme aparcamiento a la izquierda y el Chevy Caprice a lo lejos a la derecha. Torcimos hacia allí. Anduvimos por la calzada. Durante casi todo el día estaría atestada de coches, pero a esas horas se encontraba despejada y silenciosa.

Dejé caer la bolsa y con ambas manos apreté a Summer de un empellón. Luego solté el codo derecho hacia atrás y golpeé en la cara al W3. Sin mover los pies, me impulsé hacia el otro lado y estrellé el codo izquierdo contra el otro W3. Acto seguido avancé hacia el W4 cuando éste se daba la vuelta. Le aticé una izquierda en el pecho y un gancho de derecha en el mentón que lo tumbó. Me volví hacia los W3 a ver qué hacían. Estaban ambos tumbados y aturdidos, con sangre en el rostro, la nariz rota, algunos dientes sueltos. Mucho sobresalto y anonadamiento. Excelente factor sorpresa. Ellos eran buenos, pero yo mejor. Miré al W4. Estaba inerte. Me agaché junto a los W3 y les cogí las Beretta de las fundas. Luego cogí la del W4. Ensarté las tres pistolas en mi dedo índice. Con la otra mano busqué las llaves del coche. El W3 de la derecha las tenía en el bolsillo. Se las cogí y se las lancé a Summer, que ya volvía a estar de pie, consternada.

Le di las tres Beretta y arrastré al W4 por el cuello hasta la parada de autobús más cercana. Luego volví por los W3 y también tiré de ellos, uno con cada mano. Los coloqué a todos en fila, boca abajo. Estaban conscientes pero aturdidos. Los golpes fuertes en la cabeza tienen peores consecuencias en la vida real que en las películas. Yo respiraba con dificultad, casi resollaba. La adrenalina contribuía lo suyo. Era una suerte de respuesta retardada. La pelea ejercía efectos en ambos bandos.

Me puse en cuclillas junto al W4.

—Le pido disculpas, jefe —dije—. Pero usted se interpuso en mi camino.

No dijo nada. Sólo alzó los ojos y me miró atónito. Cólera, conmoción, orgullo herido, confusión.

—Ahora escuche —añadí—. Escuche con atención. Usted nunca nos ha visto. No estábamos aquí. Jamás llegamos. Aguardó durante horas pero nosotros no aparecimos. Regresó al aparcamiento y algún avispado le había birlado el coche. Así ocurrió, ¿vale?

El hombre trató de decir algo.

—Sí, lo sé —dije—. Es una historia poco convincente y en ella usted queda como un estúpido. Pero peor quedará si cuenta la verdad.

El tío no replicó.

—Así pues —le recordé—, nosotros no llegamos y alguien le robó el coche. Cíñase a eso o haré correr que fue la teniente quien os dejó fuera de combate. Una chica que pesa cuarenta y cinco kilos. Una contra tres. Eso le encantará a todo el mundo. Todos se chiflarán. Y ya sabe usted que los rumores pueden perseguirle a uno toda la vida.

El hombre siguió callado.

—Usted decide —señalé.

Se encogió de hombros.

—Le pido disculpas —repetí—. En serio.

Los dejamos allí, cogimos las bolsas y corrimos hasta el coche. Summer lo abrió y entramos. Lo puso en marcha. Metió la primera y arrancamos.

—Ve despacio —dije.

Esperé hasta que estuvimos junto a la marquesina del autobús, bajé la ventanilla y arrojé las Beretta a la acera. La historia no funcionaría si además del coche perdían las armas. Las tres pistolas cayeron cerca de los tres tipos, que se pusieron a cuatro patas y gatearon hacia ellas.

—Ahora vamos —dije.

Summer pisó el acelerador y los neumáticos chirriaron. Un segundo después estábamos fuera del alcance de las armas. La teniente no levantó el pie y abandonamos el aeropuerto a unos ciento cuarenta.

—¿Estás bien? —pregunté.

—De momento sí —contestó.

—Lamento haberte empujado.

—Podíamos haber echado a correr sin más. En la terminal nos habríamos deshecho de ellos.

—Necesitábamos un coche —observé—. Estoy harto de coger autobuses.

—Pero ahora nos hemos salido demasiado de la fila.
—En eso tienes toda la razón —confirmé.

Miré el reloj. Eran casi las tres de la mañana. Nos dirigíamos al sur desde Dulles. Deprisa, a ningún sitio. En la oscuridad. Necesitábamos un destino.

—¿Sabes mi número de teléfono de Fort Bird? —pregunté.

—Desde luego.

—Muy bien, pues para en el próximo sitio donde haya teléfono.

Al cabo de unos ocho kilómetros, Summer divisó una gasolinera de servicio nocturno ininterrumpido. Toda iluminada en el horizonte. Entramos y echamos un vistazo. Tras los surtidores había una tienda de comestibles, pero estaba cerrada. Por la noche había que pagar la gasolina a través de una ventanilla antibalas. Fuera, junto a la manguera del aire, había un teléfono público. Una caja de aluminio fijada a la pared y con siluetas de teléfono perforadas en los lados. Summer marcó el número y me pasó el auricular. Oí un ciclo de tonos y luego contestó la sargento del niño pequeño.

—Soy Reacher —dije.

—Está usted con la mierda hasta el cuello —soltó.

—Y ésa es la buena noticia —dije.

—¿Cuál es la mala?

—Que usted va a participar en esto conmigo. ¿Cómo tiene montado lo de las niñeras?

—Se queda la hija de mi vecina. La de la caravana de al lado.

—¿Puede quedarse una hora más?

—¿Por qué?

—Porque quiero que nos veamos. Quiero que me traiga algo.

—Eso le costará una pasta.

—¿Cuánto?

—Dos dólares la hora. Para la niñera.

—No tengo dos dólares. Precisamente ésa es una de las cosas que quiero que me traiga. Dinero.

—Pero bueno, ¿quiere que le dé dinero?

—Un préstamo —precisé—. Un par de días.

—¿Cuánto?

—Todo lo que tenga.

—¿Cuándo y dónde?

—Cuando acabe su turno. A las seis. En el comedor que hay al lado del local de *striptease*.

—¿Qué más quiere que le lleve?

—Llamadas telefónicas —dije—. Todas las llamadas hechas desde Fort Bird a partir de la medianoche de Nochevieja hasta el tres de enero. Y una guía telefónica del ejército. He de hablar con Sánchez y Franz y toda clase de gente. Y también necesito el expediente personal del comandante Marshall, el tipo del XII Cuerpo. Consiga que le envíen un fax desde donde sea.

—¿Nada más?

—También necesito que averigüe dónde aparcaron el coche Vassell y Coomer cuando fueron a cenar el día cuatro.

—Muy bien —dijo—. ¿Ya está?

—No —repuse—. Necesito saber dónde estaba el comandante Marshall los días dos y tres. Busque a empleados de viajes y entérese de si se facilitaron bonos. Y quiero el número de teléfono del hotel Jefferson, en D.C.

—Es mucho para tres horas.

—Por eso se lo pido a usted y no al tipo del turno de día. Usted es mejor que él.

—Ahórrese eso —soltó—. Conmigo no valen los halagos.

—La esperanza es lo último que se pierde —dije.

Regresamos al coche y a la carretera. Pusimos rumbo al este por la I-95. Le dije a Summer que fuera despacio. Si no, tal como conducía ella por las vacías carreteras nocturnas, llegaríamos al comedor mucho antes que la sargento. Ella estaría allí aproximadamente a las seis y media y yo quería llegar después, a eso de las seis cuarenta. Por si ella me había delatado y tendido una emboscada. Era improbable pero no imposible. Pasaríamos con el coche y echaríamos un vistazo antes de parar. No tenía ganas de estar sentado a una mesa bebiendo café y que apareciera Willard.

—¿Para qué quieres todo eso? —preguntó Summer.

—Sé lo que le pasó a la señora Kramer —dije.

—¿Cómo?

—Al final lo he entendido. Tenía que haberlo visto desde el principio. Pero no pensé. No tuve suficiente imaginación.

—No basta con imaginar las cosas.

—Pues a veces resulta que sí —objeté—. A veces sólo se trata de eso. En ocasiones es todo lo que tiene un investigador. Uno ha de imaginar qué habrán hecho los otros. El modo en que habrán pensado y actuado. Hay que pensar que uno *es* los otros.

—¿Es quiénes?

—Vassell y Coomer —precisé—. Sabemos quiénes son. Sabemos cómo son. Por tanto, podemos predecir qué hicieron.

—¿Y qué hicieron?

—Salieron a primera hora y viajaron en avión todo el día desde Francfort. En Nochevieja. Llevaban uniforme de clase A por si así obtenían alguna ventaja. Con un vuelo de American Airlines que salía de Alemania quizá lo lograron, o quizá no. En cualquier caso, no podían darlo por hecho. Irían preparados para pasarse ocho horas en clase turista.

—¿Por tanto?

—¿A unos tíos como ellos les haría gracia hacer la cola de taxis en Dulles? ¿O tomar el autobús a la ciudad? ¿Ir apretujados e incómodos?

—No —repuso Summer—. No harían una cosa ni la otra.

—Exacto —corroboré—. Ni una cosa ni la otra. Son demasiado importantes. Ni pensarlo. Ni en un millón de años. Los tíos así necesitan que les vaya a esperar un coche con chófer.

—¿Quién?

—Marshall —dije—. Él es el hombre. El recadero favorito. Ya estaba aquí, a su servicio. Seguramente los recogió en el aeropuerto. Tal vez también a Kramer. ¿Cogió Kramer el autobús de Hertz hasta el aparcamiento de coches de alquiler? No lo creo. Creo más bien que Marshall lo llevó allí, y luego acompañó a Vassell y Coomer al hotel Jefferson.

—¿Y?

—Y se quedó allí con ellos, Summer. Creo que había reservado una habitación. Tal vez le querían allí para que los llevara al National a la mañana siguiente. Al fin y al cabo iría con ellos. También iría a Fort Irwin. O quizá sólo querían hablar con él urgentemente. Sólo ellos tres, Vassell, Coomer y Marshall. Acaso fuera más fácil hablar sin la presencia de Kramer. Y Marshall tenía mucho de qué hablar. Habían iniciado su misión temporal en noviembre. Tú misma me lo dijiste. Fue en noviembre cuando comenzó a caer el Muro. En noviembre empezaron a llegar las señales de peligro. Así que le enviaron aquí en noviembre para que estuviera atento a lo que se dijera en el Pentágono. Es mi hipótesis. Pero en cualquier caso, Marshall pasó la noche con Vassell y Coomer en el hotel Jefferson. De esto estoy seguro.

—Muy bien. ¿Qué más?

—Marshall estaba en el hotel y su coche en el aparcamiento. ¿Y sabes una cosa? Examiné nuestra factura de París. Te cobran un ojo de la cara por todo, sobre todo las llamadas. Pero no «todas». Las que hicimos de una habitación a otra no aparecen reflejadas. Tú me llamaste a las seis por la cena. Luego yo te llamé a medianoche. Estas llamadas no salen en la factura. Si pulsas el tres para hablar con otra habitación, es gratis. Si marcas el nueve para tener línea, se enciende el ordenador. En la factura de Vassell y Coomer no había llamadas, por lo que pensamos que no las habían hecho. Pero sí las habían hecho. Llamadas internas, de habitación a habitación. Vassell recibió el mensaje del XII Cuerpo en Alemania y luego llamó a Coomer para discutir con él qué demonios hacer al respecto. Y luego uno de los dos cogió el teléfono y llamó a la habitación de Marshall, al siempre disponible recadero, y le dijo que bajara inmediatamente y cogiera el coche.

—¿Lo hizo Marshall?

Asentí.

—Lo mandaron de noche a hacer el trabajo sucio.

—¿Podemos demostrarlo?

—Podemos intentarlo. Primero llamaremos al hotel Jefferson y buscaremos una reserva a nombre de Marshall para Nochevieja. Segundo, el expediente de Marshall nos dirá si en otro tiempo vivió en Sperryville. Y tercero, su expediente nos dirá si es alto, robusto y diestro.

Summer guardó silencio, reflexionando.

—¿Esto bastará? —dijo—. ¿Lo de la señora Kramer será un resultado suficiente para salir del atolladero?

—Aún quedan cosas —dije.

Observar a Summer conducir despacio era como estar en un universo paralelo. Nos fuimos deslizando por la autopista con el mundo pasando a una velocidad moderada. El potente motor del Chevy haraganeaba a poco más que al ralentí. Los neumáticos eran silenciosos. Pasamos frente a los ya familiares puntos de referencia. El edificio de la policía estatal, el lugar donde había sido hallado el maletín de Kramer, el área de descanso, el acceso a la pequeña autopista. Nos salimos en el cruce en trébol, y yo recorrí con la vista la gasolinera, la freiduría barata, el aparcamiento del bar de *striptease* y el motel. Todo el lugar rebosaba de luz amarilla, niebla y sombras negras, pero yo alcanzaba a ver bastante bien. No se apreciaba ningún tinglado. Summer dobló hacia el aparcamiento y dio una vuelta larga y lenta. Había tres vehículos de dieciocho ruedas aparcados como ballenas varadas en la playa y un par de sedanes probablemente abandonados. Tenían toda la pinta: pintura deslustrada, neumáticos flojos, carrocerías combadas. Había una vieja furgoneta Ford con un asiento de niño sujeto con correas. Supuse que era de la sargento. No había nada más. Las seis y media de la mañana y el mundo estaba oscuro, tranquilo y en silencio.

Ocultamos el coche tras el bar y cruzamos el aparcamiento en dirección al comedor, cuyas ventanas estaban empañadas por el humo de la cocina. Dentro se veía una luz blanca y cálida. Parecía un cuadro de Hopper. La sargento estaba sola en una mesa de la parte de atrás. Entramos y nos sentamos a su lado. Ella levantó del suelo una bolsa de la compra llena de cosas.

—Primero lo primero —dijo.

Metió la mano en la bolsa y sacó una bala. La dejó vertical sobre la mesa, delante de mí. Era una Parabellum normal de 9 mm. Munición reglamentaria de la OTAN. Encamisada. Para pistola o metralleta. El brillante revestimiento de latón tenía algo rayado. La cogí y la observé. Había una palabra grabada, tosca y desigual. Había sido trazada deprisa y a mano. Ponía «Reacher».

—Una bala con mi nombre —dije.

—De Delta —precisó la sargento—. Entregada en mano, ayer.

—¿Por quién?

—El joven con barba.

—Qué encantador —dije—. Recuérdeme que le dé una patada en el culo.

—No lo tome a broma. Están alteradísimos.

—Se han equivocado de hombre.

—¿Puede demostrarlo?

Hice una pausa. Saber algo y demostrarlo eran cuestiones distintas. Guardé la bala en el bolsillo y puse las manos encima de la mesa.

—A lo mejor sí —contesté.

—¿Sabemos también quién mató a Carbone? —preguntó.

—Primero una cosa y luego otra —observé.

—Aquí tiene el dinero —dijo la sargento—. Todo lo que he podido conseguir.

Introdujo de nuevo la mano en la bolsa y dejó cuarenta y siete dólares en la mesa.

—Gracias —dije—. Pongamos que le debo cincuenta. Tres de intereses.

—Cincuenta y dos —puntualizó ella—. No se olvide de la niñera.

—¿Qué más trae?

Sacó un acordeón de papel continuo impreso. Del que tiene rayas azules casi imperceptibles y agujeros en los lados. Lleno de líneas y más líneas de números.

—El registro de llamadas —dijo.

Luego me dio un papel con un número de teléfono escrito.

—El hotel Jefferson —precisó.

A continuación me dio más papel de fax.

—El expediente del comandante Marshall —dijo.

Después siguió una guía telefónica del ejército. Era gruesa y verde y contenía los números de nuestros puestos e instalaciones militares en todo el mundo. Luego me entregó más papel de fax plegado. Eran los resultados de los sondeos callejeros llevados a cabo en Green Valley por el detective Clark en Nochevieja.

—Desde California, Franz me dijo que usted querría esto —señaló.

—Fantástico —solté—. Gracias. Gracias por todo.

Asintió.

—Mejor siga creyendo que valgo más que el del turno de día. Y mejor dígalo cuando empiecen con la reducción de efectivos.

—Así lo haré —aseguré.

—No, no lo haga —dijo—. Viniendo de usted no serviría de nada. Estará muerto o en la cárcel.

—Pero me ha traído todo esto —señalé—. Aún cree en mí.

La sargento no contestó.

—¿Dónde aparcaron el coche Vassell y Coomer? —pregunté.

—¿El día cuatro? —dijo ella—. Nadie lo sabe seguro. La primera patrulla nocturna vio un vehículo del Estado Mayor en el extremo más alejado del aparcamiento, estacionado de cola. Pero quizá no tenga mayor importancia. No me dieron ningún número de matrícula, así que no es una identificación definida. Y los de la segunda patrulla no recuerdan nada en absoluto. Por tanto, dos informes incompletos.

—¿Qué vieron exactamente los de la primera patrulla?

—Lo que denominan un coche del Estado Mayor.

—¿Un Grand Marquis negro?

—Era negro —contestó—. Pero todos estos coches son verdes o negros. Un vehículo negro no tiene nada de especial.

—Pero no estaba en la fila.

Asintió.

—Solo, en un extremo del aparcamiento. Pero la segunda patrulla no lo confirma.

—¿Dónde estaba Marshall los días dos y tres?

—Esto ha sido más fácil —repuso—. Hay dos justificantes de viaje. El día dos a Francfort, y el tres de vuelta aquí.

—¿Una noche en Alemania?

Asintió de nuevo.

—Ida y vuelta.

Nos quedamos en silencio. El camarero se acercó con un bloc y un lápiz. Miramos el menú y los cuarenta y siete dólares de la mesa y pedí café y huevos por un valor no superior a dos pavos. Summer captó el mensaje y pidió zumo y galletas. Era lo más barato que podíamos permitirnos para mantener la verticalidad.

—¿He terminado aquí? —preguntó la sargento.

Asentí.

—Gracias. En serio.

Summer se levantó para dejarla salir.

—Un beso al niño de mi parte —dije.

La sargento se detuvo, toda huesos y tendones, dura como el pico de un pájaro carpintero, mirándome fijamente.

—Acaba de morir mi madre —dije—. Un día su hijo recordará mañanas como ésta.

La sargento asintió y se dirigió a la puerta. Un minuto después la vimos en su furgoneta, una figura pequeña al volante. Desapareció en la niebla de la madrugada, dejando un rastro de humo del tubo de escape.

Coloqué todos los papeles en un montón lógico y comencé por el expediente de Marshall. La transmisión por fax no era de una calidad fantástica pero se podía leer. Había la habitual masa de información. En la primera hoja me enteré de que Marshall había nacido en septiembre de 1958. Por tanto tenía treinta y un años. No tenía esposa ni hijos, tampoco ex esposas. Supuse que estaba casado con el ejército. Constaba que medía metro noventa y pesaba cien kilos. El ejército necesitaba saberlo porque así convenía a los intendentes generales. Constaba que era diestro. El ejército tenía que saberlo porque los fusiles de cerrojo para francotiradores están concebidos para los diestros. Normalmente a los zurdos no se les asigna la función de francotiradores. En el ejército lo encasillan a uno desde el primer día.

Pasé la hoja.

Marshall había nacido en Sperryville (Virginia), y allí había ido al jardín de infancia, al colegio y al instituto.

Sonreí. Summer me miró, preguntando con los ojos. Corté las hojas y se las pasé, alargué la mano y señalé con el dedo las líneas que venían al caso. Luego le di el papel con el teléfono del hotel Jefferson.

—Busca un teléfono —dije.

Encontró uno justo detrás de la puerta, instalado en la pared, cerca de la caja registradora. Vi que introducía dos monedas de veinticinco centavos y que marcaba, hablaba y esperaba. Vi que decía el nombre, el rango y la unidad. Y que escuchaba. Y que hablaba un poco más. Y que esperaba un poco más. Y que escuchaba. Metió más monedas. Fue una llamada larga. Imaginé que la estaban remitiendo de un sitio a otro. Luego vi que decía gracias y colgaba. Y que volvía a la mesa, con una expresión adusta y satisfecha.

—Estuvo en una habitación —explicó—. De hecho hizo la reserva él mismo el día anterior. Tres habitaciones, para él, Vassell y Coomer. Y había una factura del servicio de aparcacoches.

—¿Has hablado con los del aparcamiento?

—Era un Mercury negro. Entró justo después del almuerzo y salió a la una menos veinte de la madrugada, regresó a las tres y veinte y volvió a salir el día de Año Nuevo después de desayunar.

Hojeé entre el montón de papeles y encontré el fax del detective Clark. Los resultados de su sondeo casa por casa. Había anotada una considerable actividad de vehículos. Era Nochevieja, y mucha gente había estado yendo y volviendo de fiestas. Justo antes de las dos de la madrugada, en la calle de la señora Kramer había lo que alguien tomó por un taxi.

—Un coche del Estado Mayor podría confundirse con un taxi —observé—. No sé, un sedán negro, limpio pero algo viejo y gastado, muchos kilómetros a cuestas, la misma forma que un Crown Victoria.
—Verosímil —dijo Summer.
—Probable —dije yo.

Pagamos la cuenta, dejamos un dólar de propina y contamos lo que nos quedaba del préstamo de la sargento. Llegamos a la conclusión de que deberíamos seguir comiendo barato porque íbamos a necesitar dinero para gasolina. Y para llamadas telefónicas. Y otros gastos.
—¿Ahora adónde? —me preguntó Summer.
—Al otro lado de la calle. Al motel. Vamos a escondernos todo el día. Un poco más de trabajo y luego a dormir.
Dejamos el Chevy oculto tras el bar y cruzamos la calle a pie. Despertamos al muchacho de recepción y le pedí una habitación.
—¿Una habitación? —soltó.
Asentí. Summer no puso objeciones. No podíamos permitirnos dos y no era la primera vez que compartíamos una. En lo que a planes nocturnos se refería, París nos había salido muy bien.
—Quince dólares —dijo el chico.
Le pagué, él sonrió y me dio la llave de la habitación en que había muerto Kramer. Supuse que pretendía ser gracioso. No dije nada. Me daba igual. Pensé que era mejor una habitación en la que hubiera muerto un tipo que las que alquilaban por horas.
Caminamos juntos por la hilera, abrimos la puerta y entramos. La habitación seguía fría y húmeda, oscura y triste. Se habían llevado el cadáver, pero por lo demás estaba exactamente igual que la vez anterior.
—No es el George V —comentó Summer.

—En eso tienes toda la razón.

Dejamos las bolsas en el suelo y yo coloqué los papeles de la sargento sobre la cama. La colcha estaba ligeramente húmeda. Toqueteé el radiador de debajo de la ventana hasta que soltó un poco de calor.

—¿Y ahora qué? —preguntó Summer.

—Los registros de las llamadas. Estoy buscando una llamada con el nueve uno nueve como código de área.

—Local. Fort Bird también tiene el nueve uno nueve.

—Magnífico —dije—. Habrá un millón.

Extendí el listado sobre la cama y comencé a mirar. No había un millón de llamadas locales, pero sí unos centenares. Empecé a medianoche del día de Nochevieja y avancé a partir de ahí. Pasé por alto los números a los que habían llamado más de una vez desde más de un teléfono. Conjeturé que serían empresas de taxis, clubes o bares. Dejé de lado los números que tenían el mismo código de central telefónica. Serían principalmente de viviendas fuera de la base. Soldados de servicio que habrían llamado a su casa después de la medianoche para desear feliz año a la esposa y los hijos. Me concentré en los números que sobresalían. Números de ciudades de Carolina del Norte. Estaba buscando concretamente un número de otra ciudad al que hubieran llamado sólo una vez treinta o cuarenta minutos después de la medianoche. Ése era mi objetivo. Examiné el listado con paciencia, línea por línea, página por página, sin apresurarme. Tenía todo el día.

Lo encontré tras varios pliegues de papel. Figuraba a las 00.32. Treinta y dos minutos después de que 1989 pasara a ser 1990. Más o menos cuando yo calculaba. Una llamada de casi quince minutos. La duración también era razonable. Estaba ante una posibilidad fundada. Seguí buscando durante los veinte o treinta minutos siguientes. Nada que pareciera ni la mitad de interesante. Volví atrás y puse el dedo bajo el número que me gustaba. Era mi mejor opción. O mi única esperanza.

—¿Tienes un boli?

Summer me dio uno que se sacó del bolsillo.

—¿Y monedas de veinticinco?

Me enseñó cincuenta centavos. Escribí mi número favorito en el papel del número del hotel Jefferson. Se lo pasé.

—Llama —dije—. Averigua quién contesta. Tendrás que volver al comedor. El teléfono del motel está roto.

Summer estuvo fuera unos ocho minutos. Entretanto me lavé los dientes. Tenía una teoría: si no tienes tiempo de dormir, una ducha es un buen sucedáneo. Si no hay tiempo para una ducha, lavarse los dientes es la siguiente opción.

Dejaba el cepillo en la repisa del cuarto de baño cuando Summer entró. Traía consigo el ambiente frío y brumoso.

—Es un centro vacacional con campo de golf en las afueras de Raleigh —explicó.

—Ya me sirve —dije.

—Brubaker —observó—. Es donde estaba Brubaker. De vacaciones.

—Seguramente bailando. ¿No te parece? Media hora después de las campanadas. El recepcionista habrá tenido que sacarlo del salón de baile y llevarlo hasta el teléfono. Por eso la llamada duró un cuarto de hora. Casi todo fue tiempo de espera.

—¿Quién llamó?

En el listado había códigos que indicaban el teléfono del que procedía la llamada. No me decían nada. Eran sólo números y letras. Pero la sargento me había procurado una clave. En la última hoja del acordeón había una lista con los códigos y los lugares que representaban. Ella tenía razón: era mejor que el tío del turno de día. Pero claro, era una sargento E-5 y él un cabo E-4, y los sargentos hacían que valiera la pena servir en el ejército norteamericano.

Cotejé el código con la clave.

—Alguien desde un teléfono público del cuartel de Delta.

—O sea que un tío delta llamó a su oficial al mando —dijo Summer—. ¿Y para qué nos sirve eso?

—La hora es sugerente. Debió de ser algo urgente, ¿no?

—¿Quién fue?

—Primero una cosa y luego otra —dije.

—No me hagas callar.

—No lo estoy haciendo.

—Sí lo estás haciendo. Te estás encerrando.

No repliqué.

—Murió tu madre y lo estás pasando mal y te estás encerrando en ti mismo. Pero no deberías. No puedes hacer esto solo, Reacher. No puedes vivir toda tu vida solo.

Meneé la cabeza.

—No es eso —contesté—. Es que aquí sólo estoy haciendo conjeturas. Estoy todo el rato conteniendo la respiración. Una posibilidad remota y luego otra. Y no quiero caerme de bruces. No delante de ti. No me respetarías más.

Summer se quedó callada.

—Lo sé —dije—. Ya no me respetas porque me has visto desnudo.

Ella sonrió.

—Pues tendrás que acostumbrarte —añadí—. Porque va a pasar otra vez. De hecho, ahora mismo. Nos vamos a tomar el resto de la noche libre.

La cama era espantosa. El colchón se hundía en el medio y las sábanas estaban húmedas. Quizá peor que húmedas. En un sitio como aquél, si no habían alquilado la habitación desde la muerte de Kramer, casi seguro que tampoco habían cambiado las sábanas. De hecho, Kramer nunca se había metido dentro, sino que había muerto encima. Y probablemente había rezumado toda clase de fluidos corporales. A Summer parecía darle igual, pero ella no le había visto ahí, todo pálido y gris, inerte.

Pero entonces pensé «¿qué quieres por quince pavos?». Y Summer alejó mi mente de las sábanas. Me distrajo a lo grande. Estábamos muy cansados, pero no en exceso. Era la segunda vez y nos salió bien. Según mi experiencia, la segunda vez es siempre la mejor. A uno le sigue haciendo ilusión y aún no le aburre.

Después dormimos como niños. Por fin el radiador elevó un poco la temperatura. Las sábanas se calentaron. El ruido de la autopista se fue tornando un ronroneo de fondo. Estábamos a salvo. A nadie se le ocurriría buscarnos allí. Kramer había escogido bien. Era un escondrijo. Nos volvimos hacia el centro del colchón y nos abrazamos. Acabé pensando que era la mejor cama en que había estado nunca.

Nos despertamos mucho después, famélicos. Eran las seis de la tarde pasadas. Al otro lado de la ventana ya estaba oscuro. Los días de enero se iban desplegando uno tras otro sin que nosotros prestáramos mucha atención. Nos duchamos, nos vestimos y cruzamos la calle para comer algo. Yo llevaba la guía telefónica.

Tomamos las máximas calorías que pudimos por la menor cantidad de dinero posible, pero aun así nos pulimos ocho dólares entre los dos. Me desquité con el café. El comedor seguía una política de barra libre de tazas, y me aproveché de ella despiadadamente. A continuación acampé delante del teléfono de la pared. Busqué el número en la guía y llamé a Fort Jackson.

—Me he enterado de que estás jodido —soltó Sánchez.

—Provisionalmente. ¿Has oído algo más de lo de Brubaker?

—¿Como qué?

—Por ejemplo, ¿han encontrado el coche?

—Pues sí. Y bastante lejos de Columbia.

—Deja que adivine —dije—. En algún lugar a más de

una hora al norte de Fort Bird, y tal vez al este y algo al sur de Raleigh. ¿Qué tal Smithfield, Carolina del Norte?

—¿Cómo diablos lo sabías?

—Era sólo un presentimiento —repuse—. Cerca de donde la I-95 enlaza con la US-70. En una calle principal. ¿Creen que fue allí donde lo mataron?

—Sobre eso no hay duda. Lo mataron en el mismo coche. Alguien le pegó un tiro desde el asiento de atrás. El parabrisas estalló frente al conductor, y lo que quedaba de cristal estaba cubierto de sangre y sesos. Y en el volante había salpicaduras. Por tanto, después nadie cogió el coche. Por consiguiente, allí lo asesinaron, en su propio coche. En Smithfield, Carolina del Norte.

—¿Encontraron casquillos?

—No. Ni pruebas significativas, aparte de la mierda habitual.

—¿Tienen alguna teoría?

—Era el aparcamiento de unas instalaciones industriales, una suerte de punto de referencia local, muy concurrido de día pero desierto de noche. Creen que fue una cita de dos coches. Brubaker llega primero, el segundo coche aparece enseguida, bajan del mismo al menos dos tíos, se meten en el de Brubaker, uno delante y otro atrás, se quedan un rato sentados, quizás hablan un poco, luego el de atrás saca una pistola y le dispara. Así es, por cierto, como creen que se fastidió el reloj de Brubaker. Piensan que tenía la mano izquierda en la parte superior del volante, la postura habitual. Sea como fuere, cae fulminado, lo arrastran fuera, lo introducen en el maletero del otro coche, lo llevan a Columbia y ahí lo dejan.

—Con droga y dinero en el bolsillo.

—De eso todavía no han averiguado nada.

—¿Por qué los malos no movieron el coche de Brubaker? —pregunté—. Parece un poco estúpido llevar el cuerpo a Carolina del Sur y dejar el vehículo allí.

—Nadie lo sabe. Tal vez porque conducir un coche

lleno de sangre y con el parabrisas roto es muy llamativo. O quizá porque los malos a veces son estúpidos.

—¿Tienes anotaciones de lo que dijo la señora Brubaker sobre las llamadas que él recibió?

—¿Después de cenar el día cuatro?

—No, antes —precisé—. En Nochevieja. Aproximadamente media hora después de que se cogieran de las manos y cantaran *Auld Lang Syne*.

—Quizás. Apunté algunas cosas interesantes. Puedo ir a ver.

—Date prisa —dije—. Estoy en un teléfono público.

Oí el golpe del auricular en la mesa. Y a continuación a Franz revolviendo en el otro extremo de la oficina. Aguardé. Metí otro par de monedas de veinticinco. Ya llevábamos gastados dos pavos en llamadas interurbanas. Más doce en comer y quince por la habitación. Nos quedaban dieciocho dólares, de los cuales no me cabía duda que iba a gastar otros diez, en el mejor de los casos muy pronto. Comencé a lamentar que el ejército comprara Caprices con motores V-8. Por ocho dólares de gasolina, uno pequeño de cuatro cilindros como el que había alquilado Kramer nos llevaría más lejos.

Sánchez volvió a coger el auricular.

—Muy bien, Nochevieja —dijo—. La mujer me dijo que a eso de las doce y media sacaron a su esposo del salón de baile. Y que él se molestó un poco.

—¿Le comentó a ella algo de la llamada?

—No. Pero explicó que luego él bailó mejor, como si estuviera entusiasmadísimo. Tal vez sobre la pista de algo. Muy agitado.

—¿Ella lo dedujo de su manera de bailar?

—Llevaban casados mucho tiempo, Reacher. Uno acaba conociendo a la otra persona.

—Vale —dije—. Gracias, Sánchez. He de dejarte.

—Cuídate.

—Lo intento.

Colgué y regresé a la mesa.

—¿Ahora adónde? —preguntó Summer.

—A visitar a unas chicas que se quitan la ropa —contesté.

Desde la freiduría barata al bar a través del aparcamiento había un corto paseo. Se veían algunos coches, aunque no demasiados. Aún era temprano. Faltaban otras dos horas para que el local se llenase. Los vecinos de la zona se hallaban aún en casa, cenando, viendo la información deportiva. Los tíos de Fort Bird estarían terminando la manduca en el comedor, o duchándose, cambiándose de ropa, juntándose en grupos de dos o de tres, buscando las llaves de los coches, eligiendo a los que conducirían y por tanto no beberían. De todos modos, yo seguía alerta. No quería tropezarme con una pandilla delta. Al menos no allí fuera y en la oscuridad. No era cuestión de andar perdiendo un tiempo valiosísimo.

Entramos. Tras la caja registradora había una cara nueva. Tal vez un amigo o un pariente de cara de mapa. Yo no le conocía. Él no me conocía. Y Summer y yo llevábamos uniforme de campaña, sin designación de unidad, sin indicación de que éramos PM. Así que la cara nueva se alegró de vernos. Imaginó que elevaríamos sustancialmente el flujo de efectivo a la caja en esa primera hora. Pasamos por delante de él.

El local estaba lleno sólo en una décima parte. Así parecía otra cosa. Frío, grande y vacío, como una especie de fábrica. Sin la presión de los cuerpos, la música se oía más fuerte y metálica. Había grandes extensiones de suelo desocupado. Hectáreas enteras. Cientos de sillas libres. Sólo se veía a una chica actuando en el escenario principal, bañada por una luz roja y cálida, pero ella parecía fría y apática. Summer la observó. La vi estremecerse. Yo le había dicho: «Entonces ¿qué va a hacer? ¿Ir a buscar empleo al local de *striptease* de Sin?» Así, en directo, no parecía una opción muy atractiva.

—¿Por qué estamos aquí? —preguntó.

—Por la clave de todo. Mi error más grave.

—¿Cuál fue?

—Vigila —dije.

Fui hasta la puerta del camerino y llamé dos veces. Summer me siguió. Abrió una chica a la que no conocía. Mantuvo la puerta pegada al cuerpo y asomó la cabeza. Tal vez estaba desnuda.

—He de ver a Sin —dije.

—No trabaja aquí.

—Sí trabaja.

—Está ocupada.

—Diez dólares —dije—. Diez dólares por hablar. Sin tocar.

La chica cerró la puerta de golpe. Me hice a un lado para que fuera Summer la primera persona a la que viera Sin. Esperamos un buen rato. De pronto la puerta volvió a abrirse y apareció Sin. Lucía un vestido de tubo ceñido, rosa. Centelleaba. Llevaba tacones altos de plástico transparente. Me coloqué detrás. Entre ella y la puerta del camerino. Se dio la vuelta y me vio. «Atrapada.»

—Un par de preguntas —dije—. Nada más.

Tenía mejor aspecto que la otra vez. Los moratones de la cara ya tenían diez días y estaban más o menos curados. Acaso llevaba más maquillaje, pero ésa era la única señal de sus apuros. Tenía la mirada ausente. Supuse que acababa de pincharse entre los dedos del pie. «Lo que sea para superar la noche.»

—Diez dólares —dijo.

—Sentémonos —dije.

Fuimos a una mesa lejos de los altavoces. Saqué un billete de diez dólares y lo sostuve en alto. No lo solté.

—¿Te acuerdas de mí? —pregunté.

Asintió.

—¿Recuerdas aquella noche?
Asintió otra vez.
—Muy bien. ¿Quién te pegó?
—El soldado —contestó—. Aquel con el que hablaste un momento antes.

21

Mantuve sujeto el billete e hice que lo contara todo paso por paso. Nos dijo que después de que yo la bajara de mis rodillas, ella había preguntado a las chicas sobre lo que yo quería saber, pero ninguna sabía nada. Ninguna tenía información, ni de primera ni de segunda mano. No corrían rumores ni ninguna historia sobre una compañera que hubiera tenido problemas en el motel. Lo intentó también en el cuarto de detrás del escenario y tampoco allí averiguó nada. Después regresó al camerino y lo encontró vacío. El negocio iba bien, todas estaban en el escenario o al otro lado de la calle. Sabía que debía haber seguido preguntando, pero no había chismorreos. Estaba segura de que si hubiera sucedido realmente algo malo, alguien habría oído algo. Así que decidió dejarlo correr y librarse de mí. Entonces entró en el camerino el soldado con el que yo había estado hablando. Nos ofreció una muy buena descripción de Carbone. Como la mayoría de las putas, estaba muy acostumbrada a reconocer caras. A los clientes habituales les gusta que les reconozcan. Eso hace que se sientan especiales y que dejen mejores propinas. Nos contó que Carbone le había advertido que no dijera nada a ningún PM. Sin puso énfasis en la voz, imitando la del soldado diez días atrás. «Nada a ningún PM.» Acto seguido, para asegurarse de que ella le tomaba en serio, le dio dos bofetadas fuertes, rápidas, con la palma y el dorso de la mano. Los golpes la dejaron aturdida.

Parecía que la habían impresionado. Era como si los

estuviera comparando con otros golpes recibidos, como si fuera una experta. Y al mirarla pensé que estaba bastante familiarizada con recibir palizas.

—Repítelo —dije—. Fue el soldado, no el dueño.

Me miró como si yo estuviera loco.

—El dueño nunca nos pega —dijo—. Vive de nosotras.

Le di los diez dólares y la dejamos allí, en la mesa.

—¿Qué significa esto? —inquirió Summer.

—Todo —repuse.

—¿Cómo lo sabías?

Me encogí de hombros. Volvíamos a estar en la habitación de Kramer, doblando ropa, haciendo el equipaje, preparándonos para salir por última vez a la carretera.

—Lo entendí mal —le dije—. Creo que empecé a darme cuenta en París, cuando esperábamos a Joe en el aeropuerto. Aquella multitud. Todos observaban a los que salían, por un lado a punto de saludarles y por el otro a punto de ignorarles. Según. Así fue en el bar de *striptease* aquella noche. Entré. Soy grandote, o sea que me vieron. Hubo curiosidad por un segundo, pero no me conocían y no les gustaba un PM, así que apartaron la mirada y me dejaron de lado. De manera muy sutil, todo mediante lenguaje corporal. Menos Carbone. Él no me dejó de lado. Se volvió hacia mí. Creí que era simplemente algo fortuito, pero me equivocaba. Creí que yo lo estaba escogiendo a él, pero él me estaba escogiendo a mí por igual.

—Tuvo que ser casualidad. Él no te conocía.

—No me conocía a mí, pero reconoció los distintivos de la PM.

—Entonces ¿por qué se volvió hacia ti?

—Fue como una reacción tardía, una especie de vacilación. Él estaba volviendo la cara pero cambió de opinión. Quería que yo fuera hacia él.

—¿Por qué?

—Porque quería saber qué hacía yo allí.

—¿Se lo dijiste?

—Pensándolo bien, sí. No con detalle. Yo sólo quería que los tíos no se preocuparan, que él les dijera que mi presencia allí no tenía relación con ellos; se había perdido un objeto al otro lado de la calle y quizá lo tenía una de las prostitutas. Era un tipo muy perspicaz. Muy agudo. Me pescó y me hizo hablar.

—¿Y por qué iba a tener interés en ello?

—Una vez le dije algo a Willard. Le dije que pasan cosas para que otras acaben en un callejón sin salida. Carbone quería que mis investigaciones acabaran en un callejón sin salida. Ése era su propósito. Así que pensó deprisa. Y con tino. En Delta no hay estúpidos, desde luego. Entró y pegó a la chica, para que cerrara el pico en caso de que supiera algo. Y luego salió y me hizo creer que había sido el dueño. Ni siquiera mintió al respecto, sólo dejó que yo lo presumiera. Me dio cuerda como a un juguete mecánico y me orientó en la dirección que él quería. Y allá fui. Le di un bofetón al dueño en la oreja y luego los dos peleamos en el aparcamiento. Y allí estaba Carbone, mirando. Me vio darle una paliza al tío tal como él se imaginaba y luego presentó la denuncia. Provocó el principio y el final. Tenía controlados ambos extremos. Acalló a la chica y pensó que a mí me sacarían de escena aplicando el reglamento disciplinario. Era un tipo muy listo, Summer. Ojalá lo hubiera conocido antes.

—¿Por qué quería que terminaras en un callejón sin salida? ¿Qué motivo tenía?

—No quería que yo encontrara al que cogió el maletín.

—¿Por qué?

Me senté en la cama.

—¿Por qué no encontramos a la mujer que estuvo aquí con Kramer?

—No lo sé.

—Porque nunca hubo ninguna mujer —dije—. Aquí Kramer estuvo con Carbone.

Summer se quedó mirándome.

—Kramer también era gay —añadí—. Él y Carbone estuvieron follando.

—Carbone cogió el maletín de esta misma habitación —proseguí—. Tenía que mantener la relación en secreto. Tal como pensamos de la mujer fantasma, quizá le preocupaba que dentro hubiera algo personal. O tal vez Kramer había estado fanfarroneando sobre la reunión de Fort Irwin. Hablando de cómo los Blindados iban a defender lo suyo. O sea que a lo mejor Carbone tuvo curiosidad. O incluso interés. Había estado dieciséis años en Infantería. Y era el típico tío delta, con una férrea lealtad a su unidad. Quizá más lealtad a su unidad que a su amante.

—Me cuesta creerlo —dijo Summer.

—Inténtalo. Todo encaja. Más o menos Andrea Norton ya nos lo dijo. Creo que ella sabía lo de Kramer, no sé si de manera consciente. La acusamos y ella no se enfadó, ¿recuerdas? Parecía más bien que aquello le hacía gracia. O que la desconcertaba, quizás. Era psicóloga sexual, había conocido al tío, tal vez desde el punto de vista profesional había captado alguna vibración. O desde el personal la ausencia de vibración alguna. Así, mentalmente la habíamos metido en la cama con Kramer y ella no podía asimilarlo. De modo que no se enfadó; la cosa simplemente no cuadraba. Y sabemos que el matrimonio de Kramer era una farsa. No había hijos y él llevaba cinco años sin vivir en su casa. El detective Clark no entendía por qué Kramer no se había divorciado. En una ocasión me preguntó si el divorcio era un impedimento para un general. Le contesté que no. Pero ser gay sí. Esto seguro, maldita sea. Para un general, ser gay es un impedimento gordo. Por eso siguió con su matrimonio. Era su tapadera en el ejército. Como la chica de la foto en la cartera de Carbone.

—No tenemos pruebas.

—Pero estamos cerca. Junto con la foto de la muchacha, Carbone llevaba en la cartera un condón. Diez contra uno a que pertenece al mismo paquete que el que tenía puesto Kramer. Y también diez contra uno a que podemos buscar en viejas órdenes de misiones y tareas y descubrir dónde y cuándo se conocieron. En algunas maniobras conjuntas, como pensamos desde el principio. Además, en Delta Carbone conducía vehículos. Me lo explicó el encargado de asuntos administrativos. Tenía acceso permanente a la escudería entera de Humvees. Pues diez contra uno a que descubrimos que en Nochevieja él estuvo fuera solo, conduciendo uno.

—¿Al final lo mataron por el maletín? ¿Como a la señora Kramer?

Meneé la cabeza.

—Ninguno de los dos fue asesinado sólo por el maletín.

Summer se quedó mirándome.

—Más tarde —dije—. Primero una cosa y luego otra.

—Pero él tenía el maletín. Tú lo has dicho. Huyó con él.

Asentí.

—Y en cuanto estuvo de regreso en Bird lo registró. Encontró el orden del día, lo leyó y algo de su contenido le impulsó a llamar a su oficial al mando.

—¿Que Carbone llamó a Brubaker? ¿Cómo fue capaz? ¿Qué le dijo? ¿Acabo de acostarme con un general y adivine lo que he encontrado?

—Pudo decir que lo había encontrado en otra parte. Pero lo que en realidad me pregunto es si Brubaker sabía lo de Carbone y Kramer desde un principio. Es probable. Delta es una familia, y Brubaker era de esos oficiales al mando tan entrometidos. Es muy probable que lo supiera, y tal vez se aprovechó de la situación. Sánchez me contó que a Brubaker nunca se le pasaba por alto ningún ángulo, ventaja o enfoque. Así que tal vez el precio de la tolerancia era que Carbone debía pasar información de las conversaciones íntimas.

—Es repugnante.

Asentí.

—Como hacer de puta. Ya te dije que aquí no habría vencedores. Todo el mundo va a salir malparado.

—Excepto nosotros. Si obtenemos resultados.

—A ti te irá bien. A mí no.

—¿Por qué?

—Espera y verás —dije.

Llevamos las bolsas al Chevy, oculto tras el bar. Las guardamos en el maletero. El aparcamiento estaba más lleno que antes. La noche se animaba. Miré la hora. En la costa Este casi las ocho, en la Oeste casi las cinco. «Si nos detenemos siquiera un segundo para tomarnos un respiro, nos atraparán otra vez», pensé.

—He de hacer un par de llamadas más —dije.

Cogí la guía telefónica y regresamos a la freiduría. Registré todos los bolsillos en busca de monedas sueltas y saqué un montoncito. Summer contribuyó con una de veinticinco y una de cinco. El dependiente cambió los céntimos por monedas de plata. Introduje algunas en el aparato y marqué el número de Franz, en Fort Irwin. Eran las cinco de la tarde, plena jornada laboral.

—¿Podré pasar por tu puerta principal? —le pregunté.

—¿Por qué no?

—Willard está persiguiéndome. Es capaz de mandar aviso a cualquier sitio adonde crea que voy a ir.

—No he oído nada todavía.

—Podrías apagar el télex un día o dos.

—¿Cuál es tu hora aproximada de llegada?

—Mañana, en cualquier momento.

—Tus amigotes ya están aquí. Acaban de entrar.

—No tengo ningún amigote.

—Vassell y Coomer. Recién llegados de Europa.

—¿Por qué?

—Maniobras.

—¿Sigue ahí Marshall?

—Por supuesto. Fue a Los Ángeles a recogerlos. Han venido todos juntos, como una familia feliz.

—Necesito que hagas dos cosas por mí —dije.

—Querrás decir otras dos cosas.

—Yo también necesito que me recojan en Los Ángeles. Mañana, el primer vuelo procedente de D.C. Has de enviar a alguien.

—¿Qué más?

—Y también necesito que alguien localice el coche que Vassell y Coomer utilizaron para venir aquí. Es un Mercury Grand Marquis negro. Marshall firmó su salida en Nochevieja. Ahora mismo estará en el garaje del Pentágono o estacionado en Andrews. Que alguien lo encuentre y que le hagan un reconocimiento forense a fondo. Y rápido.

—¿Qué estarían buscando?

—Cualquier cosa.

—Muy bien —dijo Franz.

—Hasta mañana —dije.

Colgué y pasé las páginas de la guía desde la *F* de *Fort Irwin* hasta la *P* de *Pentágono*. Deslicé el dedo por el apartado de la *J* hasta *Jefe de la Oficina del Estado Mayor*. Lo dejé allí unos instantes.

—Vassell y Coomer se encuentran en Fort Irwin —dije.

—¿Por qué? —soltó Summer.

—Se esconden. Creen que aún estamos en Europa. Saben que Willard está vigilando los aeropuertos. Son presas fáciles.

—¿Queremos atraparles? No sabían nada sobre lo de

la señora Kramer, eso quedó claro. Cuando se lo dijiste aquella noche en tu despacho se mostraron conmocionados. Por tanto, supongo que autorizaron el robo pero no los daños colaterales.

Asentí. Summer tenía razón. Aquella noche en mi despacho se habían sorprendido. Coomer palideció y preguntó: «¿Qué fue? ¿Un robo con allanamiento de morada?» Era una pregunta que procedía directamente de una conciencia culpable. Eso significaba que Marshall no les dijo nada al respecto. Se guardó la mala noticia. Regresó al hotel de D.C. a las 3.20 y les dijo que el maletín no estaba allí, pero no les explicó qué más había pasado. Seguramente Vassell y Coomer ataron cabos a la carrera aquella noche en mi despacho. Seguramente tuvieron un interesante viaje de vuelta a casa. Cruzarían palabras duras.

—Entonces fue sólo cosa de Marshall —señaló Summer—. Le entró pánico y ya está.

—Técnicamente fue una conspiración —dije—. La responsabilidad legal es compartida.

—Será difícil entablar una acción judicial.

—Eso corresponde al Cuerpo de Auditores Militares.

—Es un caso endeble, difícil de probar.

—Hicieron otras cosas —observé—. Créeme, lo que menos les preocupa es que golpearan a la señora Kramer en la cabeza.

Metí más monedas en el teléfono y marqué el número del jefe de la oficina del Estado Mayor, en las entrañas del Pentágono. Respondió una voz de mujer. Una auténtica voz de Washington. Ni alta ni baja, culta, elegante, casi sin acento. Supuse que era una administrativa de rango superior que trabajaba hasta tarde. Imaginé que tendría unos cincuenta años, cabello rubio con canas y la cara maquillada.

—Anote esto —dije—. Me llamo Reacher y soy comandante de la Policía Militar. Hace poco fui trasladado desde Panamá a Fort Bird, Carolina del Norte. Estaré en el control del anillo E de su edificio hoy a medianoche. Es exclusiva responsabilidad del jefe del Estado Mayor recibirme allí o no.

Hice una pausa.

—¿Ya está? —dijo la mujer.

—Sí —repuse, y colgué. Recuperé quince centavos que devolví al bolsillo. Cerré la guía telefónica y me la puse bajo el brazo—. Vamos —dije.

Fuimos a la gasolinera y pusimos ocho dólares de gasolina. Luego enfilamos hacia el norte.

—¿«Es exclusiva responsabilidad del jefe del Estado Mayor recibirme allí o no»? —soltó Summer—. ¿Quieres explicarme de una vez qué demonios está pasando?

Nos encontrábamos en la I-95, aún tres horas al sur de D.C. Con Summer al volante, tal vez dos y media. Ya era noche cerrada y había mucho tráfico. Se había acabado la resaca de las vacaciones. El mundo entero volvía al trabajo.

—Se está produciendo algo de envergadura —dije—. ¿Por qué, si no, llamaría Carbone a Brubaker durante una fiesta? Cualquier cosa podía esperar a no ser que fuera de veras alucinante. De modo que es algo serio, y con gente de alto rango implicada. No hay otra explicación. ¿Quiénes, si no, habrían dispersado el mismo día por todo el mundo a veinte PM de unidad especial?

—Tú eres comandante —observó ella—. Igual que Franz, Sánchez y todos los demás. Podía haberos trasladado cualquier coronel.

—Pero también fueron trasladados todos los jefes de la Policía Militar. Los quitaron de en medio para hacer sitio. Y la mayoría de los jefes de la PM son coroneles.

—Muy bien, pues pudo haberlo hecho cualquier general de brigada.

—¿Con firmas falsas en las órdenes?

—Cualquiera puede falsificar una firma.

—¿Y contar con que después quedaría sin castigo? No, todo esto lo organizó alguien que podía actuar impunemente. Alguien intocable.

—¿El jefe del Estado Mayor?

Negué con la cabeza.

—No, de hecho el subjefe, creo. Ahora mismo el subjefe es un tipo que llegó a través de Infantería. Y podemos dar por supuesto que es alguien bastante inteligente. En ese puesto no suelen poner bobos. Creo que el tipo captó las señales. Vio que el Muro de Berlín se venía abajo y se dio cuenta de que muy pronto todo lo demás se vendría abajo también. El orden establecido desaparecería.

—¿Y?

—Y comenzó a temer alguna reacción de la División de Blindados. Algo espectacular. Como ya dijimos un día, estos tipos pueden perderlo todo. Me parece que el subjefe previó problemas y por tanto nos trasladó aquí y allá para tener a la gente adecuada en los sitios oportunos y poder así atajar la reacción antes de que se iniciara. Y creo que hizo bien en preocuparse. Los de Blindados vieron acercarse el peligro y planearon adelantarse a él. No quieren unidades integradas al mando de oficiales de Infantería. Quieren que las cosas sigan como estaban. Por eso creo que la reunión de Fort Irwin era para iniciar algo inesperado. Algo malo. Por eso les preocupaba tanto que el orden del día se hiciera público.

—Pero los cambios se producen. A la larga no se pueden impedir.

—Nadie acepta nunca este hecho —señalé—. Nadie lo ha hecho y nadie lo hará. Ve a los archivos de la Armada y te garantizo que encontrarás en algún sitio toneladas de papeles de cincuenta años de antigüedad que aseguran que los acorazados jamás podrán ser sustituidos y que los portaaviones son trastos inútiles de chatarra moderna. Y tratados de cientos de páginas en los que ciertos almirantes, entregados a la tarea en cuerpo y alma, juraban y perjuraban que el suyo era el único camino.

Summer no dijo nada.

Yo esbocé una sonrisa.

—Ve a nuestros archivos y probablemente verás que el abuelo de Kramer decía que los tanques jamás podrían reemplazar a la Caballería.

—¿Qué están planeando exactamente?

Me encogí de hombros.

—No vimos el orden del día, pero podemos hacer algunas conjeturas razonables. Desacreditar a oponentes clave, evidentemente. Máximo aprovechamiento de los trapos sucios de los demás. Connivencia casi segura con la industria militar; les sería de ayuda que determinados fabricantes dijeran que los vehículos blindados ligeros nunca llegarán a ser seguros. Podrían recurrir a la opinión pública, decir a la gente que sus hijos e hijas van a ser enviados a la guerra en latas que una cerbatana podría perforar. Intentar asustar al Congreso diciendo que un puente aéreo de aviones C-130 lo bastante grande para marcar la diferencia costaría cientos de miles de millones de dólares.

—Parece el rollo quejica de siempre.

—Tal vez sea algo más. Aún no lo sabemos. El ataque cardíaco de Kramer hizo que fallara todo. De momento.

—¿Crees que volverán a intentarlo?

—¿Tú no lo harías si pudieras perderlo todo?

Summer apartó una mano del volante y la posó en su regazo. Se volvió ligeramente y me miró. Se le movían los párpados.

—Entonces ¿por qué quieres ver al jefe del Estado Mayor? —soltó—. Si estás en lo cierto, es el subjefe el que está de tu lado. Él te envió aquí. Es él quien está protegiéndote.

—Es una partida de ajedrez —dije—. El juego de la cuerda. El bueno y el malo. El bueno me trajo aquí, el malo mandó lejos a Garber. Es más difícil trasladar a Garber que a mí, por tanto el malo tiene más rango que el bueno. Y la única persona que está jerárquicamente por encima del subjefe es el jefe. Siempre se alternan; sabemos que el subjefe es de Infantería, luego sabemos que el jefe es de Blindados. Y sabemos que se juega mucho en esto.

—¿El jefe del Estado Mayor es el malo?

Asentí.

—Entonces ¿por qué quieres verle?

—Porque estamos en el ejército, Summer. Debemos enfrentarnos a nuestros enemigos, no a nuestros amigos.

A medida que nos acercábamos a D.C. fuimos quedándonos cada vez más callados. Yo conocía mis puntos fuertes y mis puntos débiles y era lo bastante joven y atrevido e idiota para no considerarme inferior a nadie. Pero meterse con el jefe del Estado Mayor era otra historia. Ése era un rango sobrehumano. Por encima no había nada. Durante mis años de servicio se habían sucedido tres y no había conocido a ninguno, y por lo que recordaba ni siquiera los había visto. Tampoco había visto al subjefe, ni a ningún secretario adjunto, ni a ninguno de esa casta de zalameros que se movían en esos círculos elevados. Eran una especie aparte. Había algo que los diferenciaba del resto.

Sin embargo, empezaron igual. En teoría, yo podía haber sido uno de ellos. Había estado en West Point, como ellos. No obstante, durante décadas el Point había sido poco más que una escuela politécnica abrillantada con saliva. Para tomar el camino del Estado Mayor, después uno debía conseguir que lo mandaran a otro sitio. A otro sitio mejor. Había que ir a la Universidad George Washington, a Stanford, a Yale, al MIT o a Princeton, o incluso a Oxford o Cambridge, en Inglaterra. Había que conseguir una beca Rhodes. Había que tener un máster o un doctorado en economía, política o relaciones internacionales. Ahí fue donde mi trayectoria profesional tomó otro rumbo, inmediatamente después de West Point. Me miré en el espejo y vi a un tío que era mejor abriendo cabezas que abriendo libros. Otros me miraron y vieron lo mismo. En el ejército, el encasillamiento comienza el primer día. Así que ellos siguieron su camino y yo seguí el mío. Ellos fueron al anillo E del Pentágono y al ala oeste de la Casa Blanca, y yo fui a los callejones oscuros de Seúl y Manila. Si ellos vinieran a mi territorio, se arrastrarían sobre el vientre. Quedaba por ver qué haría yo en el suyo.

—Iré solo —dije.

—No —objetó Summer.

—Sí —insistí—. Puedes llamarlo como quieras. Consejo de amigo u orden directa de un oficial superior. Pero te vas a quedar en el coche. Eso seguro. Si hace falta te esposaré al volante.

—Estamos juntos en esto.

—Pero hemos de ser inteligentes. No es como una visita a Andrea Norton. Más arriesgado imposible. No hay razón alguna para que los dos seamos pasto de las llamas.

—Si estuvieras en mi lugar, ¿te quedarías en el coche?

—Me escondería debajo —repuse.

Summer no replicó. Sólo condujo, más rápido que nunca. Inició el largo cuadrante en el sentido de las agujas del reloj en dirección a Arlington.

En el Pentágono, la seguridad era algo más estricta de lo habitual. Quizás a alguien le preocupaba que los partidarios de Noriega estuvieran efectuando una penetración a tres mil kilómetros de Panamá. No obstante, entramos en el aparcamiento sin ninguna pega. Estaba casi desierto. Summer dio una vuelta larga y lenta y terminó parando cerca de la entrada principal. Apagó el motor y metió el freno de mano, con más fuerza de la necesaria, como intentando dejar claro algo. Miré el reloj. Faltaban cinco minutos para la medianoche.

—¿Vamos a discutir? —dije.

Ella se encogió de hombros.

—Buena suerte —dijo—. Y cántale las cuarenta.

Salí al frío. Cerré la puerta y me quedé inmóvil un instante. La mole del edificio se erguía imponente en la oscuridad. La gente decía que era el complejo de oficinas más grande del mundo, y en ese momento me lo creí. Eché a andar. Una larga rampa conducía a las puertas. A continuación, un vestíbulo vigilado del tamaño de una pista de baloncesto. Mi distintivo de unidad especial me permitió cruzarlo. Después me dirigí al núcleo del complejo. Había cinco pasillos concéntricos pentagonales denominados anillos. Cada uno protegido por un control independiente. Mi distintivo bastaba para atravesar el B, el C y el D. Ni de broma iba a poder entrar en el E. Me detuve en el último control y saludé al guardia con la cabeza. Él hizo lo propio, habituado a que hubiera ahí gente esperando.

Me apoyé contra la pared. Era hormigón pintado, liso, y lo noté frío y resbaladizo. El edificio estaba en silencio. No alcanzaba a oír nada salvo el correr del agua en las cañerías, el débil zumbido del calentador de aire y la acompasada respiración del guardia. Los suelos eran de linóleo abrillantado y reflejaban los fluorescentes del techo en una larga imagen doble que se perdía a lo lejos en un punto evanescente.

Esperé. Veía el reloj en el habitáculo del vigilante. Pasaba más de medianoche. Las doce y cinco. Luego las doce y diez. Empecé a imaginar que habían hecho caso omiso de mi desafío. Esos tíos eran políticos. Acaso estuvieran jugando un juego más sutil de lo que yo pudiera concebir. Quizá tenían más lustre, más sofisticación y más paciencia. Tal vez mi mundo no tenía nada que ver con el suyo.

O quizá la mujer de la voz perfecta había arrojado mi mensaje a la papelera.

Seguí aguardando.

A las doce y cuarto oí tacones lejanos en el linóleo. Zapatos de gala, un pequeño *staccato* que sonaba apremiante y relajado por igual. El paso de un hombre atareado pero no inquieto. Yo no podía verle. El ruido de sus pasos me llegaba rebotado desde un rincón. Iba delante de él por el pasillo desierto, como una señal de aviso.

Escuché, y observé el recodo por donde supuse que aparecería. El ruido seguía acercándose. De repente el hombre apareció por el recodo y se encaminó directamente hacia mí, inalterado el ritmo de los tacones, sin acelerarlo ni reducirlo. Era el jefe del Estado Mayor del ejército. Llevaba un uniforme de gala de noche. Chaqueta azul corta ceñida en la cintura. Pantalones azules con dos franjas doradas. Pajarita. Gemelos y botones dorados. En las mangas y los hombros, lazos y divisas de galones dorados. Iba cubierto de insignias y distintivos de oro y fajines y versiones en miniatura de las medallas. Tenía un espeso cabello gris, medía uno setenta y pico y pesaría unos ochenta kilos. El promedio exacto del ejército moderno.

Llegó a tres metros de mí y yo me cuadré y saludé. Fue un puro acto reflejo. Como un católico que se encuentra con el Papa. Él no devolvió el saludo. Quizás existía un protocolo que prohibía saludar mientras se lucía el uniforme de gala de noche. O cuando uno iba con la cabeza descubierta por el Pentágono. O tal vez el tío era simplemente grosero.

Extendió la mano para estrechar la mía.

—Lamento el retraso —dijo—. Ha hecho bien en esperar. Estaba en la Casa Blanca. Una cena de estado con algunos amigos extranjeros.

Le estreché la mano.

—Vamos a mi despacho —indicó.

Me permitió pasar por delante del guardia del anillo E. Giramos a la izquierda hacia un pasillo y caminamos un trecho. Entramos en un conjunto de estancias y conocí a la mujer de la voz perfecta. Era más o menos como me había figurado, pero sonaba incluso mejor en persona que por teléfono.

—¿Café, comandante? —ofreció.

Tenía una cafetera recién hecha. Supuse que la había encendido exactamente a las 23.53, con lo que el café había dejado de filtrarse exactamente a las 00.00. Conjeturé que las oficinas del jefe del Estado Mayor eran un lugar así. La mujer me tendió una taza en un platillo de porcelana blanca y traslúcida. Temí romperla como si fuera una cáscara de huevo. Ella iba vestida de civil, un vestido oscuro tan austero que resultaba más formal que un uniforme.

—Por aquí —dijo el jefe del Estado Mayor.

Me guió hasta su despacho. Mi taza traqueteaba en el platillo. El despacho era asombrosamente sencillo. Tenía las mismas paredes de hormigón pintado que el resto del edificio. Y la misma clase de mesa metálica que había visto en la oficina del forense de Fort Bird.

—Siéntese —dijo—. Si no le importa, iremos rápido. Es tarde.

No dije nada. Él me miraba.

—He recibido su mensaje —prosiguió—. Recibido y entendido.

Seguí callado. Él trató de romper el hielo.

—Los hombres más importantes de Noriega aún andan por ahí —comentó.

—Disponen de cincuenta mil kilómetros cuadrados —observé—. Mucho espacio para esconderse.

—¿Los pillaremos a todos?

—Sin duda —repuse—. Alguien los delatará.

—Es usted sarcástico.

—Realista —corregí.

—¿Qué tiene que contarme, comandante?

Tomé un sorbo de café. La iluminación era débil. De pronto fui consciente de que estaba en el corazón de uno de los edificios más seguros del mundo, a altas horas, frente al militar más poderoso del país. Y yo estaba a punto de formular una acusación grave. Y sólo otra persona sabía que yo estaba allí, y tal vez ella ya estaba encerrada en alguna celda.

—Hace dos semanas me encontraba en Panamá —dije—. Pero fui trasladado.

—¿A qué lo atribuye?

Aspiré hondo.

—Creo que el subjefe quería que individuos concretos estuvieran en lugares concretos porque temía que hubiese problemas.

—¿Qué clase de problemas?

—Un golpe de Estado interno a cargo de sus viejos colegas de la División de Blindados.

Él hizo una larga pausa.

—¿Esta preocupación era realista? —preguntó.

Asentí.

—Para el día de Año Nuevo había prevista una reunión en Fort Irwin. Creo que el orden del día era indudablemente polémico, seguramente ilegal, quizás un acto de alta traición.

El jefe del Estado Mayor no dijo nada.

—Sin embargo, les salió el tiro por la culata —proseguí—. Porque murió el general Kramer y de este hecho podían derivarse otros contratiempos. Así que usted intervino personalmente quitando al coronel Garber de la 110 y sustituyéndolo por un incompetente.

—¿Por qué iba yo a hacer una cosa así?

—Para que las cosas siguieran su curso natural y la investigación se malograra también.

El jefe guardó silencio. Luego sonrió.

—Buen análisis —dijo—. El hundimiento del comunismo soviético seguramente iba a ocasionar tensiones en nuestro ejército. Y esas tensiones se manifestarían mediante diversas intrigas y planes internos. Estos planes e intrigas debían preverse para cortar de raíz cualquier conflicto potencial. Y, como usted dice, en la cúpula el nerviosismo daría lugar a medidas y maniobras de unos y otros.

No dije nada.

—Es como una partida de ajedrez —añadió—. El subjefe mueve pieza y yo muevo después. Usted mismo lo ha comprobado, supongo, ya estaba buscando a un par de individuos de alto rango, uno de los cuales está jerárquicamente por encima del otro.

Lo miré a los ojos.

—¿Estoy equivocado? —pregunté.

—Sólo en dos detalles —contestó—. Desde luego usted tiene razón al decir que se avecinan grandes cambios. La CIA fue un poco lenta en su pronóstico del inminente desmoronamiento de los rusos, por lo que hemos tenido menos de un año para estudiar a fondo la situación. Pero créame, la hemos analizado detenidamente. Ahora nos hallamos en una situación excepcional. Somos como el boxeador que se prepara durante años para ser campeón del mundo, y que una mañana despierta y se entera de que su rival ha caído fulminado por un síncope. Es una sensación de gran perplejidad. Pero hemos hecho los deberes.

Se inclinó, abrió un cajón y forcejeó con un voluminoso expediente de al menos ocho centímetros de grosor. Lo dejó caer sobre el escritorio con un ruido sordo. En la cubierta tenía una larga palabra escrita en negro con plantilla. La señaló para que yo la leyera: «Transformación.»

—Su primer error es que ha estado mirando desde muy cerca —dijo—. Tiene que alejarse un poco y observar desde nuestra perspectiva. Desde arriba. No sólo van a cambiar las divisiones blindadas. Va a cambiar todo. Obviamente, el futuro está en las unidades integradas de desplazamiento rápido. Pero sería un grave error considerarlas unidades de Infantería con unas cuantas campanillas y silbatos añadidos. Será un concepto totalmente nuevo, algo que nunca ha existido. Quizá también integraremos helicópteros de ataque y daremos el mando a los que andan por el cielo. O puede que participemos en una guerra electrónica y demos el mando a los tipos de los ordenadores.

No hice comentarios.

Él apoyó la mano en el expediente, la palma hacia abajo.

—Lo que quiero decir es que nadie va a salir indemne. Sí, los blindados se llevarán la peor parte, sin duda. Pero también afectará a la Infantería y la Artillería, así como al transporte y el apoyo logístico, a todos por igual. A algunos acaso más. Y seguramente también a la Policía Militar. Va a cambiar todo, comandante. No quedará una sola piedra sin mover.

No dije nada.

—No se trata de un enfrentamiento entre Blindados e Infantería —continuó—. Tiene que comprenderlo. De hecho, es un todos contra todos. Me temo que no habrá vencedores, y por tanto, tampoco vencidos. Usted debería verlo así. Todos estamos en el mismo barco.

Retiró la mano del expediente.

—¿Cuál ha sido mi otro error?

—Yo fui quien le trasladó desde Panamá —contestó—, no el subjefe. Él no sabía nada. Seleccioné veinte hombres personalmente y los mandé a donde creí que me harían falta. Los dispersé por ahí porque, a mi juicio, las probabilidades de que parpadearan primero aquí o allá estaban repartidas por igual. ¿Las unidades ligeras? ¿Las pesadas? Imposible predecirlo. En cuanto sus oficiales al mando se pararon a pensar, comprendieron que podían perderlo todo. Por ejemplo, le envié a usted a Fort Bird porque me preocupaba David Brubaker. Era un personaje con mucha iniciativa.

—Sin embargo, los primeros en parpadear fueron los de Blindados —señalé.

Asintió.

—Al parecer, sí —dijo—. Las posibilidades estaban repartidas equitativamente, y supongo que estoy un poco decepcionado. Eran los míos, pero no voy a defenderlos. Avancé hacia delante y hacia arriba. Los dejé atrás. Me encanta que las cosas sucedan de forma natural.

—Entonces ¿por qué trasladó a Garber?

—Yo no lo hice.

—¿Quién lo hizo, pues?

—¿Quién está jerárquicamente por encima de mí?

—Nadie —respondí.

—Ojalá.

No repliqué.

—¿Cuánto vale un fusil M-16? —inquirió.

—No lo sé. No mucho, supongo.

—Nosotros los pagamos a unos cuatrocientos dólares —precisó—. ¿Cuánto vale un tanque M1A1 Abrams?

—Unos cuatro millones.

—Pues piense en los grandes proveedores militares —dijo—. ¿De qué lado están? ¿De las unidades ligeras o de las pesadas?

Era una pregunta retórica.

—¿Quién está jerárquicamente por encima de mí? —preguntó de nuevo.

—El secretario de Defensa —dije.

Asintió con la cabeza.

—Un hombrecito desagradable. Un político. Los partidos políticos aceptan aportaciones a sus campañas electorales. Y los proveedores pueden prever el futuro igual que los demás.

No dije nada.

—Ha de pensar usted en muchas cosas —dijo, y volvió a meter a duras penas el grueso expediente en el cajón de la mesa. Lo sustituyó por una carpeta más delgada en la que ponía «Argón»—. ¿Sabe lo que es el argón?

—Un gas inerte. Se usa en los extintores. Extiende una capa sobre el fuego e impide que éste prenda.

—Por eso escogimos ese nombre. Operación Argón era el plan de traslado de ustedes a finales de diciembre.

—¿Por qué utilizó la firma de Garber?

—Como sugirió usted en otro contexto, yo quería que las cosas siguieran su curso natural. Unas órdenes de la PM firmadas por el jefe del Estado Mayor habrían levantado suspicacias. Todos habrían decidido portarse bien, o se habrían olido algo y escondido bajo tierra. Eso le habría dificultado a usted el trabajo. Y habría malogrado mi objetivo.

—¿Su objetivo?

—Yo quería prevención, naturalmente. Ésa era la prioridad principal. Pero también tenía curiosidad, comandante. Quería ver quién parpadeaba primero.

Me entregó la carpeta.

—Usted es un investigador de una unidad especial —dijo—. En virtud del estatuto de la 110 goza de poderes extraordinarios. Está autorizado a detener a cualquier militar en cualquier parte, incluso a mí, aquí en mi despacho, si así lo decide. De modo que lea el expediente Argón. Comprobará que ahí se demuestra mi inocencia. Si al final coincide conmigo, investigue en otra parte.

Se levantó de la mesa. Nos estrechamos la mano otra vez. Luego él salió de la estancia, dejándome solo en su despacho, en el corazón del Pentágono, en plena noche.

Al cabo de media hora estaba de regreso en el coche, con Summer, que había apagado el motor para ahorrar gasolina. Parecía una nevera.

—¿Qué tal? —preguntó.

—Un error crucial —dije—. El juego de la cuerda no era entre el subjefe y el jefe, sino entre el jefe y el secretario de Defensa.

—¿Estás seguro?

Asentí.

—He visto el expediente. Incluye memorandos y órdenes que se remontan a nueve meses. Papeles diferentes, máquinas de escribir diferentes, bolígrafos diferentes, imposible falsificar todo eso en cuatro horas. Ha sido iniciativa del jefe del Estado Mayor desde el principio, y siempre ha sido legal.

—Entonces ¿cómo se lo ha tomado?

—Bastante bien —contesté—, dadas las circunstancias. Pero no creo que tenga ganas de ayudarme.

—¿En qué?

—En el lío en que estoy metido.

—¿Cuál es ese lío?

—Espera y verás.

Summer se quedó mirándome.

—¿Ahora adónde? —preguntó.

—A California.

22

Para cuando llegamos al National, el motor del Chevy echaba humo. Lo dejamos en el aparcamiento de estancia larga y fuimos a pie hasta la terminal. Había aproximadamente kilómetro y medio. No pasaban autobuses lanzadera. Estábamos en plena noche y el lugar se hallaba prácticamente desierto. Ya en la terminal, tuvimos que apremiar a un empleado de una oficina interior. Le di el último de los bonos robados y él nos hizo una reserva en el primer vuelo de la mañana a Los Ángeles. Teníamos una larga espera por delante.

—¿Cuál es la misión? —inquirió Summer.

—Tres detenciones. Vassell, Coomer y Marshall.

—¿Acusación?

—Homicidio en serie —dije—. La señora Kramer, Carbone y Brubaker.

Me miró fijamente.

—¿Puedes demostrarlo?

Negué con la cabeza.

—Sé lo que sucedió exactamente. Sé cuándo, cómo, dónde y por qué. Sin embargo, no puedo demostrar nada, maldita sea. Tendremos que confiar en las confesiones.

—No lo conseguiremos.

—Lo he conseguido en otras ocasiones —señalé—. Hay métodos eficaces.

Summer parpadeó.

—Esto es el ejército, Summer —dije—. No una reunión social para hacer ganchillo.

—Díselo a Carbone y Brubaker.

—Necesito comer algo —dije—. Tengo hambre.

—No tenemos dinero —observó Summer.

En cualquier caso, la mayoría de los locales estaban cerrados. Quizá nos darían de comer en el avión. Acarreamos las bolsas hasta una sala de espera junto a un ventanal de seis metros a través del cual sólo se veía negra noche. Los asientos eran largos bancos de vinilo con apoyabrazos fijos cada sesenta centímetros para impedir que la gente se tumbara a dormir.

—Cuéntame —dijo ella.

—Aún hay varias posibilidades remotas y disparatadas.

—Prueba a ver.

—Muy bien, comencemos por la señora Kramer. ¿Por qué fue Marshall a Green Valley?

—Porque, por lógica, era el primer lugar donde podía buscar el maletín.

—Pero no lo era —dije—. Era casi el último. Kramer apenas había parado por allí en cinco años. Sus colegas del Estado Mayor debían de saberlo. Habían viajado con él muchas veces. No obstante, tomaron la decisión al punto y Marshall fue directamente hacia allí. ¿Por qué?

—Porque Kramer les dijo que allí era donde iba.

—Exacto —confirmé—. Les dijo que estaría con su esposa para ocultar que se vería con Carbone. De todos modos, ¿por qué tenía que decirles nada?

—No lo sé.

—Porque hay cierta clase de personas a las que hay que decirles algo.

—¿Quiénes son? —preguntó.

—Supongamos que tenemos a un tipo rico que viaja con su amante. Si va a pasar una noche fuera, tiene que decirle algo. Y si le dice que se pasará por casa de su esposa para guardar las apariencias, la amante ha de aguantarse. Porque es algo con lo que se cuenta alguna que otra vez. Forma parte del trato.

—Kramer no tenía ninguna amante. Era gay.

—Tenía a Marshall.

—¡No! —exclamó—. Imposible.

—Kramer estaba engañando a Marshall, que era su principal amante —confirmé—. Estaban enrollados. Marshall no era oficial del servicio de información, pero Kramer lo designó como tal para tenerlo cerca. Eran pareja, pero Kramer no se cortaba. Conoció a Carbone en algún sitio y también empezó a verse con él. Así, en Nochevieja, Kramer le dijo a Marshall que iba a ver a su mujer y éste le creyó. Como haría la amante del tipo rico. Por eso Marshall fue a Green Valley. Estaba seguro de que Kramer había ido allí. Fue él quien dijo a Vassell y Coomer dónde estaba Kramer, pero éste le estaba engañando. Como suele ocurrir en las relaciones de pareja.

Summer se quedó callada, con la mirada fija en la noche.

—¿Esto afecta a lo que ha pasado aquí? —preguntó.

—Creo que un poco sí. Me parece que la señora Kramer habló con Marshall. Ella seguramente lo reconoció de la época que había pasado en Alemania. Probablemente lo sabía todo sobre él y su esposo. Las esposas de los generales suelen ser bastante listas. Quizá sabía incluso que había otro hombre en escena. Tal vez estaba cabreada y se burló de Marshall sobre el particular. Algo como: «Tú tampoco puedes tener a tu hombre, ¿eh?» Quizá Marshall se volvió loco y la atizó hasta matarla. A lo mejor por eso no se lo dijo enseguida a Vassell y Coomer, porque el daño colateral no tenía que ver sólo con el robo, sino también con una discusión. Por eso dije que a la señora Kramer no la mataron sólo por el maletín. Creo que ella murió en parte porque se mofó de un tipo celoso que perdió los estribos.

—Es sólo una conjetura.

—La señora Kramer está muerta. Eso es un hecho.

—Pero lo demás no.

—Marshall tiene treinta y un años y no ha estado casado.

—Eso no demuestra nada.

—Lo sé —dije—. Y no hay pruebas en ninguna parte. Ahora mismo una prueba es un bien escaso.

Summer reflexionó.

—Entonces ¿cómo ocurrió?

—Vassell y Coomer se pusieron a buscar el maletín en serio. Nos llevaban ventaja porque sabían que estaban buscando a un hombre, no a una mujer. Marshall regresó en avión a Alemania el día dos y registró el despacho y la residencia de Kramer. Y encontró algo que lo llevó hasta Carbone. Un diario, o acaso una carta o una foto. O un nombre y un número en una agenda. Lo que fuera. Tomó otro avión el día tres y elaboraron un plan. Llamaron a Carbone y le hicieron chantaje. Le propusieron un canje para la noche siguiente. El maletín por la carta, la foto o lo que fuera. Carbone aceptó porque no quería publicidad y en todo caso ya había llamado a Brubaker para darle los detalles del orden del día. No tenía nada que perder y sí mucho que ganar. Tal vez aquello ya le había pasado antes. Quizá más de una vez. El pobre había sido gay en el ejército durante dieciséis años. Pero esta vez no le funcionó. Porque Marshall lo mató durante el intercambio.

—¿Marshall? Pero si ni siquiera estaba aquí.

—Sí estaba —puntualicé—. Tú misma lo dijiste cuando abandonábamos la base para ir a ver al detective Clark por lo de la barra de hierro, ¿recuerdas? Cuando Willard estaba persiguiéndome por teléfono. Sugeriste algo.

—¿El qué?

—Que Marshall estaba en el maletero del coche, Summer. Coomer conducía, Vassell iba en el asiento del acompañante y Marshall en el maletero. Así cruzaron la verja de la entrada. Después aparcaron en el extremo más alejado del aparcamiento del club de oficiales. De cola, dando marcha atrás, para poder dejar abierto el maletero.

Marshall mantuvo la tapa baja, pero aún así tenían que ser precavidos. Acto seguido, Vassell y Coomer fueron al comedor para procurarse sus coartadas a toda prueba. Mientras, Marshall espera en el maletero casi dos horas, aguantando la tapa, hasta que todo está tranquilo. Después sale y se marcha con el vehículo. Por eso la primera patrulla nocturna recuerda el coche y la segunda no. El coche estaba y luego ya no estaba. De modo que Marshall recoge a Carbone en algún punto fijado previamente y van juntos hasta el bosque. Carbone lleva el maletín. Marshall le entrega un sobre o lo que sea. Carbone se vuelve para verificar que contiene lo que le han prometido. Esto lo haría incluso alguien tan precavido como un delta. Toda su carrera estaba en peligro. Entonces Marshall lo golpea con la barra por detrás. No lo hace sólo por el maletín, el que en todo caso recogerá (el intercambio funciona y Carbone no podrá hablar), sino también porque está furioso con él. Está celoso del tiempo que Carbone ha pasado con Kramer. Lo mata en parte por eso. Luego recupera el sobre y agarra el maletín. Los arroja al maletero. Ya sabemos el resto. Marshall ha sabido desde el principio lo que iba a hacer y ha ido preparado para dejar pistas falsas. Luego regresa a los edificios de la base y tira la barra por el camino. Aparca el vehículo en el mismo sitio de antes y vuelve al maletero. Vassell y Coomer salen del club de oficiales, suben al coche y se van.

—¿Y después qué?

—Conducen y conducen. Están agitados y tensos. Pero para entonces ya saben qué ha pasado con la señora Kramer. O sea, están también nerviosos y preocupados. No encuentran ningún lugar donde dejar salir del maletero a un hombre cuyas ropas quizás estén manchadas de sangre. El primer sitio seguro que ven es una área de descanso a una hora en dirección norte. Aparcan lejos de los demás coches y dejan salir a Marshall, que les entrega el maletín. Reanudan el viaje. Dedican un minuto a registrar el maletín y a continuación, un par de kilómetros más adelante, lo tiran por la ventanilla.

Summer estaba quieta, pensando. Sus párpados inferiores se elevaban poco a poco.

—Es sólo una teoría —dijo.

—¿Puedes explicar de alguna otra forma lo que sabemos?

Reflexionó un momento. Luego meneó la cabeza.

—¿Y qué hay de Brubaker? —soltó.

La megafonía nos comunicó que se iba a efectuar nuestro embarque. Cogimos las bolsas y nos pusimos en la fila arrastrando los pies. Fuera aún estaba completamente oscuro. Conté los pasajeros. Esperaba que hubiera asientos libres y que, por tanto, sobraran desayunos. Estaba hambriento. Pero el asunto no pintaba bien, el avión iba bastante lleno. Supuse que en enero Los Ángeles atrae a los que viven en Washington. Supuse que la gente no necesita muchas excusas para organizar allí reuniones y demás.

—¿Y qué hay de Brubaker? —insistió Summer.

Recorrimos el pasillo hasta nuestros asientos. Teníamos uno de ventanilla y otro intermedio. En el pasillo iba una monja de cierta edad. Ojalá fuese sorda. No quería escuchas indiscretas. Se levantó para dejarnos pasar. Hice que Summer se sentara junto a ella y yo me coloqué junto a la ventanilla. Me abroché el cinturón y me quedé observando por la ventanilla. Tipos ajetreados haciendo cosas junto al avión. Luego retrocedimos y empezamos a rodar por la pista. No había cola para despegar. En menos de dos minutos estuvimos en el aire.

—Sobre Brubaker no estoy seguro —dije por fin—. ¿Cómo apareció en escena? ¿Lo llamaron o llamó él? Brubaker supo lo del orden del día al cabo de media hora de iniciarse el nuevo año. Un individuo con iniciativa como él quizás intentó hacer un poco de presión por su cuenta. O tal vez Vassell y Coomer aplicaron la ley de

Murphy. Podían figurarse que un suboficial como Carbone llamaría a su jefe. Así que no estoy seguro de quién llamó a quién primero. Quizá lo hicieron todos al mismo tiempo. Tal vez hubo amenazas recíprocas y a lo mejor Vassell y Coomer propusieron trabajar juntos para encontrar una solución beneficiosa para todos.

—¿Pudo ocurrir así?

—Quién sabe —dije—. Esas unidades integradas van a ser algo extrañas. Sin duda Brubaker iba a gozar de muchas simpatías, pues ya estaba inmerso en una guerra extraña. De modo que quizá Vassell y Coomer lo engatusaron haciéndole creer que estaban buscando una alianza estratégica. Sea como fuere, fijaron una cita a última hora del día cuatro. Seguramente Brubaker especificó el sitio. Seguramente había pasado por delante un montón de veces, yendo y viniendo de Fort Bird a su club de golf. Y probablemente se sintió seguro. Si hubiera recelado no habría dejado que Marshall se sentara atrás.

—¿Cómo sabes que Marshall iba atrás?

—Cuestión de protocolo. Brubaker es un coronel que habla con un general y otro coronel. Acomodaría a Vassell en el asiento del acompañante y a Coomer en el asiento trasero justo detrás para así poder volverse y ver a ambos. Marshall podía quedarse fuera del campo visual y del campo mental. Sólo era comandante. ¿Quién le necesitaba?

—¿Pretendían matarle o sucedió sin más?

—Era su intención, sin duda. Habían elaborado un plan. Un lugar remoto donde arrojar el cadáver, heroína que Marshall había conseguido en su viaje de un día a Alemania, un arma cargada. Así que, después de todo, nosotros teníamos razón aunque sólo fuera por casualidad. Los mismos que mataron a Carbone salieron por la puerta principal y mataron a Brubaker sin apenas tocar el freno.

—Pistas falsas por partida doble —señaló Summer—. Lo de la heroína y deshacerse de Brubaker en el sur y no en el norte.

—Pero actuaron como aficionados —observé—. Los médicos de Columbia advertirían inmediatamente la lividez y las quemaduras del silenciador. Vassell y Coomer tuvieron la suerte de los tontos. Si los forenses nos lo hubieran comunicado enseguida, otro gallo habría cantado. Además, dejaron el coche de Brubaker en el norte. Un fallo garrafal.

—Estarían cansados, agitados y tensos después de conducir tanto. Llegaron del cementerio de Arlington, fueron a Smithfield, luego a Columbia y después regresaron al aeropuerto Dulles. Unas dieciocho horas seguidas. No me sorprende que cometieran algún que otro error. Pero si tú no hubieras ignorado a Willard se habrían salido con la suya.

Asentí.

—No obstante, es una acusación endeble —reiteró Summer—. De hecho, asombrosamente endeble. No tenemos siquiera circunstancias, ni indicios sólidos. Todo es pura especulación.

—Dímelo a mí. Por eso necesitamos confesiones.

—Has de pensártelo muy bien. Con un caso tan frágil como éste, podrías ser tú quien acabase en la cárcel. Por hostigamiento.

Percibí actividad a mi espalda y apareció la azafata con los desayunos. Dio uno a la monja, otro a Summer y otro a mí. Era una comida lamentable. Un zumo frío y un bocadillo caliente de jamón y queso. Después café, pensé esperanzado. Me lo terminé todo en treinta segundos. Summer tardó unos treinta y uno. Sin embargo, la monja no tocó la bandeja. La dejó tal cual delante de ella. Di un ligero codazo a Summer.

—Pregúntale si se lo va a comer —dije.

—No puedo.

—Tiene la obligación de ser caritativa —puntualicé—. Ser monja consiste en eso.

—No puedo —repitió Summer.

—Sí puedes.
Exhaló un suspiro.
—Muy bien, aguarda un minuto.
Pero perdió su oportunidad. Esperó demasiado. La monja rompió el envoltorio y empezó a zamparse el bocadillo.
—Maldición —solté.
—Lo lamento —dijo Summer.
La miré fijamente.
—¿Qué has dicho?
—Que lo lamento.
—No, antes. Lo último que has dicho.
—Que no podía preguntárselo.
Meneé la cabeza.
—No, antes de que llegara el desayuno.
—Que era un caso muy endeble.
—Antes.
Vi que rebobinaba la cinta mentalmente.
—He dicho que si tú no hubieras ignorado a Willard, Vassell y Coomer se hubieran salido con la suya.
Asentí. Pensé en ello durante un minuto. Luego cerré los ojos.

Volví a abrirlos en Los Ángeles. Me despertó el ruido sordo y el chirrido de los neumáticos en la pista. Acto seguido, la propulsión hacia atrás aulló y los frenos me lanzaron bruscamente contra el cinturón. Fuera se veían las primeras luces del día. El amanecer parecía beige, como a menudo ocurre allí. Por los altavoces, una voz dijo que en California eran las siete de la mañana. Habíamos estado dirigiéndonos hacia el oeste durante dos días enteros y cada período de veinticuatro horas equivalía por término medio a uno de veintiocho. Yo había dormido un rato y no estaba cansado, pero aún tenía hambre.
Abandonamos lentamente el avión y fuimos a reco-

ger el equipaje. Ahí los chóferes se encontraban con la gente. Miré alrededor. Calvin Franz no había enviado a nadie. Había venido él mismo. Eso me alegró. Franz era una imagen grata. Sentí como si fuéramos a estar en buenas manos.

—Tengo noticias para ti —dijo.

Le presenté a Summer. Él le estrechó la mano y le cogió la bolsa. Supuse que como gesto de cortesía y como manera de darnos prisa. Su Humvee estaba estacionado en zona prohibida. No obstante, la policía estaba bastante lejos. Los Humvee verdinegros de camuflaje suelen producir este efecto. Subimos. Dejé que Summer se sentara delante, en parte por ser amable y en parte porque quería estirarme en la parte de atrás. Estaba agarrotado del viaje.

—Encontraron el Grand Marquis —dijo Franz.

Aceleró el enorme turbo-diesel y se alejó del bordillo. Fort Irwin estaba al norte de Barstow, que se halla a unos cincuenta kilómetros del área de la ciudad. Calculé que tardaría una hora en llevarnos a través del tráfico matutino. Summer le observaba conducir. Evaluación profesional. Ella seguramente habría tardado treinta y cinco minutos.

—En Andrews —añadió Franz—. Abandonado el día cinco.

—Cuando hicieron volver a Marshall a Alemania —dije.

Franz asintió sin desviar la vista.

—Eso pone su registro de entrada. Aparcado por Marshall con una referencia al Cuerpo de Transporte en la etiqueta. Lo remolcamos hasta el FBI para ganar tiempo. Nos debían algunos favores. El Bureau trabajó toda la noche. Al principio de mala gana, pero luego con interés. El caso parece relacionado con algo que están investigando.

—Brubaker —dije.

Asintió de nuevo.

—En la alfombrilla del maletero había restos de Brubaker. Concretamente, sangre y masa cerebral. Habían frotado con toallitas de papel, pero no lo suficiente.

—¿Algo más? —pregunté.

—Muchas cosas. Había sangre de un origen distinto, rastros de una mancha traspasada, quizá de la manga de una chaqueta o de la hoja de un cuchillo.

—De Carbone —dije—. De cuando Marshall iba en el maletero. ¿Encontraron algún cuchillo?

—No. Pero las huellas de Marshall están por todo el maletero.

—No me extraña —comenté—. Se pasó allí varias horas.

—Bajo la alfombrilla había una sola placa de identificación —agregó Franz—. Como si se hubiera roto la cadena y se hubiera caído una.

—¿De Carbone? —dije.

—Claro.

—Aficionados —comenté—. ¿Algo más?

—Cosas normales. Era un coche descuidado. Muchos pelos y fibras, envoltorios de comida rápida, latas de refresco, todo eso.

—¿Y envases de yogur?

—Uno —contestó Franz—. En el maletero.

—¿Fresa o frambuesa?

—Fresa. Las huellas de Marshall están en la lengüeta. Al parecer se tomó un tentempié.

—Lo abrió —expliqué—, pero no se lo comió.

—Había también un sobre vacío —prosiguió Franz—. Dirigido a Kramer, del XII Cuerpo, en Alemania. Correo aéreo, con el matasellos de hace un año. Sin remitente. Como los que contienen fotos; pero en éste no había nada.

Guardé silencio. Franz me estaba mirando por el retrovisor.

—¿Alguna de estas noticias es buena? —preguntó.

Sonreí.

—Acabamos de pasar de la fase especulativa a la circunstancial.

—Un gran salto para el género humano —señaló él.

Luego dejé de sonreír y aparté la vista. Me puse a pensar en Carbone, en Brubaker, en la señora Kramer. Y en mi madre. A principios de 1990 se estaba muriendo gente en todo el mundo.

Al final tardamos más de una hora en llegar a Fort Irwin. Sería cierto lo que se decía sobre las autopistas de Los Ángeles. La base tenía el mismo aspecto de siempre, ajetreada como de costumbre. Ocupaba una enorme extensión del desierto de Mojave. Según una dinámica alterna, siempre había allí algún regimiento de Caballería blindada que actuaba como el equipo de casa cuando llegaban otras unidades a hacer maniobras. Había un verdadero ambiente de pretemporada de equipo de baloncesto. Siempre hacía buen tiempo y la gente se lo pasaba bien jugando al sol con sus caros y enormes juguetes.

—¿Quieres ocuparte del asunto enseguida? —preguntó Franz.

—¿Los estás vigilando?

Asintió.

—Discretamente.

—Pues entonces desayunemos primero.

Un club de oficiales del ejército norteamericano es el destino ideal para gente que llega hambrienta tras desayunar en un avión. El aparador tenía un kilómetro de largo. El mismo menú que en Alemania, si bien el zumo de naranja y las fuentes de fruta parecían más auténticas. Comí tanto como un regimiento de fusileros, y Summer más. Franz ya había desayunado. Me abastecí de todo el café que pude y luego eché la silla hacia atrás, ahíto.

—Muy bien —dije—. Vamos allá.

Fuimos al despacho de Franz y él hizo una llamada a sus hombres. Marshall había ido al campo de tiro, pero Vassell y Coomer estaban en una sala del Cuartel de Oficiales de Visita. Franz nos llevó allí en su Humvee. Brillaba el sol y el aire era cálido y polvoriento. Podían olerse las espinosas y pequeñas plantas del desierto, que crecían hasta donde alcanzaba la vista.

El Cuartel de Oficiales de Visita de Fort Irwin había corrido a cargo del mismo constructor de moteles que había conseguido el contrato del XII Cuerpo en Alemania. Hileras de habitaciones idénticas en torno a un patio de arena. En un lado, unas instalaciones comunes. Televisión, mesas de pimpón, salones. Franz nos indicó una puerta y nos encontramos con Vassell y Coomer, sentados juntitos en un par de sillones de cuero. Reparé en que sólo les había visto una vez, en mi despacho de Fort Bird. Esto parecía no guardar proporción con lo mucho que había pensado en ellos.

Ambos lucían uniformes de campaña nuevos y recién planchados, con el modificado camuflaje del desierto, el diseño conocido como «pastilla de chocolate». Parecían tan falsos como cuando llevaban el verde de zona boscosa. Aún parecían miembros del Rotary Club. Vassell seguía calvo y Coomer todavía llevaba gafas.

Los dos levantaron la vista hacia mí.

Tomé aire.

Oficiales de alto rango.

Hostigamiento.

«Podrías ser tú quien acabase en la cárcel.»

—General Vassell —dije—, coronel Coomer. Les detengo bajo la acusación de violar el Código de Justicia Militar al conspirar con otros para cometer homicidio. —Contuve el aliento.

Sin embargo, ninguno de los dos reaccionó. Ninguno habló. Se dieron por vencidos sin más. Parecían simplemente resignados. Como si por fin hubiera sucedido lo inevitable. Como si desde el principio hubieran estado esperando este momento. Como si todo el tiempo hubieran sabido que ocurriría. Solté el aire. En la reacción de una persona ante una mala noticia se supone que hay diversas fases. Congoja, furia, negación. Pero aquellos tipos ya habían pasado por todas. Estaba claro. Se encontraban en el final del proceso, estrellados contra la cruda realidad.

Indiqué a Summer que procediera con las formalidades. El Código de Justicia Militar prescribía una serie de cosas que había que decir en voz alta. Montones de consejos y advertencias. Summer lo hizo mejor de lo que yo lo habría hecho. Voz clara y estilo profesional. Ni Vassell ni Coomer contestaron. Nada de bravatas, ni súplicas ni enfáticas alegaciones de inocencia. Se limitaron a asentir cuando tocaba hacerlo. Finalmente, se levantaron de los sillones sin necesidad de pedírselo.

—¿Esposas? —me preguntó Summer.

Asentí con la cabeza.

—Desde luego —confirmé—. Y llevémoslos al calabozo andando. Que los vean todos. Son una vergüenza para el ejército.

Un soldado me dio las indicaciones oportunas para ir a prender a Marshall. Al parecer estaba instalado en una caseta de observación cerca de una diana en desuso. Me describió la diana como un tanque Sheridan obsoleto. Supuse que estaría bastante hecho polvo, y que la caseta se hallaría en mejor estado. El soldado me advirtió que no me saliera de las rutas establecidas para evitar material sin detonar y tortugas del desierto. Si atropellaba proyectiles sin explotar, moriría; si atropellaba alguna tortuga, el Departamento de Medio Ambiente me soltaría una reprimenda.

Exactamente a las 9.30 me puse al volante del Humvee

de Franz y abandoné el cuartel solo. No quise esperar a Summer. Ella estaba ocupada con Vassell y Coomer. Me parecía estar al final de un largo viaje, y quería acabar de una vez. Cogí prestada una pistola, pero no fue una decisión acertada.

23

Fort Irwin abarcaba tanta extensión del Mojave que podía ser un convincente doble de los inmensos desiertos de Oriente Medio o, si no tenemos en cuenta el calor y la arena, de las interminables estepas del este de Europa. Lo cual significaba que, antes de haber recorrido una décima parte del trayecto hasta el Sheridan, me hallaba ya hacía rato fuera del campo visual de los principales edificios de la base. A mi alrededor sólo había terreno vacío. El Humvee era algo insignificante. Estábamos en enero, por lo que no había reflejo trémulo debido al calor, pero aun así la temperatura era bastante alta. Apliqué lo que en el manual extraoficial del Humvee se conocía como aire acondicionado 2-60, esto es, abrir las dos ventanillas y conducir a sesenta por hora. Así se conseguía una ventilación aceptable. En general, debido a su volumen, ir a sesenta en un Humvee parece bastante, pero en aquella inmensidad parecía parado.

Al cabo de una hora iba aún a sesenta y aún no había encontrado la caseta. El campo de tiro era interminable. Aquélla era una de las grandes zonas militares del mundo. Eso seguro. Quizá los soviéticos tenían algún sitio más grande, pero me extrañaría. Willard seguramente lo sabía. Sonreí para mis adentros y seguí conduciendo. Superé una loma y ante mí apareció una llanura vacía. Un punto en el horizonte acaso fuera la caseta. Una nube de polvo a unos ocho kilómetros al oeste, tal vez tanques en movimiento.

Seguí por el camino. A sesenta. Detrás de mí se levantaba una cola de polvo. El aire que entraba por las ventanillas era caliente. El llano tendría unos cinco kilómetros de ancho. El punto del horizonte se convirtió en una mota y a medida que me acercaba fue haciéndose más grande. Al cabo de un kilómetro y medio distinguí dos formas diferentes. El viejo tanque a la izquierda, la caseta de observación a la derecha, y el propio Humvee de Marshall en medio, aparcado a la sombra de la construcción, que era un simple cuadrado de bloques con logos y estrechos orificios horizontales por ventanas. El tanque era un viejo M551, un trozo de aluminio blindado, ligero, que había iniciado su andadura como vehículo de reconocimiento. Pesaba aproximadamente cuatro veces menos que un Abrams y era exactamente una de esas cosas de las que, según gente como el teniente coronel Simon, dependía el futuro. Había prestado servicio en algunas divisiones aerotransportadas. No era una mala máquina. Sin embargo, ese ejemplar estaba demasiado deteriorado. Llevaba protecciones inferiores de contrachapado para simular una especie de blindado soviético de una generación anterior.

Seguí por la pista y me deslicé con el motor al ralentí hasta detenerme a unos cincuenta metros de la caseta. Abrí la puerta y salí al calor. Supuse que la temperatura era inferior a veinticinco grados, pero después de haber estado en Carolina del Norte, Francfort y París, me sentí como en Arabia Saudí.

Vi a Marshall observándome por un orificio.

Yo sólo le había visto una vez y no cara a cara. El día de Año Nuevo, en el Grand Marquis, frente al cuartel de Fort Bird, en la oscuridad, tras un cristal teñido de verde. Entonces lo había clasificado como tipo alto, lo que luego corroboró su expediente. Ahora parecía igual. Alto, robusto, piel cetrina. Pelo negro grueso y abundante, muy corto. Llevaba uniforme de camuflaje para el desierto y estaba algo encorvado para mirar por el orificio.

Me quedé de pie junto al Humvee. Él me observaba en silencio.

—¡Marshall! —grité.

Nada.

—¿Está usted solo? —pregunté.

Nada.

—¡Policía Militar! —grité más fuerte—. Que todo el personal salga inmediatamente de esa estructura.

Nada. Marshall seguía observándome. Supuse que estaba solo. Si hubiera habido alguien más habría salido. Nadie más tenía por qué temer nada de mí.

—¡Marshall! —grité de nuevo.

De pronto desapareció. Retrocedió y se confundió con las sombras del interior. Empuñé la pistola prestada, una Beretta M9 nueva. En mi cabeza sonaba un viejo mantra de la instrucción: «Jamás confíes en un arma que no has probado personalmente.» La amartillé. Un fuerte chasquido en la quietud del desierto. Advertí la nube de polvo al oeste, quizás un poco más grande y algo más cerca que antes. Quité el seguro a la Beretta.

—¡Marshall! —chillé.

Oí muy débilmente una voz baja y a continuación una chirriante ráfaga de interferencias de radio. En el techo de la caseta no había ninguna antena. Marshall tenía una radio portátil de campaña.

«¿A quién pretendes llamar, Marshall? —le dije mentalmente—. ¿A la Caballería?» Y luego pensé: «La Caballería. Un regimiento de Caballería blindada.» Me volví hacia la nube de polvo y comprendí cómo estaban las cosas. Me hallaba solo en el quinto pino con un asesino probado. Él se encontraba en una caseta y yo al descubierto. Mi compañera era una mujer de cuarenta y cinco kilos que en ese momento estaba a unos ochenta kilómetros. Y los camaradas de él avanzaban en tanques de setenta toneladas justo por debajo del horizonte visible.

Me aparté del camino y rodeé la caseta hacia el este.

Volví a ver a Marshall. Él se había desplazado de un orificio a otro y me observaba. Sólo eso.

—Salga, comandante —grité.

Hubo un largo silencio. Luego él gritó a su vez:

—No pienso hacerlo.

—Salga, comandante. Ya sabe por qué estoy aquí.

Se escondió en la oscuridad.

—Desde este momento se está resistiendo a ser detenido —le advertí.

No hubo respuesta. Ningún sonido. Seguí andando. Circundé la caseta. En la pared norte no había orificios, sólo una puerta de hierro. Cerrada. Supuse que no tenía cerradura. ¿Quién querría entrar allí para robar qué? Podía ir y abrir. ¿Iba él armado? Pensé que en condiciones normales iría desarmado. ¿Qué clase de enemigo mortal podía esperar encontrarse en ese lugar un observador de artillería? Pero también pensé que, en su situación, un tipo listo como Marshall tomaría todas las precauciones.

Me quedé a unos diez metros de la puerta. Una buena posición. Quizá mejor eso que entrar directamente y arriesgarme a alguna sorpresa. Podía esperar allí todo el día. No había problema. Estábamos en enero. El sol del mediodía no iba a chamuscarme. Podía aguardar hasta que Marshall se diera por vencido o muriese de inanición. Yo había comido hacía menos rato que él. Y si decidía salir disparando, yo podía disparar primero. En eso tampoco había problema.

El problema residía en los orificios de las otras paredes. No eran tan estrechos como para que un hombre no pudiese escurrirse por ellos. Incluso un hombre grande como Marshall. Podía salir por la pared oeste y llegar a su Humvee. O salir por la pared sur y llegar al mío. Los vehículos militares no tienen llave de contacto, sino grandes botones de encendido precisamente para que los tíos puedan lanzarse dentro y salir pitando del fregado. Y yo no podía ver al mismo tiempo la pared sur y la pared oeste. Al menos no desde esa posición que me permitía estar a cubierto.

¿Necesitaba estar a cubierto?

¿Iba él armado?

Se me ocurrió algo para averiguarlo.

«Jamás confíes en un arma que no has probado personalmente.»

Apunté al centro de la puerta de hierro y disparé. La Beretta funcionó muy bien. La bala dejó un pequeño hoyo brillante en la puerta, a diez metros. Esperé a que el eco se desvaneciera.

—¡Marshall! —chillé—. Se está resistiendo a la detención. Así que empezaré a disparar por los orificios. Le matarán las balas o le dejarán herido los rebotes. Si en algún momento quiere que pare, simplemente salga con las manos sobre la cabeza.

Oí otra vez un frenesí de parásitos de radio.

Me desplacé hacia el oeste. Rápido y en silencio. Si él estaba armado dispararía, pero seguro que fallaba. Si puedo elegir quién me ha de disparar, siempre preferiré un estratega de despacho. Sin embargo, Marshall no se había mostrado del todo inepto con Carbone y Brubaker. Así que amplié mi radio de acción para tener la posibilidad de parapetarme tras su Humvee. O tras el tanque Sheridan.

A mitad de camino me detuve y disparé. No era aceptable hacer una promesa y luego no cumplirla. Pero apunté al grosor del orificio para que, si la bala le alcanzaba, tuviera que tocar primero dos paredes y el techo. Se perdería la mayor parte del impulso y no le lastimaría demasiado. La 9 mm Parabellum era una buena bala, pero no tenía propiedades mágicas.

Me situé detrás de su Humvee. Apoyé el arma en el metal caliente. La pintura de camuflaje era áspera, con arena adherida. Apunté a la caseta. Yo estaba ahora en una pequeña hondonada, y la diana quedaba por encima de mí. Disparé, esta vez al otro lado del grosor del orificio.

—¿Marshall? —dije—. Si quiere suicidarse a manos de un PM, me parece bien.

No hubo respuesta. Había utilizado tres balas. Me quedaban doce. Un tipo listo se limitaría a tumbarse en el suelo y dejaría que yo siguiera disparando. Como me hallaba en una hondonada, todas mis trayectorias irían hacia arriba con respecto a él. Podía intentar que las balas dieran primero en el techo y la pared más alejada, pero los rebotes no funcionaban necesariamente como en el billar. No eran predecibles ni fiables.

Advertí movimiento en el orificio.

Marshall iba armado.

Y no con una pistola. Vi asomar hacia mí un ancho cañón de escopeta. Negro. Su tamaño recordaba a un canalón de agua de lluvia. Parecía una Ithaca Mag-10, una pieza muy buena. Si alguien quería una escopeta, no había nada mejor que la Mag-10. La apodaban «bloqueador de carreteras» porque era eficaz contra vehículos de chapa delgada. Me agaché detrás del motor del Humvee.

Luego oí la radio de nuevo. Era una transmisión débil y llena de interferencias, y no logré captar ninguna palabra, pero el ritmo y la inflexión de la ráfaga de parásitos sonaban como una pregunta de cinco sílabas. Quizá «¿puede repetir?». Como cuando uno acaba de dar una orden poco clara.

Oí una nueva transmisión. «¿Puede repetir?» Luego oí la voz de Marshall, apenas distinguible. Cinco sílabas. Al principio alguna consonante suave. Tal vez «afirmativo».

¿Con quién estaba hablando y qué órdenes estaba dando?

—Entréguese, Marshall —grité—. ¿Hasta dónde quiere que le llegue la mierda?

Era lo que un negociador de la policía habría llamado una pregunta de presión. Cabía suponer que tuviera un efecto psicológico negativo en el secuestrador. De todos modos, desde un punto de vista legal no tenía sentido. Si me mataba, Marshall pasaría en Leavenworth cuatrocientos años. Si no, trescientos. En la práctica no había diferencia. Un hombre sensato no me haría caso.

No me lo hizo. Era un hombre sensato. En su lugar disparó su enorme Ithaca, lo que también habría hecho yo.

En teoría, ése era el momento que yo estaba esperando. Disparar un arma larga que exige un esfuerzo físico deja al tirador vulnerable tras apretar el gatillo. Yo debería haber abandonado inmediatamente mi refugio y haber devuelto fuego mortífero. Sin embargo, la violenta detonación del cartucho del calibre 10 me inmovilizó medio segundo. El tiro no me dio pero alcanzó la rueda del Humvee. El neumático reventó y la esquina frontal del vehículo se hundió tres centímetros en la arena. Se veía humo y polvo por todas partes. Cuando miré medio segundo después, la escopeta ya no estaba. Disparé a la parte superior del grosor del orificio. Quería que un rebote preciso bajara vertical y le atravesara la cabeza.

No le di.

—¡Vuelvo a cargar! —gritó.

Hice una pausa. Probablemente no era verdad. Una Mag-10 tiene tres tiros. Sólo había disparado una vez. Seguramente quería que me pusiera al descubierto y arremetiera contra su posición. Con lo cual él me volaría la tapa de los sesos. Me quedé donde estaba. Había disparado cuatro balas, me quedaban once.

Oí la radio otra vez. Interferencias breves, seis sílabas, escala descendente. «Recibido. Fuera.» Rápido e indiferente, como un trino de piano.

Marshall volvió a disparar y el otro extremo del Humvee bajó tres centímetros. Se hundió sin más. Marshall estaba reventando los neumáticos. Un Humvee puede correr con los neumáticos flojos, eso formaba parte de las exigencias del diseño, pero no sin neumáticos. Y una escopeta con proyectiles de 10 mm no sólo desinfla una rueda, la inutiliza. Arranca la goma de la llanta y esparce sus trozos en un radio de más de seis metros.

Pretendía dejar inservible su Humvee para luego huir con el mío.

Me levanté sobre las rodillas y me acuclillé tras el capó. De hecho, ahora estaba más seguro que antes. El enorme vehículo, al quedar inclinado hacia el lado del acompañante, me proporcionaba una sólida trinchera de metal hasta el suelo. Me apreté contra el guardabarros delantero y me alineé con el motor. Doscientos setenta kilos de hierro fundido entre la escopeta y yo. Olía a gasoil. Había resultado dañado un tubo de combustible. Goteaba rápido. Sin neumáticos y el depósito vacío. Y no había ninguna posibilidad de empapar mi camisa con gasoil, prenderle fuego y arrojarla a la caseta. No tenía cerillas. Y el gasoil no es inflamable como la gasolina, es sólo un líquido grasiento. Para que explote ha de ser vaporizado y sometido a una gran presión. Por eso los Humvee se diseñaron con motor diesel. Por seguridad.

—¡Ahora vuelvo a cargar! —gritó Marshall.

Aguardé. ¿Era verdad o no? Seguramente sí. Pero me daba igual. No iba a meterle prisa. Tenía una idea mejor. Me arrastré a lo largo del Humvee y me detuve junto al guardabarros trasero. Miré más allá y sopesé el campo visual. Al sur alcanzaba a ver mi propio Humvee. Al norte veía casi toda la extensión hasta la caseta. Un espacio abierto de unos veinticinco metros de ancho, una tierra de nadie. Para ir de la caseta a mi Humvee, Marshall tendría que atravesar veinticinco metros de terreno descubierto y en mi ángulo de tiro. Probablemente correría hacia atrás, disparando al mismo tiempo. Pero su arma sólo cargaba tres balas de una vez. Si las espaciaba, dispararía una cada ocho metros. Si las despilfarraba al principio, quedaría desprotegido el resto del trayecto hasta el vehículo. En ambos casos iba a caer. Eso seguro, maldita sea. Yo tenía once balas Parabellum, una pistola precisa y un guardabarros de acero en el que apoyar la muñeca.

Sonreí.

Esperé.

Hasta que de pronto oí un zumbido en el aire, como si se acercara un obús del tamaño de un Volkswagen. Me volví a tiempo de ver el viejo Sheridan saltar en pedazos como si lo hubiera atropellado un tren. Se levantó un palmo del suelo y las falsas protecciones de contrachapado volaron por los aires y la torreta salió despedida y cayó ruidosamente en la arena a diez metros de mí.

No hubo explosión. Sólo un tremendo golpe de metal contra metal. Y luego un inquietante silencio. Nada más.

Observé el terreno al descubierto. Marshall seguía en la caseta. A continuación noté una sombra sobre mi cabeza y vi un proyectil en el aire con esa extraña ilusión óptica de movimiento a cámara lenta que uno tiene con la artillería de largo alcance. El obús pasó por encima de mí trazando un arco perfecto y cayó al suelo del desierto cincuenta metros más allá. Levantó un enorme penacho de polvo y arena y quedó sepultado.

Sin explosión.

Estaban haciendo ejercicios de tiro a mi alrededor.

Oí a lo lejos el zumbido de las turbinas. El leve traqueteo de las ruedas dentadas, las cadenas y las orugas. Los tanques se acercaban. Oí el débil estampido de un cañón. Luego un silbido en el aire. Acto seguido más aplastamiento y amasijo de metal cuando el Sheridan fue alcanzado de nuevo. Sin explosión. En los ejercicios se dispara con proyectiles corrientes pero sin explosivo en el morro. El proyectil es sólo un estúpido trozo de metal, como una bala de pistola; salvo que tenía doce centímetros de grosor y más de treinta de largo.

Marshall había cambiado su diana de entrenamiento.

Eso había sido el parloteo por radio. Marshall les había ordenado que dejaran lo que estuvieran haciendo ocho kilómetros al oeste, que se acercaran a él y dispararan contra su posición. Y sus hombres se habían mostrado incrédulos. «¿Puede repetir? ¿Puede repetir?» Marshall había contestado: «Afirmativo.»

Había modificado la diana para cubrir su huida.

¿Cuántos tanques había allí? ¿Cuánto tiempo tenía yo? Si veinte cañones acribillaban el área, no tardarían mucho en alcanzarme. Minutos. Eso estaba claro. La ley de las probabilidades lo avalaba. Y ser alcanzado por una bala de doce centímetros de grosor y más de treinta de largo no tenía ninguna gracia. Podía bastar una que pasara cerca. Un pedazo de metal de más de veinte kilos que cayera sobre el Humvee lo trituraría en pequeños fragmentos supersónicos tan afilados como la hoja de un cuchillo de supervivencia. Sería como si me explotara una granada en las manos.

Oí estruendos irregulares al norte y al oeste. Sonidos débiles, apagados. Dos cañones disparando muy seguido. Estaban más cerca que antes. El aire silbaba. Un obús pasó de largo, pero el otro siguió una trayectoria baja y dio de lleno en un costado del Sheridan. Entró y salió, atravesando el casco de aluminio como haría una bala del calibre 38 con una lata. Si el teniente coronel Simon hubiera estado presente, quizás habría cambiado de opinión sobre el futuro.

Dispararon más cañones. Uno tras otro. Una salva desigual. Sin explosiones. Sin embargo, el brutal y calamitoso ruido quizás era peor. Era una suerte de clamor primigenio. El aire se llenaba de silbidos. Cuando los proyectiles descargados golpeaban la tierra producían un intenso ruido sordo, un estremecedor rechino de metal contra metal, como si viejos gigantes estuvieran cruzando la espada. Enormes trozos del Sheridan saltaban dando volteretas, resonaban y vibraban y se deslizaban por la arena. El aire rebosaba de polvo y tierra. Yo me asfixiaba.

Marshall seguía en la caseta. Permanecí en cuclillas y apunté con la Beretta al campo abierto. Esperé. Forcé la mano para que se estuviera quieta. Miré el espacio vacío. Me limité a mirarlo fijamente, desesperado. No entendía nada. Marshall tenía que saber que no podía esperar mucho más. Había ordenado una granizada de metal. Estábamos siendo atacados por tanques Abrams. Mi Humvee sería alcanzado en cualquier momento. A Marshall se le iba a esfumar su única vía de escape delante de las narices. Iba a saltar por los aires y a caer sobre su tejado. Lo decía la ley de las probabilidades. Si no, la caseta sería alcanzada y se derrumbaría sobre él. Quedaría enterrado bajo los escombros. Pasaría una cosa u otra. Sin duda. No podía ser de otro modo. Entonces ¿qué demonios estaba esperando?

Me puse de rodillas y observé la caseta.

Supe por qué.

Suicidio.

Yo le había ofrecido suicidarse a manos de un PM, pero él había preferido que se ocupara de ello un tanque. Me había visto llegar y había adivinado quién era yo. Igual que Vassell y Coomer se habían quedado como paralizados, un día tras otro, esperando lo inevitable. Y ahora por fin le había llegado lo inevitable a Marshall, directamente a través del polvo del desierto en un Humvee. Lo había pensado y decidido, y lo había conseguido gracias a la radio.

Marshall iba a caer pero me llevaría con él.

Ahora oía los tanques bastante cerca, a cuatrocientos o quinientos metros de distancia. Podía oír los chirridos y el estrépito de las orugas. Aún se desplazaban deprisa. Se abrirían en abanico, como dice el manual de campaña. Cabecearían y levantarían nubes de polvo como colas de gallo Formarían un impreciso semicírculo móvil con sus cañones apuntando hacia dentro, como los radios de una rueda.

Retrocedí gateando y miré mi Humvee. Si iba hacia

allá, Marshall me dispararía desde la seguridad de la caseta. No cabía duda. A él los veinticinco metros de terreno descubierto le resultarían tan buenos como a mí.

Esperé.

Oí el estampido de un cañón y eché a correr en la dirección contraria. Oí otro. El primer proyectil se estrelló contra el Sheridan y lo deshizo por completo, y el segundo dio en el Humvee de Marshall, haciéndolo añicos. Corrí hacia la pared norte de la caseta y rodé pegado a su base. Oí los fragmentos de metal golpeteando contra el otro lado de la caseta y los chirridos del retorcido y aplastado blindaje del viejo Sheridan.

Ahora los tanques se hallaban muy cerca. Alcanzaba a oír las notas de los motores subiendo y bajando mientras coronaban elevaciones y se metían en hondonadas. Percibía las orugas entrechocar con las protecciones laterales, oía su sistema hidráulico gimotear mientras la torreta giraba para afinar la puntería.

Me levanté y me quité el polvo de los ojos. Me acerqué a la puerta de hierro. Vi el agujero hecho por mi pistola. Marshall estaría en el orificio sur esperando verme correr o en el orificio oeste esperando verme muerto entre los escombros. Sabía que él era alto y diestro. Fijé mentalmente una diana abstracta. Moví la mano izquierda y la posé sobre el pomo de la puerta. Aguardé.

Los siguientes obuses fueron disparados desde tan cerca que oí el estrépito de los cañones y los proyectiles sin intervalo. Empujé la puerta y entré. Marshall estaba allí delante. Mirando hacia fuera, al sur, enmarcado en el luminoso orificio. Apunté a su omóplato derecho, disparé el gatillo y en ese momento un obús arrancó el techo de la caseta. La habitación se llenó al punto de polvo y a mí me cayeron encima vigas, chapa metálica y trozos de hormigón que volaban por los aires. Caí de rodillas y me desplomé de bruces. No veía a Marshall. Volví a ponerme de rodillas a duras penas y agité los brazos para sacudirme los desechos. El polvo era absorbido hacia arriba en una espiral irregular y atisbé el brillante cielo azul. Oía orugas y cadenas de tanques a mi alrededor. A continuación, dos nuevos estruendos se llevaron una esquina de la caseta. Estaba allí y de repente ya no estaba. Una oleada de polvo gris vino hacia mí a la velocidad del sonido, arrastrada por un vendaval de aire polvoriento, y volví a caer.

Forcejeé para levantarme y avancé a rastras. Me abrí paso como pude entre los escombros. Aparté a un lado retorcidas chapas de hierro de la techumbre. Yo era como un arado, como un bulldozer que fuera triturando en su avance, apartando cascotes a derecha e izquierda. Había demasiado polvo para ver nada salvo la luz del sol. Estaba allí mismo, frente a mí. La claridad delante, la oscuridad detrás. Seguí reptando.

Encontré la Mag-10. Tenía el cañón aplastado. La aparté a un lado y seguí arando. Vi a Marshall en el suelo, inmóvil. Le quité cosas de encima, lo agarré del cuello de la camisa y tiré de él hasta sentarlo. Lo arrastré hasta llegar a la pared delantera. Me puse de espaldas y me deslicé hacia arriba hasta notar el orificio horizontal. Me ahogaba y escupía polvo. Lo levanté, lo coloqué sobre la repisa y lo eché fuera. Luego me dejé caer yo. Me puse a cuatro patas, lo agarré nuevamente del cuello de la camisa y lo llevé a rastras. Fuera de la caseta se estaba despejando la nube de polvo. Los tanques estaban a unos doscientos metros a derecha e izquierda. Un montón de tanques. Metal caliente bajo el intenso sol. Nos habían rodeado formando un círculo, los motores al ralentí, los cañones horizontales, apuntando a objetivos al descubierto. Oí de nuevo dos detonaciones y un cañón destelló por la sacudida del retroceso. El obús pasó justo por encima de nosotros y se estrelló contra los restos de la caseta. Me llovió más polvo y hormigón sobre la espalda. Me eché boca abajo y me quedé quieto, atrapado en tierra de nadie.

Otro tanque disparó. Vi la sacudida del retroceso. Setenta toneladas meneadas con tanta fuerza que la parte delantera se levantó en el aire. El obús zumbó por encima de nosotros. Empecé a moverme, arrastrando a Marshall y deslizándome por la tierra como si nadara. No tenía ni idea de qué órdenes había dado por radio. Seguramente les había dicho que se iba y que no se preocuparan por los Humvee, que los Humvee valían como objetivo. Tal vez eso era lo que a los otros les resultaba difícil de creer.

Pero ahora no dejarían de disparar, porque no podían vernos. El polvo se dispersaba lentamente, como si fuera humo, y la visión desde el interior de un Abrams no es gran cosa. Es como mirar longitudinalmente a través de un tubo con un pequeño agujero cuadrado en el fondo. Empecé a apartar polvo a toda prisa, tosí y miré al frente con ojos entornados. Estábamos cerca de mi Humvee.

Parecía intacto.

Me puse en pie y arrastré a Marshall hasta el lado del acompañante, abrí la puerta y lo metí. Acto seguido pasé por encima de él y me planté en el asiento del conductor. Pulsé el botón rojo de encendido, metí primera y pisé el acelerador con tanta fuerza que el vehículo dio un brinco y la puerta se cerró de golpe. Encendí las luces largas y arremetí. Summer habría estado orgullosa de mí. Conduje recto hacia la hilera de tanques. Doscientos metros. Cien. Aferré el volante y a más de ciento veinte pasé como un bólido entre dos blindados.

Al cabo de un par de kilómetros aminoré la marcha. Un kilómetro después me paré. Marshall seguía con vida, pero estaba inconsciente y sangraba bastante. Yo había tenido buena puntería. Tenía en el omóplato una fea herida de bala de 9 mm, amén de cortes y magulladuras debidos al desplome del techo. La sangre se mezclaba con polvo de cemento formando una especie de pasta granate. Lo coloqué derecho en el asiento y lo sujeté fuerte con las correas. Después abrí el botiquín y le apliqué vendas de presión alrededor del omóplato y le inyecté morfina. Escribí *M* en su frente con un lápiz de betún, tal como está mandado en el campo de batalla. Así los médicos no le darían una sobredosis cuando llegara al hospital.

Luego bajé un rato a que me diera el aire. Anduve arriba y abajo por la pista, sin rumbo. Tosí, escupí y me sacudí el polvo todo lo que pude. Iba lleno de magulladuras y heridas debidas a la lluvia de escombros. Aún alcanzaba a oír los tanques disparar a tres kilómetros. Supuse que estarían esperando la orden de alto el fuego. Probablemente se quedarían sin munición antes de recibirla.

Durante todo el camino de regreso tuve en marcha el aire acondicionado 2-60. Marshall se despertó a mitad de camino. Vi su barbilla separarse del pecho. Miró al frente y luego a mí, a su izquierda. Iba atiborrado de morfina y tenía el brazo izquierdo inservible, pero aun así fui cauteloso. Si él manoteaba el volante con la mano buena, podía sacar el vehículo del camino. Y a lo mejor pisábamos material sin detonar o atropellábamos una tortuga. Así que con la mano derecha le di un golpe de revés justo entre los ojos. Fue un buen tortazo. Volvió a dormirse. «Anestesia manual.» Permaneció inconsciente el resto del trayecto.

Fui directamente al hospital de la base. Llamé a Franz desde el departamento de las enfermeras y solicité un pelotón de guardias. Aguardé a que llegaran y luego prometí ascensos y medallas a todos los que ayudaran a que Marshall conociera por dentro la sala de un tribunal. Les dije que le leyeran los derechos en cuanto se despertara. Y que estuvieran atentos para impedir un eventual suicidio. A continuación les dejé y conduje hasta la oficina de Franz. Mi uniforme de campaña estaba perdido y acartonado por el polvo, y conjeturé que la cara, las manos y el cabello no tendrían mejor aspecto, pues a Franz se le escapó la risa en cuanto me vio.

—Imagino que es duro detener a un chupatintas —dijo.

—¿Dónde está Summer? —pregunté.

—Mandando télex al Cuerpo de Auditores Militares. Hablando con gente por teléfono.

—He perdido tu Beretta —dije.

—¿Dónde?

—En un sitio en el que un grupo de arqueólogos tardaría cien años en encontrarla.

—¿Qué tal está mi Humvee?

—Mejor que el de Marshall —contesté.

Cogí mi bolsa y encontré una habitación vacía en el Cuartel de Oficiales de Visita, donde tomé una larga ducha caliente. A continuación trasladé todas las cosas de los bolsillos a otro uniforme de campaña limpio y tiré a la basura el viejo. Me senté un rato en la cama; inspirando y espirando lentamente. Después regresé al despacho de Franz. Allí estaba Summer, radiante. Sostenía un nuevo expediente que ya contenía un montón de papeles.

—Vamos por el buen camino —explicó—. El Cuerpo de Auditores dice que las detenciones estaban justificadas.

—¿Has iniciado el proceso?

—Dicen que necesitan confesiones.

No respondí.

—Mañana nos hemos de reunir con los fiscales del caso —añadió—. En D.C.

—Tendrás que hacerlo tú —señalé—. Yo no estaré.

—¿Por qué no?

No contesté.

—¿Te encuentras bien?

—¿Vassell y Coomer han hablado? —pregunté.

Summer negó con la cabeza.

—No han dicho una palabra. Esta noche el Cuerpo de Auditores Militares los llevará en avión a Washington. Les han asignado abogados.

—Aquí falla algo —dije.
—¿Qué?
—Ha sido todo demasiado fácil.
Pensé un momento.
—Hemos de regresar a Fort Bird —dije—. Ahora mismo.

Franz me prestó cincuenta pavos y me dio dos bonos de viaje en blanco. Los firmé y Leon Garber los aceptó pese a encontrarse nada menos que en Corea. Después Franz nos acompañó a Los Ángeles. Cogió un vehículo del parque porque su Humvee estaba lleno de sangre de Marshall. Como había tráfico ligero, tardamos poco. Entramos. Canjeé los bonos por asientos en el primer vuelo a Washington. Facturé la bolsa. Esta vez no quería acarrearla. Despegamos a las tres de la tarde. Habíamos estado en California exactamente ocho horas.

24

Al recorrer las franjas horarias hacia el este perdíamos las horas ganadas al ir hacia el oeste. Cuando aterrizamos en Washington National eran las once. Recogí la bolsa en la cinta transportadora y tomamos la lanzadera hasta el aparcamiento de estancia larga. El Chevy estaba esperando en el mismo sitio donde lo habíamos dejado. Llené el depósito con parte de los cincuenta dólares de Franz. Luego Summer condujo hasta Fort Bird. Fue tan deprisa como de costumbre y cogió la misma y consabida ruta, la I-95, y pasamos junto a nuestros familiares puntos de referencia. El edificio de la policía estatal, el lugar donde hallaron el maletín, el área de descanso, el cruce en trébol, el motel, el bar de *striptease*. Cruzamos la puerta principal de Fort Bird a las tres de la mañana. La base estaba tranquila. Una niebla nocturna lo envolvía todo y nada se movía.

—¿Ahora adónde? —preguntó Summer.

—Al cuartel Delta —dije.

Condujo hasta la puerta de la antigua cárcel y el centinela nos franqueó el paso. Dejamos el coche en el aparcamiento principal. Vi en la oscuridad el Corvette rojo de Trifonov. Solo, cerca de la pared de la manguera de agua. Parecía reluciente.

—¿A qué venimos aquí? —inquirió Summer.

—Tenemos un caso endeble. Insististe en ello y tenías razón. Es muy endeble. Los análisis forenses en el coche del Estado Mayor fueron de cierta ayuda, pero en realidad nunca transcendimos lo puramente circunstancial. De hecho, no podemos colocar a Vassell y Coomer en ninguna escena del crimen, al menos no de una forma inapelable. No podemos demostrar que Marshall haya tocado siquiera la barra de hierro. No podemos demostrar que no se comiera el yogur a modo de tentempié. Y desde luego no podemos demostrar que Vassell y Coomer le ordenaran que hiciera nada. En último caso podrían declarar que Marshall iba por libre.

—¿Por tanto?

—Fuimos y detuvimos a dos oficiales de alto rango que están doblemente protegidos de una acusación endeble y circunstancial. ¿Qué debería haber sucedido?

—Pues tenían que haberse resistido.

Asentí.

—Tendrían que haberlo tomado a broma. Deberían haberse reído, o mostrado ofendidos. Tenían que haber proferido amenazas y soltado bravatas. Deberían habernos echado. Pero no hicieron nada de eso. Se limitaron a seguir sentados mansamente. Y su silencio era como una declaración de culpabilidad. Ésta fue mi impresión. Así lo entendí yo.

—También yo —señaló Summer.

—Entonces ¿por qué no nos plantaron cara?

Ella se quedó un rato callada.

—¿Remordimientos de conciencia? —sugirió.

Meneé la cabeza.

—No me vengas con ésas.

Summer se quedó callada otro rato.

—Mierda —soltó—. Tal vez están simplemente esperando. Quizá van a desmontar la acusación delante de todo el mundo. Mañana, en D.C., con sus abogados. Para hundirnos. Para ponernos en nuestro sitio. A lo mejor es una venganza.

Negué nuevamente con la cabeza.

—¿De qué les acusé?

—De conspiración para cometer homicidio.

Asentí.

—Creo que no me entendieron bien.

—Era inglés corriente.

—Entendieron las palabras, pero no el contexto. Yo hablaba de una cosa y ellos creyeron que hablaba de otra. Pensaron que me refería a algo totalmente distinto. Se declararon culpables de la conspiración equivocada, Summer. Se declararon culpables de algo que saben que puede demostrarse más allá de toda duda fundada.

Summer guardó silencio.

—El orden del día —proseguí—. Sigue por ahí, ellos no llegaron a recuperarlo. Carbone los traicionó. Ellos abrieron el maletín en la I-95 y el orden del día no estaba. Había desaparecido.

—Entonces ¿dónde está?

—Te lo enseñaré —dije—. Por eso hemos regresado. Así podrás utilizarlo mañana en D.C. Para que apuntale las demás cosas en que somos endebles.

Salimos del coche. Cruzamos hasta la puerta del alojamiento. Entramos. Yo podía oír el sonido de los hombres durmiendo, oler el aire rancio de los dormitorios. Recorrimos pasillos y doblamos esquinas hasta llegar al dormitorio de Carbone. Entramos y encendimos la luz. Estaba vacío y no habían tocado nada. Nos acercamos a la cama. Alargué la mano hasta el estante. Pasé los dedos por los lomos de los libros. Saqué el recuerdo de los Rolling Stones. Lo sostuve en alto y lo agité.

Cayó sobre la cama un orden del día de cuatro páginas.

Lo miramos fijamente.

—Brubaker le dijo que lo escondiera —precisé.

Lo cogí y se lo di a Summer. Apagué la luz y salimos al pasillo. Nos encontramos frente a frente con el joven sargento de la barba. Iba en camiseta y calzoncillos. Y descalzo. Por el olor que desprendía, unas cuatro horas antes había estado bebiendo cerveza.

—Vaya, vaya —dijo—. Mira a quién tenemos aquí.

No dije nada.

—Me han despertado con tanto hablar —dijo—. Y con tanto encender y apagar la luz.

Seguí callado. El sargento echó un vistazo a la celda de Carbone.

—¿Nueva visita a la escena del crimen?

—No fue aquí donde murió.

—Ya sabe a qué me refiero.

Entonces sonrió y vi que apretaba los puños. Le lancé hacia la pared con el antebrazo izquierdo. Dio con la cabeza en el hormigón y sus ojos se volvieron vidriosos por un instante. Mantuve el brazo con fuerza y horizontal contra su pecho. Apuntalé el codo en su bíceps derecho y con la mano le aferré el izquierdo. Lo tenía inmovilizado contra la pared. Me eché sobre él con todo mi peso. Seguí apretando hasta que el tipo empezó a respirar con dificultad.

—Hazme un favor —dije—. Esta semana lee el periódico cada día.

Acto seguido rebusqué en mi bolsillo con la mano libre y encontré la bala, la que él había llevado a mi oficina con mi nombre grabado. La sostuve por la base entre el índice y el pulgar. Bajo la tenue luz del pasillo despedía un brillo dorado.

—Vigila con esto —dije.

Le mostré la bala. Y luego se la metí por la nariz.

Mi sargento, la del niño, se hallaba sentada a su mesa. Estaba preparando café. Serví dos tazones y los llevé a mi despacho. Summer llevaba el orden del día a modo de trofeo. Quitó las grapas y extendió sobre mi escritorio las cuatro hojas una al lado de la otra.

Eran originales mecanografiados. No copias hechas con papel carbón, ni faxes ni fotocopias. Eso estaba claro. Entre las líneas y en los márgenes había anotaciones y correcciones a lápiz. Eran tres caligrafías diferentes. Supuse que la mayoría era de Kramer, pero sin duda también de Vassell y Coomer. Había sido un primer borrador de circular. Esto también estaba claro. Y había sido objeto de mucha reflexión y análisis.

La primera hoja era un examen de los problemas a los que se enfrentaba el Cuerpo de Blindados. Las unidades integradas, la pérdida de prestigio. La posibilidad de ceder el mando a otros. Era pesimista pero también convencional. Y según el jefe del Estado Mayor, atinado.

La segunda y la tercera hojas contenían más o menos lo que yo le había anticipado a Summer. Propuestas para desacreditar a adversarios clave, sacando el máximo partido de los trapos sucios de los otros. Algunas anotaciones al margen daban a entender algo respecto a esto último, y en conjunto todo parecía muy interesante. Me pregunté cómo habían reunido esa clase de información. Y me pregunté si alguien del Cuerpo de Auditores investigaría por ahí. Seguramente sí. Las investigaciones son así, empiezan tomando cualquier dirección al azar.

Había ideas para campañas de relaciones públicas, la mayoría bastante flojas. Esos tíos no se habían mezclado con lo público desde que habían cogido el autobús Hudson arriba para iniciar su año plebeyo en West Point. Luego había referencias a los grandes proveedores de Defensa. Y también ideas sobre iniciativas políticas en el Departamento del Ejército y en el Congreso. Algunas de las ideas políticas se enlazaban con las referencias a los contratistas. Ahí se insinuaban algunas relaciones bastante sutiles. Estaba claro que el dinero fluía en una dirección y los favores en la otra. Aparecía el nombre del secretario de Defensa. Se daba casi por sentado su apoyo. De hecho, en una línea su nombre estaba subrayado y en una anotación al margen se leía: «comprado y pagado». En conjunto, las tres primeras hojas estaban llenas de todo ese rollo que cabría esperar de militares arrogantes muy implicados en el statu quo. Todo era turbio, sórdido y desesperado, desde luego. Pero nada por lo que uno pudiera ir a la cárcel.

Eso venía en la cuarta hoja.

La cuarta hoja tenía un encabezamiento curioso: «L.M.A., La Milla Adicional». Debajo había una cita mecanografiada de *El arte de la guerra* de Sun Tzu: «No presentar batalla al enemigo cuando se tiene la espalda contra la pared significa perecer.» Al lado, en el margen, había un apéndice a lápiz cuya letra atribuí a Vassell: «Mientras, en el desastre, la serenidad es la prueba suprema del coraje de un jefe, la resolución en sus acciones es el test más seguro de su fuerza de voluntad. Wavell.»

—¿Quién es Wavell? —preguntó Summer.

—Un antiguo mariscal de campo británico —contesté—. De la Segunda Guerra Mundial. Después fue virrey de la India. En la Gran Guerra había perdido un ojo.

Bajo la cita de Wavell había otra nota a lápiz con una caligrafía distinta. Seguramente de Coomer. Decía: «¿Voluntarios? ¿Yo? ¿Marshall?» Esas tres palabras estaban rodeadas por un círculo y conectadas mediante un trazo largo con el encabezamiento: «L.M.A., La Milla Adicional.»

—¿De qué va todo esto? —preguntó Summer.

—Lee —dije.

Debajo de la cita de Sun Tzu había una lista de dieciocho nombres. Yo conocía a la mayoría. Eran comandantes de batallones clave de divisiones de Infantería de prestigio, como la 82 y la 101, así como importantes miembros del Estado Mayor del Pentágono y otros oficiales. Se apreciaba una curiosa mezcla de rangos y edades. En realidad no había oficiales jóvenes, si bien la lista no se limitaba a personas mayores. También incluía algunos valores en alza. Algunas opciones obvias, algunos inconformistas poco convencionales. Ciertos nombres no me decían nada. Correspondían a personas de las que no había oído hablar jamás. Por ejemplo, había un tipo llamado Abelson. Yo no sabía quién era Abelson. Era el único nombre que tenía una señal a lápiz.

—¿Para qué es la señal? —preguntó Summer.

Llamé a mi sargento.

—¿Ha oído hablar de un tal Abelson? —le pregunté.

—No.

—Averigüe quién es —dije—. Será de coronel para arriba.

Volví a la lista. Aun siendo corta no costaba interpretar su significado. Era una lista de dieciocho huesos clave de un enorme esqueleto en evolución. O dieciocho nervios clave de un sistema neurológico complejo. Si se les excluía, cierta parte del ejército resultaría perjudicada. Hoy, seguro, pero lo más importante es que también mañana. Debido a los valores en alza, a causa de la evolución detenida. Y por lo que yo sabía de aquellos cuyos nombres reconocía, la parte del ejército que saldría perjudicada era exclusivamente la que comprendía unidades ligeras. Más concretamente, las unidades ligeras que miraban hacia el siglo XXI y no las que miraban hacia el XIX. En un ejército de un millón de hombres, dieciocho no parecía un número elevado. No obstante, era una muestra seleccionada con cuidado. Se habían llevado a cabo análisis profundos, se habían elegido objetivos precisos. Los que movían los hilos, los pensadores y los estrategas. Los valores consagrados. Si uno quería una lista de dieciocho militares cuya presencia o ausencia tuviera que marcar la diferencia en el futuro, ahí estaba, toda mecanografiada y tabulada.

Sonó el teléfono. Conecté el altavoz y oímos la voz de la sargento.

—Abelson era el tipo de los helicópteros Apache —dijo—. Los helicópteros de combate, los que hacen ese tamborileo tan particular.

—¿Era? —dije.

—Murió el día antes de Nochevieja. En Heidelberg, Alemania. Atropellado por un coche que se dio a la fuga.

Colgué.

—Ahora que lo pienso, Swan lo mencionó de pasada —dije.

—La señal —dijo Summer.

Asentí.

—Uno fuera, diecisiete me quedan.

—¿Qué significa L.M.A.?

—Es viejo argot de la CIA —expliqué—. Significa acabar con los prejuicios extremos.

Summer arrugó el entrecejo.

—Asesinar, vamos —precisé.

Nos quedamos callados un rato. Miré otra vez las ridículas citas. «El enemigo. Cuando se tiene la espalda contra la pared. La prueba suprema del coraje de un jefe. El test más seguro de su fuerza de voluntad.» Intenté imaginar qué clase de disparatada y egocéntrica calentura podía impulsarles a añadir citas tan ampulosas a una lista de hombres que querían asesinar para conservar sus empleos y su prestigio. Ni siquiera podía empezar a entenderlo. Así que me di por vencido y reuní otra vez las cuatro hojas mecanografiadas y volví a meter las grapas en sus agujeros originales. Cogí un sobre del cajón y las metí dentro.

—Ha estado por ahí desde el día uno —observé—. Y el día cuatro ellos creían que había desaparecido para siempre. No se hallaba en el maletín ni en el cadáver de Brubaker. Por eso estaban resignados. Hace una semana abandonaron. En la búsqueda habían matado a tres personas y no lo habían encontrado. De modo que estaban simplemente allí sentados, sin dudar de que tarde o temprano aparecería y les mordería el culo.

Deslicé el sobre sobre la mesa.

—Utilízalo —dije—. Utilízalo en D.C. Utilízalo para clavar su piel en la maldita pared.

Ya eran las cuatro de la madrugada, y Summer salió inmediatamente para el Pentágono. Me acosté y dormí cuatro horas. Me desperté a las ocho. Me quedaba una cosa por hacer, y no me cabía duda de que también a mí iban a hacerme una cosa que seguía pendiente.

25

Llegué a mi oficina a las nueve de la mañana. La sargento del niño pequeño ya se había marchado. La había sustituido el cabo de Luisiana.

—Han venido a verle los del Cuerpo de Auditores —dijo. Señaló con el pulgar la puerta—. Les he dejado pasar directamente.

Asentí. Miré por si había café hecho. No había. «Empezamos mal». Abrí la puerta y entré. Dos tíos, uno sentado en una silla para visitas, el otro sentado a mi mesa. Ambos de uniforme clase A. Los dos lucían en las solapas distintivos del Cuerpo de Auditores. Una guirnalda cruzada por un sable y una flecha. El de la silla era capitán. El de mi mesa, teniente coronel.

—¿Dónde me siento? —dije.

—Donde quiera —dijo el teniente coronel.

No repliqué.

—He visto los télex mandados desde Irwin —prosiguió—. Mi sincera enhorabuena, comandante. Ha hecho usted un trabajo excepcional.

No dije nada.

—Y he oído algo del orden del día de Kramer —añadió—. Acabo de recibir una llamada de la oficina del jefe del Estado Mayor. Esto es un resultado aún mejor. Justifica por sí mismo la operación Argón.

—No han venido ustedes a hablar del caso —dije.

—No —dijo—, en efecto. Este tema se está tratando en el Pentágono, con su teniente.

Cogí otra silla de visitas y la coloqué contra la pared, bajo el mapa. Me senté, alcé la mano por encima de la cabeza y empecé a juguetear con las chinchetas. El teniente coronel se inclinó hacia delante y me miró. Esperaba, como si quisiera que hablara primero yo.

—¿Piensa pasárselo bien con esto? —pregunté.

—Es mi trabajo —dijo.

—¿Le gusta su trabajo?

—No siempre —repuso.

No comenté nada.

—Este caso es una ola en la playa —agregó—. Como una enorme ola que barre la arena y luego retrocede sin dejar ni rastro.

Seguí callado.

—Salvo que ésta sí ha dejado algo —prosiguió—. Un enorme y feo desecho en la orilla al que hemos de poner remedio.

Aguardó a que yo hablara. Pensé en seguir callado como un muerto. En obligarle a hacer todo el gasto. Pero finalmente me encogí de hombros y me di por vencido.

—Una denuncia por brutalidad —dije.

Asintió.

—El coronel Willard nos lo notificó. Es una situación embarazosa. Si bien puede entenderse que el uso no autorizado de bonos de viaje guarda relación con la investigación, no sucede lo mismo con la denuncia. Porque los dos civiles agredidos no tienen relación alguna con el asunto.

—Me informaron mal —dije.

—Me temo que eso no cambia los hechos.

—Su testigo está muerto.

—Dejó firmada una declaración jurada. Eso vale para siempre. Es como si estuviera declarando en la sala del tribunal.

No hablé.

—Todo se reduce a una simple cuestión de hecho —explicó el teniente coronel—. A una respuesta sencilla:

sí o no. ¿Hizo usted lo que afirmaba Carbone en la denuncia?

No respondí.

El teniente coronel se puso en pie.

—Puede hablarlo con su abogado.

Eché una mirada al capitán. Al parecer, él era mi abogado. El teniente coronel salió andando pesadamente y cerró la puerta a su espalda. El capitán se inclinó desde la silla, me estrechó la mano y me dijo su nombre.

—Debería prestar atención al teniente coronel —dijo—. Le está ofreciendo una salida legal de un kilómetro de ancho. Todo esto es una farsa.

—Yo me la he buscado —dije—. Ahora he de atenerme a las consecuencias.

—Se equivoca. Nadie quiere fastidiarle. Willard forzó la cuestión, eso es todo. Así que debemos cumplir con las formalidades.

—¿Cuáles son?

—Lo único que ha de hacer es negarlo todo. De esa manera impugna el testimonio de Carbone, y como él no está presente para ser interrogado, no puede usted ejercer el derecho que le confiere la Sexta Enmienda a tener un careo con el testigo, con lo que está garantizado el archivo de las actuaciones.

Me quedé quieto.

—¿Cómo se haría? —pregunté.

—Usted firma una declaración jurada igual que hizo Carbone. Él dice blanco, usted dice negro. Problema resuelto.

—¿En papel oficial?

—Podemos hacerlo aquí mismo. Su cabo puede escribir la declaración a máquina y actuar como testigo.

Asentí.

—¿Y la alternativa? —pregunté.

—Estaría usted chalado si pensara en la alternativa.

—¿Qué pasaría?

—Significaría declararse culpable.

—¿Qué pasaría? —repetí.

—¿Con una declaración efectiva de culpabilidad? Pérdida de rango y de paga con efectos retroactivos a la fecha del incidente. Los de Asuntos Civiles no nos permitirían bajar de ahí.

No dije nada.

—Sería degradado a capitán. En la PM regular, naturalmente, porque en la 110 no le querrían más. Ésta es la breve respuesta. Pero estaría usted loco si llegara siquiera a planteárselo. Todo lo que ha de hacer es negarlo.

Me quedé allí sentado y pensé en Carbone. Treinta y cinco años de edad, dieciséis de servicio. Infantería, divisiones aerotransportadas, Rangers, Delta. Dieciséis años duros. No había hecho nada salvo ocultar algo que jamás hubiera tenido que ocultar. Y tratar de avisar a su unidad de una amenaza. No había nada malo en ninguna de las dos acciones. Pero estaba muerto. Muerto en el bosque, en una mesa de autopsias. Luego pensé en cara de mapa, puesto que el granjero me daba bastante igual. No había para tanto por una nariz rota. Pero lo de cara de mapa fue mucho estropicio. Aunque bien es cierto que no era uno de los ciudadanos más refinados de Carolina del Norte. No me daba la impresión de que el gobernador le tuviera en una lista para concederle uno de esos premios al buen ciudadano.

Pensé en esos tíos un buen rato. Carbone y cara de mapa. Luego pensé en mí. Comandante, una estrella, investigador de primera de una unidad especial, que apuntaba a lo más alto.

—Muy bien —dije—. Llame al coronel.

El capitán se levantó de la silla y abrió la puerta. La mantuvo abierta para que pasara su superior. La cerró a su espalda. Se sentó de nuevo a mi lado. El teniente coronel pasó despacio delante de nosotros y se sentó frente a la mesa.

—Bien —dijo—. Terminemos con esto. La acusación carece de fundamento, ¿vale?

Lo miré. No dije nada.

—¿Y bien?

«Vas a hacer lo que hay que hacer.»

—La acusación es correcta —señalé.

Me fulminó con la mirada.

—La denuncia es precisa —añadí—. En todos sus detalles. Sucedió exactamente como dijo Carbone.

—Por Dios —soltó el teniente coronel.

—¿Se ha vuelto loco? —dijo el capitán.

—Es probable —contesté—. Pero Carbone no era ningún embustero. Esto no debería ser lo último que constara en su historial. Merece algo más. Estuvo aquí dieciséis años.

La habitación quedó en silencio, los tres sentados sin más. Ellos estaban pensando en un montón de papeleo. Yo en volver a ser capitán y en despedirme de la unidad especial. Pero no había sido una gran sorpresa. Lo veía venir desde que cerré los ojos en el avión y comenzaron a caer las fichas de dominó una tras otra.

—Tengo una petición que hacer —dije—. Quiero que se incluya una suspensión de dos días. A contar desde ahora.

—¿Por qué?

—Tengo que asistir a un funeral. Y no quiero pedirle permiso a mi oficial al mando.

El coronel apartó la mirada.

—Concedida —dijo.

Regresé a mi alojamiento y llené la bolsa con todas mis pertenencias. Hice efectivo un cheque en el economato y dejé cincuenta y dos dólares en un sobre para la sargento. Le envié por correo cincuenta a Franz. Recogí de la oficina del forense la barra de hierro utilizada por

Marshall y la dejé junto a la que había tomado prestada de la tienda. Luego me dirigí al parque móvil de la PM y busqué un vehículo. Me sorprendió ver todavía aparcado el de alquiler de Kramer.

—Nadie nos ha dicho qué hacer con él —explicó el encargado.

—¿Cómo es eso?

—Dígamelo usted, señor. Era su caso.

Yo quería algo discreto, y el pequeño Ford rojo sobresalía entre todos los negros y caquis. Sin embargo, pensé que en el mundo exterior la situación sería al revés. Ahí fuera el pequeño Ford rojo no atraería ninguna mirada.

—Ya lo devolveré —dije—. Voy a Dulles de todos modos.

Como no era un vehículo del ejército, no hubo papeleo.

Salí de Fort Bird a las 10.20 y puse rumbo al norte, hacia Green Valley. Iba mucho más despacio que antes, pues el Ford es un coche lento y yo un conductor también lento, al menos en comparación con Summer. No paré a almorzar. Llegué a la comisaría de policía a las 15.15. Encontré a Clark en su escritorio de la sala de detectives. Le dije que el caso estaba cerrado y que Summer le daría los detalles. Cogí la barra que él tenía en préstamo y recorrí los quince kilómetros hasta Sperryville. Me metí por la estrecha callejuela y aparqué delante de la ferretería. Habían cambiado el cristal del escaparate. La lámina de contrachapado ya no estaba. Agarré las tres barras bajo el brazo, entré y se las devolví al viejo del mostrador. Subí de nuevo al coche y salí de la ciudad, en dirección a Washington D.C.

En la Beltway tomé una pequeña salida circular en el sentido contrario a las agujas del reloj y busqué la peor zona de la ciudad que pudiera encontrar. Había muchas opciones. Elegí una plaza limitada por cuatro almacenes en estado ruinoso con callejones intercalados. Hallé lo que quería en el tercer callejón. Vi a una prostituta demacrada salir de un portal decrépito. Entré pasando por su lado y vi a un tipo con sombrero que tenía lo que yo buscaba. Hizo falta un minuto para que surgiera un entendimiento tácito. Pero al final el dinero limó las diferencias, como ocurre siempre en todas partes. Compré un poco de marihuana, unas cuantas anfetas y dos chinas de *crack*. Vi que el tipo del sombrero no quedaba impresionado por las cantidades. Me percaté de que me clasificaba como simple aficionado.

Luego conduje hasta Rock Creek (Virginia). Llegué justo antes de las cinco. Estacioné a cien metros de los cuarteles de la Unidad Especial 110, en una cuesta, desde donde podía mirar por encima de la valla que rodeaba el aparcamiento. Distinguí el coche de Willard sin dificultad. Él mismo me lo había descrito con detalle. Un Pontiac GTO clásico. Estaba allí mismo, cerca de la salida de atrás. Me recliné pesadamente en el asiento, mantuve los ojos bien abiertos y esperé.

Willard salió a las 17.15. Horario de los bancos. Subió al Pontiac y salió dando marcha atrás. Yo tenía la ventanilla un poco bajada y oí el ruido sordo del tubo de escape. Un sonido de V-8 bastante bueno. Supuse que a Summer le habría gustado. Anoté mentalmente que si algún día me tocaba la lotería le compraría un GTO.

Puse el Ford en marcha. Willard abandonó el aparcamiento y giró hacia mí. Me agaché y lo dejé pasar. Luego esperé un momento, hice el cambio de sentido y fui tras él. Era fácil seguirle. Con la ventanilla bajada podría haberme guiado sólo por el sonido. Willard conducía bastante despacio, como en un desfile, casi por el centro de la carretera. Yo me quedé bastante atrás y dejé que apareciera en sus retrovisores el tráfico normal. Se dirigió al este, hacia las zonas residenciales de D.C. Supuse que tendría algo alquilado en Arlington o Maclean de su época en el Pentágono. Esperé que no fuera un apartamento. Probablemente sería una casa, con un garaje para el potente coche. Y eso sería bueno, pues una casa era más fácil.

Era una casa. Estaba en una zona urbanizada al norte de Arlington. Muchos árboles, la mayoría pelados, algunos de hoja perenne. Las parcelas eran irregulares. Los caminos de entrada, largos y curvos. Los jardines se veían descuidados. La calle debía de haber tenido un letrero que rezara: «Sólo funcionarios del gobierno de renta media solteros o divorciados.» Era un lugar así. No exactamente idílico, pero mejor que un área suburbana bien arreglada con jardines delanteros contiguos llenos de niños berreando y madres ansiosas.

Seguí conduciendo y aparqué a un kilómetro. Aguardé a que oscureciera.

Esperé hasta las siete. Salí y eché a andar. Había niebla y nubes bajas. Ni estrellas ni luna. Yo llevaba uniforme de campaña para zona boscosa. El Pentágono me había convertido casi en invisible. Supuse que a esa hora el lugar aún estaría bastante vacío. Supuse que un montón de funcionarios de renta media tendrían la ambición de llegar a funcionarios de renta alta, por lo que seguirían sentados a sus escritorios intentando impresionar a quienquiera que debieran impresionar. Tomé la calle que corría paralela a la de Willard y vi dos patios descuidados uno al lado de otro. En ninguna de las dos casas había luz. Tomé el primer camino de entrada, rodeé la casa y fui directamente al patio de atrás. Me detuve. No ladró ningún perro. Luego caminé a lo largo de la valla limítrofe hasta que vi el patio trasero de Willard. Estaba lleno de hierba arrancada y amontonada. En el centro se apreciaba una parrilla de barbacoa oxidada y abandonada. En términos militares, el sitio no estaba cuadrado, sino hecho un revoltijo.

Forcé una estaca de la cerca y así pude pasar. Crucé el patio y bordeé el garaje hasta la puerta principal. En el porche no había luz. Desde la calle la vista era regular. No perfecta, pero tampoco mala del todo. Llamé al timbre. Percibí ruido dentro, una breve pausa y luego pasos. Retrocedí. Willard abrió la puerta sin vacilación alguna. Quizás estaba esperando comida china. O una pizza.

Le di un puñetazo en el pecho para echarlo hacia atrás. Entré tras él y cerré la puerta de un taconazo. Era una casa deprimente. El ambiente estaba cargado. Willard se había quedado agarrado al poste de la escalera, respirando de forma entrecortada. Le aticé en la cara y lo derribé. Se levantó sobre las manos y las rodillas y le propiné una patada en el culo. Le seguí dando hasta que él entendió la indirecta y empezó a arrastrarse hacia la cocina todo lo deprisa que pudo. Llegó, se dio la vuelta y acabó sentado en el suelo con la espalda apretada contra un armario. Su rostro reflejaba miedo, desde luego, pero también perplejidad, como si no pudiera creer que yo estuviera haciendo eso, como si pensara: «¿Pertenece esto al ámbito de las acusaciones de indisciplina?» Su esquema burocrático no era capaz de asimilarlo.

—¿Ha sabido algo de Vassell y Coomer? —le pregunté.

Asintió, rápido y asustado.

—¿Recuerda a la teniente Summer? —inquirí.

Asintió nuevamente.

—Ella me hizo notar algo —dije—. En cierto modo algo obvio. Dijo que si yo no le hubiera ignorado a usted, ellos se habrían salido con la suya.

Willard me miraba fijamente.

—Y eso me hizo pensar —dije—. ¿Qué es lo que ignoré exactamente?

Él no dijo nada.

—Le juzgué mal y le pido disculpas —proseguí—. Porque creí que estaba ignorando a un gilipollas arribista y entrometido. Pensé que estaba desobedeciendo a un gerente empresarial idiota, nervioso, remilgado y sabelotodo. Pero no era eso. Yo estaba haciendo caso omiso de algo muy distinto.

Willard me miraba de hito en hito.

—Usted no se sintió violento por lo de Kramer —añadí—. A usted le daba igual que yo hostigara a Vassell y Coomer. Usted no hablaba en nombre del ejército cuando quiso que lo de Carbone se informara como un accidente. Usted estaba haciendo el trabajo que le habían encomendado. Alguien quería que se encubrieran tres homicidios, y le pusieron aquí para hacerlo en su nombre. Usted tomó parte en un encubrimiento premeditado, Willard. Eso es lo que hizo. Y eso es lo que yo pasé por alto. Porque, vamos, ¿qué demonios estaba haciendo usted, si no, al ordenarme que no investigara un homicidio? Era un encubrimiento, y estaba planeado, organizado y decidido con mucha antelación. Se decidió el día dos de enero, cuando Garber fue trasladado y llegó usted. Le pusieron ahí para que lo que ellos pretendían hacer el día cuatro estuviera bajo control. No había otro motivo.

Siguió callado.

—Creí que ellos querían ahí a un incompetente para que las cosas siguieran su curso natural. Pero querían algo más que eso. Pusieron ahí a un amigo.

No replicó.

—Debería usted haberse negado —proseguí—. Si lo hubiera hecho no se habrían salido con la suya, y Carbone y Brubaker estarían vivos.

No dijo nada.

—Usted les mató, Willard. Tanto como ellos.

Me puse en cuclillas a su lado. Él se apretó más contra el armario. Tenía pintada la derrota en los ojos. No obstante, hizo un último intento.

—No puede demostrar nada —soltó.

Ahora fui yo quien no dijo nada.

—Tal vez fue sólo incompetencia —agregó—. ¿Ha pensado en ello? ¿Cómo va a demostrar la intención?

Seguí callado. Él endureció la mirada.

—No está tratando usted con idiotas —dijo—. No hay pruebas en ninguna parte.

Saqué del bolsillo la Beretta de Franz, la que había traído del Mojave. No la había perdido. Había hecho todo el camino conmigo desde California. Por eso en aquella ocasión facturé el equipaje. No permiten llevar armas en la cabina, a no ser que tengas autorización escrita.

—Esta pipa figura en una lista como destruida —expliqué—. Oficialmente ya no existe.

Él la miró fijamente.

—No sea tonto —dijo—. No puede demostrar nada.

—Usted tampoco está tratando con ningún idiota —solté.

—No lo entiende. Era una orden. Desde arriba. Estamos en el ejército. Obedecemos órdenes.

Negué con la cabeza.

—Esta excusa jamás le sirvió a ningún soldado en ninguna parte.

—Era una orden —repitió.

—¿De quién?

Cerró los ojos y meneó la cabeza.

—Da igual —señalé—. Sé perfectamente quién fue. Y sé que no puedo llegar hasta él. Estando donde está, no. Pero sí puedo llegar hasta usted. Usted puede ser mi mensajero.

Abrió los ojos.

—No hará eso —dijo.

—¿Por qué no se negó?

—No podía. Era el momento de escoger equipo. ¿No lo entiende? Todos tendremos que hacerlo.

Asentí.

—Supongo que ya lo estamos haciendo.

—Sea listo —dijo—. Por favor.

—Pensaba que usted era una manzana podrida —observé—. Pero veo que todo el cesto está estropeado. Las que menos abundan son las manzanas buenas.

Me miró con los ojos abiertos de par en par.

—Me han arruinado la vida —dije—. Usted y sus malditos amigos.

—¿Arruinado? ¿En qué sentido?

—En todos los sentidos.

Me puse en pie. Retrocedí. Quité el seguro de la Beretta.

Él me miró fijamente.

—Adiós, coronel Willard —dije.

Me coloqué el cañón en la sien. Él me miraba fijamente.

—Era sólo una broma —dije.

Entonces le disparé en mitad de la frente.

Era una típica 9 mm encamisada. Le dejó la parte posterior del cráneo dentro del armario junto con un montón de porcelana hecha añicos. Le metí en los bolsillos la marihuana, las anfetas y el *crack* junto con un fajo simbólico de billetes de dólar. A continuación salí por la puerta trasera y crucé el patio. Me deslicé entre las estacas de la cerca y desanduve el camino hasta el coche. Me senté en el asiento del acompañante, abrí la bolsa y me cambié las botas. Me quité las que habían quedado hechas polvo en el Mojave y me puse otro par en mejor estado. Después me puse al volante y conduje rumbo al oeste, hacia Dulles. A la zona de Hertz para devolver vehículos. Los encargados de las empresas de alquiler de coches no son estúpidos. Saben que la gente los devuelve hechos una pena, que en el interior se llega a acumular toda clase de porquería. Así que colocan enormes cubos de basura cerca de los aparcamientos para que la gente haga lo que es debido y limpie la mierda ella misma. Así se ahorran sueldos. Si se cuenta siquiera un minuto por coche, al cabo del año sale una pasta. Arrojé las botas en un cubo y la Beretta en otro. Con tantos coches como alquilaba Hertz en Dulles al día, seguro que el contenido de los cubos acababa regularmente en la trituradora.

Anduve todo el trecho hasta la terminal. No tenía ganas de coger el autobús. Enseñé la identificación militar y con el talonario de cheques compré un billete de ida a París en el mismo vuelo de primera hora de la mañana que había tomado Joe cuando el mundo era diferente.

Llegué a la Avenue Rapp a las ocho de la mañana. Joe me dijo que los coches nos recogerían a las diez. Así que me afeité y me duché en el baño del cuarto de invitados, encontré la tabla de planchar de mi madre y me planché con esmero el uniforme de clase A. En un armario encontré betún y me abrillanté los zapatos. Luego me vestí. Me puse toda la colección de medallas, las cuatro hileras. Seguí las normas del *Orden Correcto de Condecoraciones* y las del *Modo de Lucir Medallas de Tamaño Natural*. Cada una colgaba cuidadosamente sobre la cinta de la fila inferior. Cogí un trapo y las limpié. También limpié una vez más los otros distintivos, entre ellos las hojas de roble de comandante. Después entré en el salón pintado de blanco a esperar.

Joe lucía un traje negro. Yo no era experto en trajes, pero supuse que era nuevo. Parecía de un tejido fino, quizá seda o cachemira. No lo sabía. Estaba magníficamente cortado. También llevaba camisa blanca y corbata negra, y zapatos negros. Tenía buen aspecto. Nunca lo había visto con mejor aspecto. Se mantenía erguido. Alrededor de sus ojos se apreciaba cierto cansancio. No hablamos. Sólo aguardamos.

A las diez menos cinco bajamos a la calle. El *corbillard* llegó puntual desde el *dépôt mortuaire*. Detrás iba una limusina Citroën negra. Entramos en la limusina, cerramos las puertas y nos pusimos en marcha tras el coche fúnebre, despacio y en silencio.

—¿Nosotros solos? —dije.

—Los demás estarán allí.

—¿Quién viene?

—Lamonnier —contestó—. Algunos amigos de ella.

—¿Dónde será?

—En Père Lachaise —contestó.

Asentí. Père Lachaise era un viejo y famoso cementerio. Un lugar especial en cierto modo. Supuse que tal vez el historial de mi madre en la Resistencia le daba derecho a ser enterrada allí. Quizá Lamonnier se había encargado de todo.

—Hay una oferta por el piso —señaló Joe.

—¿Cuánto?

—En dólares, unos sesenta mil para cada uno.

—No los quiero —dije—. Dale mi parte a Lamonnier. Dile que encuentre a los veteranos que todavía sigan vivos y que la reparta. Él conocerá algunas organizaciones.

—¿Viejos soldados?

—Viejos lo que sea. Aquellos que hicieron lo que había que hacer en el momento oportuno.

—¿Estás seguro? Quizá te haga falta.

—Lo prefiero así.

—Muy bien —dijo—. Como quieras.

Miré por las ventanillas. Era un día gris. El mal tiempo había expulsado los tonos de miel de París. El río se movía manso, como si fuera hierro derretido. Cruzamos la Place de la Bastille. Père Lachaise se encontraba en el noreste, no muy lejos; aunque tampoco a dos pasos. Bajamos del coche frente a un puesto que vendía planos con las tumbas famosas. En Père Lachaise había enterrada toda clase de gente: Chopin, Molière, Edith Piaf, Jim Morrison.

En la puerta del cementerio había varias personas esperándonos. Estaba la portera del edificio de mi madre y otras dos mujeres que yo no conocía. Los *croques-morts* cargaron el ataúd sobre sus hombros. Lo sostuvieron en equilibrio un instante e iniciaron una lenta marcha. Joe y yo nos colocamos detrás, uno al lado del otro. Nos siguieron las tres mujeres. El aire era frío. Caminamos por senderos arenosos entre singulares lápidas y mausoleos europeos. Al final llegamos a una tumba abierta. Se veía tierra excavada amontonada pulcramente en un lado y cubierta por una alfombra verde que, imaginé, debía parecer hierba. Lamonnier nos esperaba allí. Supuse que había llegado mucho antes. Seguramente andaba más despacio que un cortejo fúnebre y no había querido retrasarnos ni ponerse en evidencia.

Los portadores dejaron el féretro sobre unas cuerdas dispuestas al efecto. A continuación lo levantaron y maniobraron sobre la fosa y luego lo fueron bajando poco a poco soltando cuerda. Un hombre leía algo de un libro. Oí las palabras en francés y fui asimilando lentamente la versión en mi lengua. «Polvo eres, en verdad os digo, valle de lágrimas.» La verdad es que no prestaba atención. Sólo miraba el ataúd, metido en el hoyo.

El hombre terminó de hablar y uno de los portadores retiró la alfombra verde y Joe cogió un puñado de tierra. Lo sopesó en la mano y lo arrojó sobre la tapa del ataúd. Hizo un ruido sordo contra la madera. El hombre del libro hizo lo propio. Luego la portera. Después las otras dos mujeres. A continuación Lamonnier. Fue tambaleándose sobre sus poco manejables bastones, se inclinó y se llenó la mano de tierra. Hizo una pausa con los ojos llenos de lágrimas, y luego simplemente giró la muñeca y la tierra se le escurrió del puño como si fuera agua.

Me acerqué, me llevé la mano al pecho y solté del imperdible la Estrella de Plata. La sostuve en la palma. La Estrella de Plata es una medalla hermosa. Tiene una diminuta estrella de plata en el centro de otra mayor de oro. Lleva una cinta brillante de seda roja, blanca y azul recorrida por una filigrana. La mía estaba grabada en el dorso: «J. Reacher.» Pensé: «*J* de Josephine.» La lancé al hoyo. Golpeó el ataúd, rebotó y cayó al lado, un pequeño rayo de luz en la atmósfera gris.

Hice una llamada de larga distancia desde la Avenue Rapp y recibí órdenes de regresar a Panamá. Joe y yo almorzamos tarde y nos prometimos estar más en contacto. Después volví al aeropuerto y cogí un avión con escalas en Londres y Miami. Al llegar tomé un autobús hacia el sur. Como capitán recién nombrado estuve al mando de una compañía. Teníamos el cometido de mantener el orden en la capital de Panamá durante la fase final de la operación Causa Justa. Fue divertido. Era un grupo muy bueno. Resultó reconfortante trabajar otra vez sobre el terreno. Y el café, excelente como de costumbre. Lo envían allá donde vayamos, en latas grandes como bidones de aceite.

Nunca regresé a Fort Bird. No volví a ver a la sargento, la del niño pequeño. A veces pensaba en ella, cuando empezó a hacerse sentir la reducción de efectivos. Tampoco volví a ver a Summer. Me enteré de que armó tanto ruido con el orden del día de Kramer que el Cuerpo de Auditores Militares quería pedir la pena de muerte por alta traición, y de que luego se las ingenió para conseguir confesiones de Vassell, Coomer y Marshall sobre el resto de cuestiones a cambio de la perpetua. Supe que había sido ascendida a capitán al día siguiente de que aquéllos ingresaran en Leavenworth. De modo que ella y yo acabamos estando en la misma escala salarial. Nos conocimos en mitad del fregado. Nuestros caminos no volvieron a cruzarse.

Tampoco volví a París como era mi intención. Pensaba que podría ir hasta el Pont des Invalides a altas horas de la noche y simplemente oler el aire. Pero no pudo ser. Pertenecía al ejército, y estaba siempre donde alguien me decía que debía estar.

OTROS TÍTULOS
DE ESTA COLECCIÓN

EL EXTRAÑO CASO DEL DR. JEKYLL Y MR. HYDE

ROBERT LOUIS STEVENSON

Tras una sucesión de crímenes misteriosos, el abogado Charles Utterson investiga, a la vez que descubre, la relación de su amigo el Dr. Jekyll, con el malvado y misántropo Edward Hyde, supuesto asesino de una de las víctimas. En sus cuadernos, el Dr. Jekyll confiesa que en su juventud consiguió una poción que lograba transformar a una persona en uno solo de sus dos polos opuestos. Así, cada vez que Jekyll tomaba la poción se metamorfoseaba en Hyde, disminuyendo su estatura y tomando un aspecto muy desagradable. Poco a poco perderá el control de los cambios y Hyde pasará a ser amo y señor de Jekyll. Un día, Poole, el mayordomo del Dr. Jekyll, asegura que alguien ha entrado en el laboratorio y lo ha matado. En realidad lo que encuentran en él es el cadáver de Mr. Hyde que se ha suicidado. Mientras el Dr. Jekyll ha desaparecido.

SABOR A MUERTE

P. D. JAMES

«Eran dos, y supo instantáneamente y con absoluta certeza que estaban muertos. Los habían degollado y parecían animales sacrificados en medio de un charco de sangre.»

Adam Dalgliesh tendrá que desvelar en esta ocasión el misterio que rodea el asesinato de dos hombres a los que la muerte ha unido, pero que en vida raramente habrían coincidido: un baronet y un vagabundo alcohólico.

El detective está convencido de que el vínculo entre ambos individuos de tan distintos ámbitos sociales le mostrará el camino para llegar al autor del delito. Antes de alcanzar su objetivo, no obstante, deberá enfrentarse a un crimen que conmueve la opinión pública e introducirse en las mansiones de la enigmática clase alta londinense.

LA LISTA DE LOS SIETE

MARK FROST

El conocido escritor londinense Arthur Conan Doyle escribe un texto llamado *La hermandad oscura* que al parecer contiene parte de las enseñanzas esotéricas y teosóficas que proclama madame Blavatsky. Durante la Navidad de 1884 Conan Doyle recibe un mensaje escrito convocándole a un encuentro, en el que presenciará un ritual terrorífico y será testimonio de un asesinato atroz. El creador del detective Sherlock Holmes será a partir de entonces perseguido por los que al parecer son miembros de una organización hermética. Vivirá un periplo que le llevará a los barrios más peligrosos de Londres, donde tendrá una relación directa con la práctica del espiritismo y el mundo de las fuerzas ocultas.